#시험대비
#핵심정복

7일 끝
시험 대비
문법 기초

Chunjae
Makes
Chunjae

▼

편집개발	구은경, 구보선, 김희윤
제작	황성진, 조규영

발행일	2021년 4월 15일 초판 2021년 4월 15일 1쇄
발행인	(주)천재교육
주소	서울시 금천구 가산로9길 54
신고번호	제2001-000018호
고객센터	1577-0902
교재 내용문의	(02)3282-1711 / 8884

7일 끝으로 끝내자!

중학 영문법 1

BOOK 1

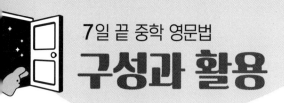

7일 끝 중학 영문법
구성과 활용

공부
시작

생각 열기

공부할 내용을 만화로 가볍게 살펴보며 학습 준비를 해 보세요.

❶ 공부할 내용을 살피며 핵심 학습 요소를 확인해 보세요.

❷ 학습 요소를 떠올리며 **Quiz**를 풀어 보세요.

본격
공부 중

교과서 **핵심 문법** + 기초 **확인 문제**

꼭 알아야 할 교과서 핵심 문법을 익히고 기초 확인 문제를 풀며 제대로 이해했는지 확인해 보세요.

❶ 빈칸을 채우며 핵심 내용을 다시 한 번 체크해 보세요.

❷ 기초 확인 문제를 풀며 앞서 공부한 문법 내용을 확인해 보세요.

내신 **기출 베스트**

학교 시험 유형의 문제를 풀어 보며 공부한 내용을 점검해 보세요.

❶ 8개의 대표 예제를 풀며 학교 시험 유형의 기본 문제를 익혀 보세요.

❷ 개념 가이드의 빈칸을 채우며 각 문제의 핵심 문법 내용을 다시 한 번 확인해 보세요.

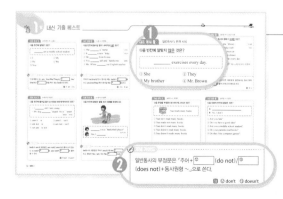

공부 마무리

누구나 100점 테스트
앞서 공부한 내용에 대한 기초
이해력을 점검해 보세요.

창의·융합·서술·코딩 테스트
문장 완성하기 유형의 다양한
서술형 문제를 풀어 보세요.

중간·기말고사 기본 테스트
학교 시험 유형의 예상 문제를
풀며 실전에 대비해 보세요.

틈틈이 공부하기

앞서 공부한 내용을 요약한
16장의 핵심 정리 총집합 학습 카드를
들고 나니며 공부해 보세요.

7일 끝 중학 영문법

차례

1일 be동사와 일반동사

Quiz

1. be동사의 현재형은 am, are, is이고, I는 am / are / is 과 함께 씁니다.

2. 주어가 she일 때 like의 현재형은 like / likes 로 씁니다.

Answers

1. am

2. likes

1일 교과서 핵심 문법 ❶

핵심 ❶ 인칭대명사와 be동사

1. **❶[   ]** 는 사람이나 사물을 가리키는 말로, 인칭과 수, 역할에 따라 다른 형태를 쓴다.

❶ 인칭대명사

		주격 (~은/는)	소유격 (~의)	목적격 (~을/를)
1인칭	단수	I	my	me
	복수	we	our	us
2인칭		you	your	you
3인칭	단수	he / she / it	his / her / its	him / her / it
	복수	they	their	them

e.g. ❷[   ] is Jessy. She is ❸[   ] sister. 그녀는 Jessy다. 그녀는 나의 여동생이다.

❷ She
❸ my

2. be동사는 '~이다, ~에 있다'라는 뜻으로, 주어의 ❹[   ] 를 나타내는 말이다.

❹ 상태

3. 인칭대명사와 be동사는 줄여 쓸 수 있다.

		인칭대명사와 be동사	줄임말
1인칭	단수	I am	I'm
	복수	we are	we're
2인칭		you are	you're
3인칭	단수	he is / she is / it is	he's / she's / it's
	복수	they are	they're

핵심 ❷ be동사의 부정문과 의문문

1. **부정문**: 「주어+be동사+not ~.」으로 쓰고, '~이 아니다, ~에 없다'라는 뜻이다.

e.g. I am ❺[   ] a teacher. 나는 교사가 아니다.

My dog is not healthy. 내 개는 건강하지 않다.

They are not good students. 그들은 착한 학생들이 아니다.

❺ not

TIP 'be동사+not'의 줄임말
am not → 줄여 쓰지 않음
are not → aren't
is not → isn't

2. **의문문**: 「be동사+주어 ~?」로 쓰고, 「Yes, 주어+be동사.」 또는 「No, 주어+be동사+not.」으로 응답한다.

e.g. **A** ❻[   ] you at home? 너는 집에 있니?

B No, I'm not. 아니, 그렇지 않아.

❻ Are

Words and Phrases

☐ teacher 교사 ☐ healthy 건강한

기초 확인 문제

정답과 해설 **66쪽**

01 다음 빈칸에 알맞은 말을 〈보기〉에서 찾아 쓰시오.

┌ 보기 ┐
am   is   are
└─────────────┘

(1) I _____ tall.

(2) They _____ kind.

(3) She _____ a famous artist.

(4) You _____ my best friend.

02 다음 빈칸에 알맞지 <u>않은</u> 것은?

This is _____ book.

① my   ② you   ③ his

④ her   ⑤ our

03 다음 문장을 부정문으로 바꿔 쓸 때 빈칸에 알맞은 것을 <u>두 개</u> 고르시오.

(1)
I am in the classroom.
➡ _____ in the classroom.

① I am no   ② I amn't

③ I am not   ④ I'm not

⑤ I not am

(2)

We are classmates.
➡ _____ classmates.

① We not   ② We are not

③ We aren't   ④ We not are

⑤ We aren't not

04 다음 질문의 응답을 완성하시오.

I'm from Australia.

Q Is he from Canada?

➡ No, _____ _____.

05 다음 중 어법상 <u>어색한</u> 문장은?

① Are they your cats?

② I'm not late for school.

③ Is Mr. Smith a teacher?

④ They aren't baseball players.

⑤ Paul and Jack isn't my friends.

Words and Phrases

☐ tall 키가 큰   ☐ famous 유명한   ☐ artist 예술가, 화가   ☐ classmate 학급 친구   ☐ be from ~ 출신이다   ☐ Australia 호주
☐ be late for ~에 늦다

핵심 3 일반동사

1. ❶ [　　　] 는 주어의 상태나 행위를 나타내는 말이다.

2. 주어가 I/we/you/they 또는 복수 명사이면 일반동사는 원형으로 쓴다.

3. 주어가 he/she/it 또는 ❷ [　　　] 이면 일반동사는 3인칭 단수형으로 쓴다.

대부분의 동사	동사원형+-s	comes, eats, makes, walks, speaks
-s, -ch, -sh, -o, -x로 끝나는 동사	동사원형+-es	passes, teaches, washes, goes, fixes
「자음+y」로 끝나는 동사	y를 i로 바꾸고+-es	study → ❸ [　　　], fly → flies
「모음+y」로 끝나는 동사	동사원형+-s	plays, pays, says
have	has	

e.g. She ❹ [　　　] English well. 그녀는 영어를 잘 말한다.
He goes to school at 8 o'clock. 그는 8시에 학교에 간다.

핵심 4 일반동사의 부정문과 의문문

1. 일반동사의 부정문

주어가 I/we/you/they 또는 복수 명사일 때	주어+do not〔don't〕+동사원형 ~.
주어가 he/she/it 또는 단수 명사일 때	주어+does not〔doesn't〕+동사원형 ~.

e.g. I do not〔don't〕 like Gimchi. 나는 김치를 좋아하지 않는다.
He does not〔❺ [　　　]〕 know my name. 그는 내 이름을 알지 못한다.

2. 일반동사의 의문문

주어가 I/we/you/they 또는 복수 명사일 때	Do+주어+❻ [　　　] ~? – Yes, 주어+do. / No, 주어+don't.
주어가 he/she/it 또는 단수 명사일 때	Does+주어+동사원형 ~? – Yes, 주어+does. / No, 주어+doesn't.

e.g. **A** Do you have a pet? 너는 애완동물을 기르니?
B No, I ❼ [　　　]. 아니, 기르지 않아.

Words and Phrases

☐ walk 걸어가다 ☐ pass 통과하다, 건네주다 ☐ fix 고치다 ☐ fly 날다 ☐ pay 지불하다
☐ like 좋아하다 ☐ know 알다 ☐ pet 애완동물

우측 여백 정답
❶ 일반동사
❷ 단수 명사
❸ studies
❹ speaks
❺ doesn't
❻ 동사원형
❼ don't

기초 확인 문제

06 주어에 맞도록 밑줄 친 동사를 올바른 형태로 쓰시오.

(1) I fix ➡ He _____

(2) I wash ➡ It _____

(3) We play ➡ She _____

(4) You fly ➡ The bird _____

(5) They have ➡ John _____

07 다음 밑줄 친 동사의 형태가 올바른 것은?

① Do you has apples?

② Eric live in New York.

③ Mom and I make bread.

④ Kate doesn't teaches math.

⑤ Jim and Tom goes jogging.

08 다음 우리말을 영어로 옮겨 쓸 때 필요 없는 것을 고르시오.

(1)

나는 아침을 먹지 않는다.

① I   ② eat   ③ don't

④ breakfast   ⑤ doesn't

(2)

그는 뉴스를 보지 않는다.

① he   ② watch   ③ watches

④ doesn't   ⑤ the news

09 다음 밑줄 친 부분 중 어법상 어색한 것은?

① I don't have sisters.

② Do they speak Chinese?

③ Does Jake walk to school?

④ Dad comes home late at night.

⑤ My brothers doesn't like sports.

10 다음 대화를 어법에 알맞게 고쳐 쓰시오.

Bob

A Does Bob has long hair?

B No, he don't.

⬇

A _____ Bob _____ long hair?

B No, _____ _____.

Words and Phrases

☐ live in ~에 살다 ☐ go jogging 조깅하러 가다 ☐ breakfast 아침 식사 ☐ watch 보다 ☐ Chinese 중국어
☐ sports 스포츠, 운동 경기 ☐ hair 머리카락

1일 내신 기출 베스트

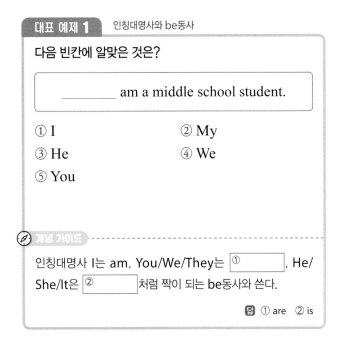

대표 예제 1 인칭대명사와 be동사

다음 빈칸에 알맞은 것은?

> _____ am a middle school student.

① I   ② My
③ He   ④ We
⑤ You

개념 가이드

인칭대명사 I는 am, You/We/They는 ①〔　　　〕, He/She/It은 ②〔　　　〕처럼 짝이 되는 be동사와 쓴다.

📝 ① are ② is

대표 예제 2 be동사의 현재형

다음 빈칸에 들어갈 말이 나머지와 <u>다른</u> 것은?

① She _____ a *nurse.   *간호사
② It _____ a new *bike.   *자전거
③ He _____ from Korea.
④ You _____ tall and *handsome.   *잘생긴
⑤ Ms. White _____ our English teacher.

개념 가이드

주어가 he/she/it/단수 명사일 때는 be동사 ③〔　　　〕를 쓰고, you/we/they/복수 명사일 때는 ④〔　　　〕를 쓴다.

📝 ③ is ④ are

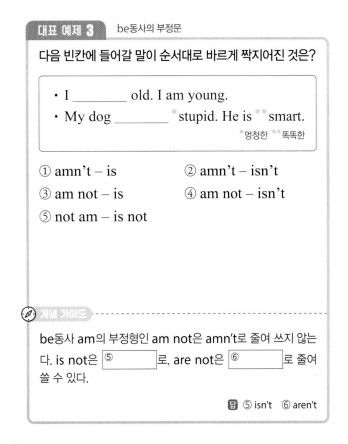

대표 예제 3 be동사의 부정문

다음 빈칸에 들어갈 말이 순서대로 바르게 짝지어진 것은?

> • I _____ old. I am young.
> • My dog _____ *stupid. He is **smart.
>   *멍청한 **똑똑한

① amn't – is   ② amn't – isn't
③ am not – is   ④ am not – isn't
⑤ not am – is not

개념 가이드

be동사 am의 부정형인 am not은 amn't로 줄여 쓰지 않는다. is not은 ⑤〔　　　〕로, are not은 ⑥〔　　　〕로 줄여쓸 수 있다.

📝 ⑤ isn't ⑥ aren't

대표 예제 4 be동사의 의문문

다음 빈칸에 알맞은 말을 써서 대화를 완성하시오.

> _____ you a *basketball player?   *농구 선수
> Yes, I _____.

개념 가이드

be동사의 의문문은 주어가 you일 때 Are ⑦〔　　　〕~?로 쓰고, 응답은 Yes, I am. 또는 No, ⑧〔　　　〕 not.으로 한다.

📝 ⑦ you ⑧ I'm

대표 예제 **5** 일반동사의 현재 시제

다음 빈칸에 알맞지 <u>않은</u> 것은?

| _____ exercises every day. |

① She ② They
③ My brother ④ Mr. Brown
⑤ Our friend Jack

개념 가이드

주어가 I/we/you/they 또는 복수 명사이면 일반동사는 ⑨ 으로 쓰고, he/she/it 또는 단수 명사이면 일반동사는 ⑩ 으로 쓴다.

답 ⑨ 원형 ⑩ 3인칭 단수형

대표 예제 **6** 일반동사의 3인칭 단수형

다음 밑줄 친 동사의 형태가 <u>어색한</u> 것은?

① She <u>study</u> in the *library. *도서관
② Mike *<u>rides</u> a bike well. *타다
③ Mr. Green <u>has</u> a nice car.
④ He <u>drinks</u> tea after dinner.
⑤ Ann <u>plays</u> the piano every day.

TIP 「모음+y」로 끝나는 동사는 -s만 붙여요.

개념 가이드

주어가 3인칭 단수이면 대부분의 일반동사는 동사 뒤에 ⑪ 를 붙여 3인칭 단수형으로 쓴다.

답 ⑪ -s

대표 예제 **7** 일반동사의 부정문

다음 문장을 부정문으로 바르게 고쳐 쓴 것은?

| Sue reads many books. |

① Sue isn't read many books.
② Sue reads not many books.
③ Sue don't read many books.
④ Sue doesn't read many books.
⑤ Sue doesn't reads many books.

개념 가이드

일반동사의 부정문은 「주어+⑫ 〔do not〕/⑬ 〔does not〕+동사원형 ~.」으로 쓴다.

답 ⑫ don't ⑬ doesn't

대표 예제 **8** 일반동사의 의문문

다음 대화의 빈칸에 알맞은 것은?

| **A** _____
B No, I don't. |

① Are you late?
② Do you have a good idea?
③ Are you a middle school student?
④ Do your parents read books?
⑤ Do they like computer games?

개념 가이드

일반동사의 의문문은 주어가 you일 때 「⑭ you+동사원형 ~?」으로 쓰고, 응답은 Yes, I〔we〕do. 또는 No, I〔we〕⑮ .로 한다.

답 ⑭ Do ⑮ don't

공부할 내용
① be동사의 과거형
② 일반동사의 과거형
③ 의문사와 과거 시제 의문문

과거 시제 의문문

쉬는 시간

어디 갔지?

Did you eat my chocolate?

도리도리

먹었으면 Yes, I did., 먹지 않았으면 No, I didn't.라고 말해.

아니, 먹지 않았어. No, I didn't.

네 건 저기에 있...

수호야, 너 뭘 먹은 거야? What did you eat?

도리도리

네가 무엇을 먹었는지 물은 거였어. what이 '무엇'을 뜻하는 말이잖아.

아하~ I ate this cookie. 자, 미나야 너도 하나 먹어.

다음 시간 수학 시험

고마워. 글구 오해해서 미안해.

난 미나 꺼 먹지 않았어. I didn't eat Mina's.

Quiz

1. be동사 am의 과거형은 [was / were] 이고, are의 과거형은 [was / were] 입니다.

2. 무엇을 먹었는지 물을 때는 [What / When] did you eat?으로 씁니다.

Answers

1. was, were

2. What

핵심 1 be동사와 일반동사의 과거형

1. be동사의 과거형은 '~이었다, ~에 있었다'라는 뜻이다. 주어가 I나 he/she/it 또는 단수 명사일 때는 ❶ [   ], 나머지는 were를 쓴다.

> **e.g.** I was sick last night. 나는 어젯밤에 아팠다.
> We ❷ [   ] at the party then. 우리는 그때 파티에 있었다.

❶ was

❷ were

2. 일반동사의 과거형은 주어에 상관없이 같은 형태로 쓴다.

대부분의 동사	동사원형+-ed	talked, wanted, waited, painted
-e로 끝나는 동사	동사원형+-d	liked, lived, arrived
「자음+y」로 끝나는 동사	y를 i로 바꾸고+-ed	cry → cried, marry → married
「단모음+단자음」으로 끝나는 동사	마지막 ❸ [ ]을 한 번 더 쓰고+-ed	stopped, dropped, planned
불규칙 변화 동사	come → came, do → did, ❹ [ ] → went, eat → ate, teach → taught, ride → rode, buy → bought, have → had, take → took, make → made, meet → met, drink → drank	

❸ 자음

❹ go

> **e.g.** He came to Seoul a month ago. 그는 한 달 전에 서울로 왔다.

> **TIP** 과거를 나타내는 표현에는 yesterday(어제), last night(어젯밤), then/at that time(그때), a month ago(한 달 전) 등이 있다.

핵심 2 be동사와 일반동사의 과거 시제 부정문

1. be동사의 과거 시제 부정문은 「주어+was〔were〕not ~.」으로 쓰고, '~이 아니었다〔없었다〕'라는 뜻이다. was not은 ❺ [   ], were not은 weren't로 줄여 쓸 수 있다.

> **e.g.** She wasn't a student. 그녀는 학생이 아니었다.
> They ❻ [   ] in the classroom. 그들은 교실에 없었다.

❺ wasn't

❻ weren't

2. 일반동사의 과거 시제 부정문은 「주어+did not〔didn't〕+동사원형 ~.」으로 쓰고, '~하지 않았다'라는 뜻이다.

> **e.g.** We ❼ [   ] play tennis yesterday. 우리는 어제 테니스를 치지 않았다.

❼ didn't

Words and Phrases
☐ sick 아픈   ☐ marry ~와 결혼하다   ☐ drop 떨어지다, 떨어뜨리다   ☐ plan 계획하다

기초 확인 문제

01 다음 괄호 안에서 알맞은 말을 고르시오.

(1) I (am / was) busy yesterday.

(2) It (is / was) very cold last winter.

(3) Lucy (was / were) a police officer.

(4) They (was / were) famous musicians.

02 다음 밑줄 친 과거형이 어색한 것은?

① I studied math yesterday.

② He waited for me for an hour.

③ They arrived early this morning.

④ She watched a movie last night.

⑤ Tina taked many pictures last week.

03 다음 빈칸에 알맞은 것을 고르시오.

(1)

> They _____ late for the movie.

① was   ② did   ③ didn't

④ were   ⑤ wasn't

(2)

> He _____ coffee last night.

① drinks   ② drank

③ drinked   ④ dranks

⑤ wasn't drink

04 다음 빈칸에 didn't가 들어갈 수 있는 것은?

① He _____ cut down the tree.

② We _____ planned the party.

③ I _____ planted some flowers.

④ She _____ bought the house.

⑤ They _____ went to the restaurant.

05 다음 문장을 부정문으로 바꾸어 쓰시오.

(1) Ann was sick in bed.

➡ _____

(2) The baby cried all night.

➡ _____

Words and Phrases

☐ busy 바쁜　☐ police officer 경찰관　☐ musician 음악가　☐ take pictures 사진을 찍다　☐ plant 심다

☐ sick in bed 아파 누워 있다　☐ all night 밤새

핵심 ③ 의문사와 의문문

1. 의문사는 구체적인 내용을 물을 때 사용하는 말이다.

who	누구	❶ ___	무엇	when	언제
where	어디에	why	왜	how	어떻게, 얼마나

❶ what

2. 의문사가 있는 의문문은 「❷ ___ +동사+주어 ~?」로 쓰고, Yes/No로 응답하지 않는다.

❷ 의문사

e.g. A ❸ ___ is the man? 저 남자는 누구니?

    B He is my homeroom teacher. 그는 우리 담임 선생님이셔.

> who와 what은 의문사인 동시에 대명사로 쓰여 주어나 목적어 역할을 할 수 있어요

❸ Who

핵심 ④ be동사의 과거 시제 의문문

> 주어가 I/he/she/it/단수 명사이면 was, 그 외에는 were를 써요.

의문사가 없는 경우	Was(Were)+주어 ~? - Yes, 주어+was(were). / No, 주어+wasn't(weren't).
의문사가 있는 경우	의문사+was(were)+주어 ~? - Yes나 No로 답하지 않는다.

e.g. · A Was the movie interesting? 영화는 재미있었니?

    B Yes, it ❹ ___ . 응, 재미있었어.

❹ was

    · A Where ❺ ___ you at 9? 너는 9시에 어디에 있었니?

    B I was in my room. 나는 내 방에 있었어.

❺ were

핵심 ⑤ 일반동사의 과거 시제 의문문

> 주어에 상관없이 Did를 써요.

의문사가 없는 경우	Did+주어+동사원형 ~? - Yes, 주어+did. / No, 주어+❻ ___ .
의문사가 있는 경우	의문사+did+주어+동사원형 ~? - Yes나 No로 답하지 않는다.

❻ didn't

e.g. · A Did you play the piano? 너는 피아노를 쳤니?

    B Yes, I did. 응, 쳤어.

    · A How ❼ ___ you come here? 너는 여기에 어떻게 왔니?

    B I came here by subway. 나는 지하철로 왔어.

❼ did

Words and Phrases

☐ homeroom teacher 담임 교사 ☐ interesting 재미있는 ☐ subway 지하철 (**by**+이동 수단: ~을 타고)

기초 확인 문제

정답과 해설 **70쪽**

06 다음 빈칸에 알맞은 말을 〈보기〉에서 골라 쓰시오.

┌─ 보기 ─────────────────────┐
│   who   when   where   │
└──────────────────────────┘

(1) **A** _____ do you live?

   B I live in Inchon.

(2) **A** _____ is the winner?

   B Bill is the winner.

(3) **A** _____ is Parents' Day?

   B It's May 8th.

07 다음 대화의 빈칸에 들어갈 말이 순서대로 바르게 짝지어진 것을 고르시오.

(1)
┌──────────────────────────┐
│ **A** _____ you 10 years old last year? │
│ **B** Yes, I _____ . │
└──────────────────────────┘

① Are – am   ② Did – did

③ Did – was   ④ Were – was

⑤ Were – were

(2)
┌──────────────────────────┐
│ **A** _____ she go to school yesterday? │
│ **B** No, she _____ . │
└──────────────────────────┘

① Is – isn't   ② Was – wasn't

③ Did – didn't   ④ Does – doesn't

⑤ Did – wasn't

08 다음 밑줄 친 ①~⑤ 중 어법상 어색한 것을 찾아 바르게 고쳐 쓰시오.

┌──────────────────────────┐
│ **A** ① What ② did she ③ did ④ an hour ago? │
│ **B** She ⑤ did her homework. │
└──────────────────────────┘

_____ ➡ _____

09 다음 우리말 뜻에 해당하는 문장을 만들 때 필요 없는 것은?

┌──────────────────────────┐
│   어제 연주회는 어땠니?   │
└──────────────────────────┘

① was   ② did   ③ yesterday

④ how   ⑤ the concert

10 다음 대화의 빈칸에 들어갈 말로 알맞은 것은?

┌──────────────────────────┐
│ _____ │
│   │
│ Yes, I did.   │
└──────────────────────────┘

① Who took a shower?

② Did you take a shower?

③ Did you took a shower?

④ Were you take a shower?

⑤ When did you take a shower?

Words and Phrases

☐ winner 승자 ☐ Parents' Day 어버이날 ☐ homework 숙제 ☐ concert 콘서트, 연주회 ☐ take a shower 샤워를 하다

대표 예제 1 　be동사와 일반동사의 과거형

다음 중 동사의 과거형이 잘못 연결된 것은?

① do – did
② are – were
③ have – had
④ want – went
⑤ teach – taught

> **TIP** 기억해야 할 일반동사의 불규칙 변화형
>
> | go → went | buy → bought |
> |---|---|
> | make → made | take → took |
> | eat → ate | come → came |

개념 가이드

be동사 am/is의 과거형은 ①[ ]이고, are의 과거형은 were이다. 일반동사의 과거형은 대개 동사 뒤에 ②[ ]를 붙이는데, 불규칙적으로 변하기도 한다.

답 ① was　② -ed

대표 예제 2 　일반동사의 과거형

다음 빈칸에 어법상 알맞지 않은 것은?

> Bob ＿＿＿＿＿＿ yesterday.

① rode a bike
② listen to music
③ met his friend
④ read a *newspaper　신문
⑤ studied for the test

> **TIP** read의 현재형[riːd]과 과거형[red]은 형태는 같지만 발음이 달라요.

개념 가이드

문장에 과거를 나타내는 말인 yesterday(③[ ]), then/at that time(그때), last year(작년), a month ago(한 달 전) 등이 있을 때는 동사를 ④[ ]으로 쓴다.

답 ③ 어제　④ 과거형

대표 예제 3 　be동사의 과거 시제 부정문

다음 빈칸에 wasn't가 들어갈 수 없는 것은?

① I ＿＿＿＿ at the party.
② The soup ＿＿＿＿ salty.
③ It ＿＿＿＿ my *mistake.　*잘못, 실수
④ The room ＿＿＿＿ *clean.　*깨끗한
⑤ She ＿＿＿＿ write the letter.

개념 가이드

be동사의 과거 시제 부정문은 「주어+wasn't(weren't) ~.」로 쓰고, 주어가 I/he/she/it/단수 명사이면 ⑤[ ]를 쓴다.

답 ⑤ wasn't (was not)

대표 예제 4 　일반동사의 과거 시제 부정문

다음 문장을 부정문으로 바르게 고친 것은?

> She bought a book.

① She not bought a book.
② She didn't buy a book.
③ She wasn't buy a book.
④ She doesn't buy a book.
⑤ She didn't bought a book.

개념 가이드

일반동사의 과거 시제 부정문은 「주어+⑥[ ]+동사원형 ~.」으로 쓴다.

답 ⑥ didn't (did not)

대표 예제 **5** 의문사

다음 밑줄 친 부분의 쓰임이 어색한 것은?

① <u>Where</u> do you live?
② <u>How</u> was your test?
③ <u>Who</u> is your best friend?
④ <u>Why</u> were you *angry then?   *화가 난
⑤ <u>What</u> old were you last year?

개념 가이드

의문사는 구체적인 것을 물을 때 사용하는 말로 who(누구), what(무엇), ⑦ [   ](언제), where(어디에), why(왜), how(어떻게, 얼마나) 등이 있다.

답 ⑦ when

대표 예제 **6** be동사의 과거 시제 의문문

다음 대화의 빈칸에 공통으로 알맞은 말을 쓰시오.

A _____ they at the *beach last night?
B Yes, they _____.   *해변

개념 가이드

be동사의 과거 시제 의문문은 「⑧ [   ]+주어 ~?」로 쓰고, 응답은 「Yes, 주어+was〔were〕.」나 「No, 주어+wasn't〔⑨ [   ]〕.」로 한다.

답 ⑧ be동사의 과거형 ⑨ weren't

대표 예제 **7** 일반동사의 과거 시제 의문문

다음 대화의 밑줄 친 ①~⑤ 중 어법상 어색한 것은?

A ① <u>Does</u> she ② <u>go</u> to school ③ <u>yesterday</u>?
B No, she ④ <u>didn't</u>. She ⑤ <u>was</u> sick in bed.

개념 가이드

일반동사의 과거 시제 의문문은 「⑩ [   ]+주어+동사원형 ~?」으로 쓰고, 부정의 응답은 「No, 주어+didn't.」로 한다.

답 ⑩ Did

대표 예제 **8** 일반동사의 과거 시제 의문문

다음 우리말을 영어로 바르게 옮긴 것은?

> Eric은 어제 무엇을 했니?

① Eric did what yesterday?
② What did Eric do yesterday?
③ What did Eric did yesterday?
④ What was Eric do yesterday?
⑤ What do Eric did yesterday?

개념 가이드

의문사가 있는 일반동사의 과거 시제 의문문은 의문사를 맨 앞에 써서 「⑪ [   ]+did+주어+동사원형 ~?」으로 쓴다.

답 ⑪ 의문사

3일 현재진행형/동명사와 현재분사

생각 열기

3일 교과서 핵심 문법 ❶

핵심 1 현재진행형

1. 현재진행형은 「be동사의 ❶ [　　　] (am/are/is)+동사원형+-ing」로 쓰고, '~하고 있다, ~하는 중이다'라는 뜻으로 현재 일어나고 있는 일을 나타낸다.

TIP 진행형에서 쓰인 「동사원형+-ing」를 '현재분사'라고 한다.

❶ 현재형

*동사의 -ing형 만들기

대부분의 동사	동사원형+-ing	go → going, read → reading, feed → feeding, study → studying, work → working
「자음+e」로 끝나는 동사	e를 빼고 +-ing	make → making, come → ❷ [　　　], ride → riding, take → taking
「단모음+단자음」으로 끝나는 동사	마지막 자음을 한 번 더 쓰고 +-ing	swim → ❸ [　　　], shop → shopping, sit → sitting, run → running

❷ coming

❸ swimming

e.g. I am reading a book. 나는 책을 읽고 있다.
He is ❹ [　　　] at the office. 그는 사무실에서 일하고 있다.

❹ working

2. 부정문은 「주어+be동사의 현재형+not+동사원형+-ing ~.」로 쓰고, '~하고 있지 않다, ~하는 중이 아니다.'라는 뜻이다. 이때 be동사와 ❺ [　　　]은 줄여 쓸 수 있다.

❺ not

e.g. We are not(aren't) studying in the library.
우리는 도서관에서 공부하는 중이 아니다.

3. 의문문은 「(의문사+) be동사의 현재형+주어+동사원형+-ing ~?」로 쓰고, '~하고 있니?, ~하는 중이니?'라는 뜻이다. 의문사가 없는 의문문의 응답은 「Yes, 주어+be동사의 현재형.」이나 「No, 주어+be동사의 현재형+not.」으로 하고, 의문사가 있는 의문문의 응답은 Yes나 No로 하지 않는다.

e.g. · A Is she making dinner?
그녀는 저녁을 만들고 있니?

B Yes, she ❻ [　　　].
응, 만들고 있어.

❻ is

· A ❼ [　　　] are you doing now?
너는 지금 무엇을 하고 있니?

❼ What

B I'm feeding the sheep.
나는 양들에게 먹이를 주고 있어.

Words and Phrases
☐ feed 먹이를 주다 ☐ office 사무실, 사무소 ☐ sheep 양(들)

정답과 해설 **72쪽**

01 다음 괄호 안에 주어진 동사를 빈칸에 올바른 형태로 쓰시오.

(1) He is _____ in the park. (run)

(2) I am _____ the flowers. (water)

(3) We are _____ sandwiches. (make)

(4) The computer is not _____. (work)

(5) They are _____ the garden. (clean)

02 다음 밑줄 친 부분이 어법상 어색한 것은?

① The children <u>are crying</u>.

② My sister <u>is listening</u> to music.

③ The cat <u>is playing</u> on the bench.

④ People <u>are shopping</u> at the mall.

⑤ Jack and Sue <u>is talking</u> on the phone.

03 다음 빈칸에 들어갈 말이 순서대로 바르게 짝지어진 것을 고르시오.

(1)

> **A** Is he _____ pictures outside?
>
> **B** Yes, he _____.

① take – is   ② takes – does

③ taking – is   ④ taking – does

⑤ took – did

(2)

> **A** What are your cousins _____?
>
> **B** They are _____ books.

① do – read   ② did – reading

③ does – reads   ④ doing – reading

⑤ doing – readding

04 다음 우리말을 영어로 쓰시오.

> 그는 수영하고 있지 않다.

➡ _____

05 다음 대화의 빈칸에 들어갈 말로 알맞은 것은?

> _____
>
> Yes, I am.

① Do you play computer games?

② Does he like computer games?

③ Is he playing computer games?

④ Are you play computer games?

⑤ Are you playing computer games?

Words and Phrases

☐ water 물주다 ☐ work 작동하다 ☐ garden 정원 ☐ mall 쇼핑몰 ☐ talk on the phone 전화 통화를 하다

3일 교과서 핵심 문법 ②

핵심 2 동명사

1. 동명사는 동사가 문장에서 주어, 목적어, 보어 자리에 올 때 「❶[   ]+-ing」 형태로 명사처럼 쓰는 말이며, '~하는 것'이라는 뜻이다.

주어 자리에 올 때	Seeing is believing. 보는 것이 믿는 것이다.
목적어 자리에 올 때	I enjoy watching movies. 나는 영화를 보는 것을 즐긴다.
보어 자리에 올 때	My hobby is ❷[ ] cookies. 내 취미는 쿠키를 굽는 것이다.

2. 동명사를 목적어로 쓰는 동사들

enjoy driving	운전하는 것을 즐기다	practice dancing	춤추는 것을 연습하다
finish cooking	❸[ ] 끝내다	mind going out	외출하는 것을 꺼리다
avoid talking	말하는 것을 피하다	give up eating	먹는 것을 포기하다

> **e.g.** I enjoy meeting new people. 나는 새로운 사람들을 만나는 것을 즐긴다.

핵심 3 현재분사

1. 현재분사는 「동사원형＋-ing」 형태로 진행형에서 진행의 의미를 나타내거나 명사를 꾸며 주는 ❹[   ]처럼 쓰인다.

> **e.g.** They are swimming in the river. 그들은 강에서 수영하고 있다. (진행의 의미)
> The crying baby is my nephew. 그 ❺[   ] 아기는 나의 조카이다. (형용사 역할)

2. 동명사와 현재분사의 비교

형태는 ❻[   ]로 같지만 동명사는 명사처럼 쓰고, 현재분사는 진행의 의미나 형용사처럼 쓴다.

> **e.g.** Sleeping is important. ❼[   ]은 중요하다.
> 동명사: 주어 역할
> He is sleeping in the room. 그는 방에서 자고 있다.
> 현재분사: 진행의 의미
> This is a really touching story. 이것은 정말 감동적인 이야기이다.
> 현재분사: 형용사 역할

우측 여백 정답
- ❶ 동사원형
- ❷ baking
- ❸ 요리하는 것을
- ❹ 형용사
- ❺ 울고 있는
- ❻ 동사원형+-ing
- ❼ 자는 것

Words and Phrases

☐ believe 믿다 ☐ hobby 취미 ☐ nephew 조카 ☐ important 중요한

정답과 해설 73쪽

06 다음 밑줄 친 부분에 유의하여 문장의 우리말 뜻을 완성하시오.

(1) My job is helping sick people.

➡ 나의 직업은 아픈 사람들을 _____.

(2) I enjoy drinking soda.

➡ 나는 탄산음료 _____ 즐긴다.

(3) He is watching the falling leaves.

➡ 그는 _____ 나뭇잎을 보고 있다.

(4) They are listening to the radio in class.

➡ 그들은 수업 중에 라디오를 _____.

07 다음 밑줄 친 부분의 성격이 나머지와 다른 것은?

① A bird is flying.

② I enjoy swimming.

③ Painting flowers is my hobby.

④ I gave up singing the pop song.

⑤ My problem is eating too much.

08 다음 괄호 안에 주어진 동사를 올바른 형태로 쓰시오.

(1)

| (walk) is a good exercise. |

➡ _____ (1글자)

(2)

| He finished (write) a novel. |

➡ _____

09 다음 중 〈보기〉의 밑줄 친 부분과 쓰임이 같은 것은?

┌─ 보기 ─────────────────────────┐
The sleeping baby looks like an angel.
└──────────────────────────────┘

① She is running to the gate.

② Baking bread is interesting.

③ I practice speaking English.

④ We escaped from the sinking boat.

⑤ My favorite is watching the musicals.

10 다음 그림의 상황에서 남학생이 할 말을 동사 mind와 close를 사용하여 완성하시오.

| Do you _____ the window? |

Words and Phrases

☐ soda 탄산음료 ☐ fall 떨어지다 ☐ in class 수업 중 ☐ problem 문제 ☐ paint 그리다 ☐ novel 소설 ☐ escape 탈출하다
☐ sink 가라 앉다 ☐ favorite 가장 좋아하는 것

3일 내신 기출 베스트 _____

대표 예제 1   동사의 -ing형

다음 중 동사의 -ing형이 잘못 연결된 것은?

① go – going
② cry – crying
③ run – running
④ make – makeing
⑤ watch – watching

> **TIP** 「단모음+단자음」으로 끝나는 동사는 마지막 자음을 한 번 더 쓰고 -ing를 붙여요.

🧭 **개념 가이드** ----------------------------

동사의 -ing형은 대부분의 동사는 동사원형에 ① ☐ 를 붙이고, e로 끝나는 동사는 e를 빼고 -ing를 붙인다.

탑 ① -ing

대표 예제 2   현재진행형의 형태

다음 밑줄 친 부분 중 어법상 어색한 것은?

① He is sing.
② It is raining outside.
③ She is buying a ticket.
④ I am fishing on the boat.   *낚시하다
⑤ The birds are flying in the sky.

🧭 **개념 가이드** ----------------------------

현재진행형은 「② ☐ (am/are/is)+동사원형+-ing」 형태로 쓴다.

탑 ② be동사의 현재형

대표 예제 3   현재진행형 부정문

다음 주어진 단어를 사용하여 만든 문장으로 올바른 것은?

> I / not / play / the guitar /am

① I am not play the guitar.
② I amn't playing the guitar.
③ I not am playing the guitar.
④ I am not playing the guitar.
⑤ I am playing not the guitar.

🧭 **개념 가이드** ----------------------------

현재진행형 부정문은 「주어+be동사의 현재형+③ ☐ +동사원형+-ing ~.」로 쓴다.

탑 ③ not

대표 예제 4   현재진행형 의문문

다음 주어진 응답에 대한 질문으로 알맞은 것은?

She is riding a bike.

① What is she do?
② What she is doing?
③ What is she doing?
④ Is she riding a bike?
⑤ Does she riding a bike?

🧭 **개념 가이드** ----------------------------

의문사가 있는 현재진행형 의문문은 「④ ☐ +be동사의 현재형+주어+동사원형+-ing ~?」로 쓴다.

탑 ④ 의문사

대표 예제 **5** 　동명사

다음 주어진 표현을 바르게 배열하여 문장을 완성하고, 우리말 뜻을 쓰시오.

(1) camping / going / like

➡ I _____ .

　: _____

(2) with my friends / having / is / lunch

➡ My plan _____ .

　: _____

동명사는 문장에서 주어, 목적어, 보어 자리에 쓰여 ⑤ [　　] 역할을 하며, '~하는 것'이라는 뜻을 나타낸다.

답 ⑤ 명사

대표 예제 **6** 　동명사를 목적어로 쓰는 동사

다음 괄호 안의 동사를 빈칸에 쓸 때 형태가 나머지와 <u>다른</u> 것은?

① I mind _____ *spicy food. (eat)　*매운

② They enjoy _____ people. (meet)

③ He gave up _____ the *race. (finish)　*경주

④ I practiced _____ yesterday. (drive)

⑤ Carl didn't _____ his homework. (do)

⑥ [　　] 를 목적어로 쓰는 동사에는 enjoy (즐기다), finish (끝내다), give up (포기하다), ⑦ [　　] (연습하다), avoid (피하다), mind (꺼리다) 등이 있다.

답 ⑥ 동명사　⑦ practice

대표 예제 **7** 　현재분사

다음 빈칸에 알맞은 형태로 동사 sleep을 고쳐 쓰시오.

➡ The _____ boy looks *cute.　*귀여운

현재분사는 「동사원형＋-ing」 형태로 문장에서 형용사처럼 ⑧ [　　] 를 수식하고, '~하는, ~하고 있는'의 뜻을 나타낸다.

답 ⑧ 명사

대표 예제 **8** 　동명사와 현재분사

다음 중 밑줄 친 부분의 성격이 같은 것끼리 짝지어진 것은?

ⓐ She is <u>sending</u> an email.

ⓑ His job is <u>teaching</u> science.

ⓒ I'm looking at the <u>flying</u> bird.

ⓓ I finished <u>cleaning</u> the house.

① ⓐ, ⓑ　　② ⓐ, ⓒ　　③ ⓑ, ⓒ

④ ⓒ, ⓓ　　⑤ ⓑ, ⓒ, ⓓ

동명사와 현재분사는 둘 다 ⑨ [　　] 형태이고, 동명사는 문장에서 명사 역할을, 현재분사는 진행의 의미를 나타내거나 ⑩ [　　] 역할을 한다.

답 ⑨ 동사원형＋-ing　⑩ 형용사

4일 조동사

Quiz

1. 능력이나 허락을 나타낼 때는 [will / can / may] 을 씁니다.
2. '~해야 한다'라는 뜻으로 강한 의무를 나타낼 때는 [should / must] 를 씁니다.

Answers
1. can
2. must

교과서 핵심 문법 ❶

핵심 1 조동사

조동사는 동사 앞에 쓰여 추측이나 능력, 허락, 의무 등의 의미를 더해 주는 말이다. 주어의 인칭이나 수에 따라 형태가 달라지지 않고, 「조동사+❶□□□□□」의 형태로 쓴다.

❶ 동사원형

e.g. He will leave after breakfast. 그는 아침 먹은 후에 떠날 것이다.
    wills (×)

핵심 2 will

| 미래에 대한 추측 | ~일 것이다 | It ❷□□□□ rain soon. 비가 곧 올 것이다. |
| 주어의 의지 | ~하겠다, ~할 것이다 | I will win the match. 나는 경기를 이기겠다. |

❷ will

1. 부정문: 주어+will not(❸□□□□)+동사원형 ~.

will not은 won't로 줄여 쓸 수 있어요.

❸ won't

e.g. He will not(won't) give up. 그는 포기하지 않을 것이다.

2. 의문문: Will+주어+동사원형 ~? – Yes, 주어+will. / No, 주어+won't.

Will you ~?는 요청의 의미를 나타내기도 해요.

e.g. A Will the train start on time? 기차는 정시에 출발할까?

  B Yes, it will. 응, 그럴 거야.

핵심 3 can

| 능력(가능) | ~할 수 있다 | I can speak Chinese. 나는 중국어를 말할 수 있다. |
| 허락 | ~해도 된다 | You ❹□□□□ go now. 너는 이제 가도 된다. |

❹ can

1. 부정문: 주어+cannot(❺□□□□)+동사원형 ~.

can의 부정형은 cannot이고 can't로 줄여 쓸 수 있어요.

❺ can't

e.g. He cannot(can't) tell the truth. 그는 진실을 말할 수 없다.

2. 의문문: Can+주어+❻□□□□ ~? – Yes, 주어+can. / No, 주어+can't.

❻ 동사원형

e.g. A Can I borrow this book? 이 책을 빌려도 되나요?

  B Yes, you ❼□□□□. 네, 돼요.

❼ can

TIP 능력을 나타내는 can 대신에 be able to(~할 수 있다)를 쓸 수 있다. 부정형은 be동사 뒤에 not을 쓴다.
I am (not) able to speak Chinese.

Words and Phrases

☐ leave 떠나다, 출발하다 ☐ match 경기, 시합 ☐ on time 정시에 ☐ truth 진실 ☐ borrow 빌리다

기초 확인 문제

01 다음 괄호 안에서 알맞은 것을 고르시오.

(1) I can (help / helping) you.

(2) Can he (fixes / fix) my bike?

(3) She (will / wills) finish the book.

(4) Tim won't (go / goes) hiking today.

02 다음 밑줄 친 can의 쓰임이 나머지와 다른 것은?

① He can ride a horse.

② Mark can play chess.

③ I can't move this box.

④ She can solve this puzzle.

⑤ You can use my computer.

03 다음 우리말과 일치하도록 빈칸에 알맞은 것을 고르시오.

(1)
> Paul이 먼저 도착할 것이다.
> ➡ Paul _____ first.

① arrives ② arrived

③ is arriving ④ will arrive

⑤ will arrives

(2)
> 나는 당신의 친절을 잊지 않겠다.
> ➡ I _____ forget your kindness.

① can ② won't ③ can't

④ don't ⑤ am able to

04 다음 중 짝지어진 대화가 <u>어색한</u> 것은?

① **A** Can she climb the tree?

 B Yes, she can.

② **A** Will you keep a diary?

 B Yes, I will.

③ **A** Can I feed the animals?

 B No, I can't.

④ **A** Will they come to the meeting?

 B No, they won't.

⑤ **A** Can we take a picture here?

 B Yes, you can.

05 다음 그림의 상황과 일치하도록 주어진 표현을 배열하여 문장을 완성하시오.

> can / the drums / play / not

➡ He _____.

핵심 4 may

약한 추측	~일지도 모른다	She ❶[ ] be busy. 그녀는 바쁠지도 모른다.
허락	~해도 된다	You may sit here. 너는 여기에 앉아도 된다.

1. 부정문: 주어+may not+동사원형 ~.

2. 의문문: May+주어+동사원형 ~? – Yes, 주어+may. / No, 주어+may not.

❶ may

핵심 5 must

강한 의무(필요)	❷[ ]	You must wear a seat belt. 너는 안전벨트를 매야 한다.
강한 추측	~임에 틀림없다	The man must be the thief. 그 남자가 도둑임에 틀림없다.

TIP 의무를 나타내는 must 대신 have to(~해야 한다)를 쓸 수 있다. 주어가 3인칭 단수이면 has to로 쓴다.

1. 부정문: 주어+must not(mustn't)+동사원형 ~. (금지: ~해서는 안 된다)

　　　　　주어+don't(doesn't) have to+동사원형 ~. (불필요: ~할 필요가 없다)

2. 의문문: Must+주어+동사원형 ~?

　　　　　– Yes, 주어+must. (의무) / No, 주어+❸[   ]. (금지)

　　　　　Do(Does)+주어+have to+동사원형 ~?

　　　　　– Yes, 주어+have to. (의무)

　　　　　　No, 주어+don't(doesn't) have to. (불필요)

❷ ~해야 한다

❸ mustn't

핵심 6 should

도덕적인 의무	~해야 한다	We ❹[ ] save the Earth. 우리는 지구를 구해야 한다.
충고	~하도록 해라	You should see a doctor. 너는 진찰을 받도록 해라.

1. 부정문: 주어+should not(shouldn't)+동사원형 ~.

2. 의문문: Should+주어+동사원형 ~? – Yes, 주어+should. / No, 주어+shouldn't.

❹ should

Words and Phrases

☐ seat belt 안전벨트　☐ save 구하다　☐ Earth 지구

기초 확인 문제

정답과 해설 **76쪽**

06 다음 우리말과 일치하도록 빈칸에 알맞은 것을 〈보기〉에서 골라 쓰시오.

┌─ 보기 ─────────────────────┐
│   may   should   must   │
└────────────────────────────┘

(1) 너는 교통법규를 따라야 한다.

➡ You _____ follow the traffic rules.

(2) 너는 집에 있도록 해라.

➡ You _____ stay home.

(3) 그는 여기에 살지도 모른다.

➡ He _____ live here.

07 다음 밑줄 친 부분 중 어법상 어색한 것은?

① I <u>must</u> find a job.

② We <u>may</u> be late for class.

③ He <u>have to</u> keep his promise.

④ You <u>must not</u> sit on the grass.

⑤ Students <u>should</u> be kind to their teachers.

08 다음 우리말을 영어로 바르게 옮긴 것은?

┌────────────────────────────┐
│   너는 건강에 좋은 음식을 먹어야 한다.   │
└────────────────────────────┘

① You can eat healthy food.

② You may eat healthy food.

③ You will eat healthy food.

④ You should eat healthy food.

⑤ You won't eat healthy food.

09 다음 표지판의 내용으로 가장 알맞은 것은?

① You may touch it.

② You must touch it.

③ You have to touch it.

④ You must not touch it.

⑤ You don't have to touch it.

10 다음 대화에서 어법상 어색한 부분을 찾아 바르게 고쳐 쓰시오.

(1)
┌────────────────────────────┐
│ **A** May I saw your ticket?   │
│ **B** Here it is.   │
└────────────────────────────┘

_____ ➡ _____

(2)
┌────────────────────────────┐
│ **A** Do I have to take off my shoes? │
│ **B** No, you not have to.   │
└────────────────────────────┘

_____ ➡ _____

Words and Phrases

☐ follow 따르다   ☐ traffic rules 교통법규   ☐ keep one's promise 약속을 지키다   ☐ take off (옷, 신발 등을) 벗다

대표 예제 1 　조동사의 특징

다음 중 어법상 어색한 문장은?

① She will make a cake.
② You shouldn't *tell a lie.　　*거짓말을 하다
③ You must not sleep *in class.　　*수업 중
④ You not may enter this room.
⑤ We should wear our *helmet.　　*헬멧

 개념 가이드

조동사는 「조동사+ ① 　　　」으로 나타내고, 부정형은 「조동사+ ② 　　　+동사원형」으로 쓴다.

답 ① 동사원형 　② not

대표 예제 2 　미래 추측의 will

다음 우리말과 일치하도록 할 때 빈칸에 알맞은 것은?

> 오늘은 추울 것이다.
> ➡ It 　　　　 cold today.

① is
② must be
③ will be
④ should be
⑤ has to be

 개념 가이드

③ 　　　은 「will+동사원형」의 형태로 미래에 대한 추측(~일 것이다)과 주어의 의지(~하겠다, ~할 것이다)를 나타낸다.

답 ③ will

대표 예제 3 　능력의 can과 be able to

다음 주어진 문장과 바꿔 쓸 수 있는 것은?

 He can speak Chinese.

① He will speak Chinese.
② He may speak Chinese.
③ He has to speak Chinese.
④ He is able to speak Chinese.
⑤ He does able to speak Chinese.

 개념 가이드

④ 　　　은 능력(~할 수 있다)이나 허락(~해도 된다)을 나타낸다. 능력을 나타낼 때는 ⑤ 　　　로 바꾸어 쓸 수 있다.

답 ④ can 　⑤ be able to

대표 예제 4 　금지의 must not

다음 그림의 여학생에게 할 말이 되도록 할 때 빈칸에 알맞은 것은?

> You 　　　　 cross the road.

① aren't
② won't
③ don't
④ mustn't
⑤ don't have to

 개념 가이드

강한 의무를 나타내는 must의 부정형인 must not은 '~해서는 안 된다'라는 뜻으로 ⑥ 　　　를 나타낸다.

답 ⑥ 금지

대표 예제 **5**　허락의 may와 can

다음 우리말을 영어로 바르게 옮긴 것을 <u>2개</u> 고르면?

> 내가 창문을 닫아도 되니?

① Can I close the window?
② Must I close the window?
③ May I close the window?
④ Will you close the window?
⑤ Do I have to close the window?

개념 가이드

may가 '~해도 된다'라는 뜻의 ⑦ ▢ 을 나타낼 때는 ⑧ ▢ 으로 바꾸어 쓸 수 있다.

답 ⑦ 허락　⑧ can

대표 예제 **6**　의무의 must

다음 〈보기〉의 밑줄 친 must와 의미가 <u>다른</u> 것은?

> ── 보기 ──
> You <u>must</u> be quiet.

① We <u>must</u> plant trees.
② He <u>must</u> be your brother.
③ You <u>must</u> clean your room.
④ I <u>must</u> finish my homework.
⑤ She <u>must</u> wear her school *uniform.　*교복

개념 가이드

must는 강한 의무(⑨ ▢)와 강한 추측(~임에 틀림없다)을 나타낸다.

답 ⑨ ~해야 한다

대표 예제 **7**　의무의 조동사

다음 그림을 보고 엄마가 할 말을 조건에 맞게 쓰시오.

➡ _____

> ── 조건 ──
> 1. wear, your helmet, 적절한 조동사를 사용할 것
> 2. 5단어로 쓸 것

개념 가이드

의무를 나타내는 조동사에는 must와 ⑩ ▢ 가 있고, must 대신 ⑪ ▢ 를 쓸 수도 있다.

답 ⑩ should　⑪ have to

대표 예제 **8**　조동사 의문문

다음 중 짝지어진 대화가 <u>어색한</u> 것은?

① **A** May I eat here?
　B Yes, you may.
② **A** Will he wait longer?
　B Yes, he will.
③ **A** Do I have to leave now?
　B No, you don't have to.
④ **A** Should I close the door?
　B No, you shouldn't.
⑤ **A** Can you play the violin?
　B No, you can't.

개념 가이드

조동사를 포함하는 의문문은 「⑫ ▢ +주어+동사원형 ~?」으로 쓰고, 응답은 「Yes, 주어+조동사.」 또는 「No, 주어+조동사+⑬ ▢ .」으로 한다.

답 ⑫ 조동사　⑬ not

5일 여러 가지 문장/전치사

생각 열기

장소·위치를 나타내는 전치사

Quiz

1. 명사를 강조하는 감탄문은 「 How / What a/an + 형용사 + 명사 + 주어 + 동사!」로 씁니다.

2. '~하지 마라'라는 뜻으로 명령하는 말은 「 Don't / Let's + 동사원형 ~.」으로 씁니다.

Answers

1. What
2. Don't

5일 교과서 핵심 문법 ①

핵심 1 감탄문

1. 기쁨, 슬픔, 놀람 등의 감정을 표현하는 문장이다.

2. '정말 ~한 …구나!'라는 뜻으로 명사를 강조하는 감탄문은 「What (a/an)＋형용사＋명사(＋주어＋동사)!」로 쓴다.

셀 수 없는 명사이거나 복수 명사일 때는 a나 an을 쓰지 않아요.

e.g. ❶ [   ] an easy book it is! 그것은 정말 쉬운 책이구나!
→ It is a very easy book.과 의미가 통한다.

❶ What

3. '정말 ~하구나!'라는 뜻으로 형용사나 부사를 강조하는 감탄문은 「How＋형용사/부사(＋주어＋동사)!」로 쓴다.

e.g. ❷ [   ] fun the movie is! 그 영화는 정말 재미있구나!
→ The movie is really fun.과 의미가 통한다.

❷ How

핵심 2 (부정) 명령문

1. 상대방에게 명령이나 지시하는 문장이다.

2. 「(주어 you를 생략하고) 동사원형 ~.」으로 쓰고 '~해라'라는 뜻을 나타낸다. 문장의 앞이나 뒤에 ❸ [   ] 를 붙여 공손하게 표현할 수 있다.

❸ please

e.g. Be quiet. 조용히 해라.
→ Please, be quiet. 조용히 해 주세요.

3. 「Don't(Do not)＋동사원형 ~.」으로 쓰는 부정 명령문은 '~하지 마라'라는 뜻을 나타낸다.

e.g. ❹ [   ] tell a lie. 거짓말을 하지 마라.

❹ Don't

핵심 3 권유문

1. 상대방에게 권유나 제안하는 문장이며, 「❺ [   ] ＋동사원형 ~.」으로 쓰고 '~하자'라는 뜻을 나타낸다.

❺ Let's

e.g. Let's go on a picnic. 소풍 가자.

2. 「Let's not＋동사원형 ~.」은 '~하지 말자'라는 뜻을 나타낸다.

e.g. Let's ❻ [   ] play computer games. 컴퓨터 게임을 하지 말자.

❻ not

Words and Phrases

☐ fun 재미있는 ☐ tell a lie 거짓말을 하다 ☐ go on a picnic 소풍 가다

기초 확인 문제

정답과 해설 **78쪽**

01 다음 괄호 안에서 알맞은 것을 고르시오.

(1) (Don't / Not) do that again.

(2) Let's (open not / not open) the door.

(3) (What / How) sweet the ice cream is!

(4) (Turn / Turning) down the music, please.

02 다음 그림 속 남자아이가 할 말로 빈칸에 알맞은 것은?

_____ take a walk.

① Don't   ② Let's

③ We can't   ④ Let's not

⑤ Let's we

03 다음 빈칸에 알맞은 것을 고르시오.

(1)

_____ nice person he is!

① How   ② What   ③ What a

④ How a   ⑤ What an

(2)

_____ make mistakes.

① Let   ② Not   ③ Don't

④ You not   ⑤ Doesn't

04 다음 중 어법상 <u>어색한</u> 문장의 개수는?

ⓐ Don't leave.

ⓑ What a good idea!

ⓒ How kind are they!

ⓓ Let's waste not money.

① 1개   ② 2개   ③ 3개

④ 4개   ⑤ 없음

05 다음 주어진 표현을 바르게 배열하여 감탄문으로 만드시오.

it / beautiful / is / wedding dress / what / a

➡ _____!

Words and Phrases

☐ turn down 소리를 줄이다 ☐ take a walk 산책하다 ☐ person 사람 ☐ make mistakes 실수를 하다 ☐ waste 낭비하다

5일 교과서 핵심 문법 ❷

시간을 나타내는 전치사

종류	의미	쓰임	예문	
at	~에	시각(at 7:30), 정각(at 2 o'clock), 정오(at noon), 자정(at midnight)	I get up ❶ [ ] 7:30. 나는 7시 30분에 일어난다.	❶ at
on	~에	요일(on Monday), 날짜(on May 1st), 특정한 날(on Halloween)	I eat out ❷ [ ] Saturday. 나는 토요일에 외식한다.	❷ on
in	~에	오전(오후, 저녁)(in the morning (afternoon, evening)), 연도(in 2010), 월(in June), 계절(in fall)	She came to Korea in 2010. 그녀는 2010년에 한국에 왔다.	
for	~ 동안	연속하는 기간(숫자) (for two days)	We stayed here for two days. 우리는 여기에 이틀 동안 머물렀다.	
during	~ 동안	특정한 기간 (during the vacation)	I will travel ❸ [ ] the vacation. 나는 방학 동안에 여행할 것이다.	❸ during

핵심 5 장소·위치를 나타내는 전치사

종류	의미	쓰임	예문	
at	~에	비교적 좁은 장소	He works at the bank. 그는 은행에서 일한다.	
on	~ 위에	표면과 접촉되는 곳	The glasses are on the table. 안경이 탁자 ❹ [ ] 있다.	❹ 위에
in	~에, ~ 안에	비교적 넓은 장소, 안쪽	I live in Seoul. 나는 서울에 산다. I am in my room. 나는 내 방에 있다.	
over	~ 위에	표면에서 떨어진 위	The rainbow is over the building. 무지개가 건물 ❺ [ ] 있다.	❺ 위에
under	~ 아래에	표면에서 떨어진 아래	The socks are under the bed. 양말이 침대 ❻ [ ] 있다.	❻ 아래에
along	~을 따라	나란히 놓여 있는 관계	There are houses along the river. 집들이 그 강을 따라 줄지어 있다.	

TIP 위치를 나타낼 때 자주 쓰는 표현에는 behind(~ 뒤에), in front of(~ 앞에), next to(~ 옆에), between A and B(A와 B 사이에), across from(~의 맞은편에)이 있다.

Words and Phrases

☐ eat out 외식하다 ☐ stay 머무르다 ☐ vacation 방학 ☐ rainbow 무지개 ☐ building 건물

기초 확인 문제

06 다음 빈칸에 알맞은 전치사를 〈보기〉에서 골라 쓰시오.

> 보기
>
> in   at   for   on

(1) I have lunch _____ noon.

(2) It rains a lot _____ summer.

(3) Lisa walked _____ two hours.

(4) The festival is _____ May 10th.

07 다음 그림의 내용과 일치하도록 할 때 빈칸에 알맞은 것은?

> People are jogging _____ the river.

① at   ② under   ③ over

④ along   ⑤ during

08 다음 밑줄 친 부분이 어법상 올바른 것은?

① The cat is sitting <u>at</u> the sofa.

② The bank is <u>next</u> the hospital.

③ The world map is <u>at</u> the wall.

④ There is a box <u>under</u> the tree.

⑤ My classroom is <u>in</u> the third floor.

09 다음 우리말을 영어로 옮긴 문장에서 어법상 어색한 부분을 찾아 바르게 고쳐 쓰시오.

(1)
> 그는 저녁에 일한다.
> ➡ He works for the evening.

_____ ➡ _____

(2)
> 차들이 도로 위를 달리고 있다.
> ➡ Cars are running over the road.

_____ ➡ _____

10 다음 초대장의 내용과 일치하도록 할 때 빈칸에 알맞은 말이 바르게 짝지어진 것은?

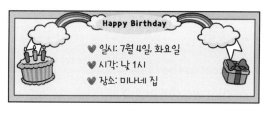

> Mina's birthday party is _____ July 4th. The party will be _____ her house _____ one o'clock.

① in – in – to   ② in – on – in

③ on – in – for   ④ on – at – at

⑤ on – at – on

Words and Phrases

☐ festival 축제   ☐ map 지도   ☐ wall 벽   ☐ the third floor 3층

대표 예제 1 (부정) 명령문

다음 중 어법상 올바른 문장은?

① Helping me, please.
② *Listen to your parents.   *듣다
③ Don't are late for school.
④ Does your homework first.
⑤ Not eat *snacks before dinner.   *간식

🧭 **개념 가이드**

명령문은 주어인 you를 생략하고 ① ⬚ 으로 시작하고,
부정 명령문은 「② ⬚ +동사원형 ~.」으로 쓴다.

📋 답 ① 동사원형 ② Don't

대표 예제 2 감탄문

다음 우리말을 영어로 바르게 옮긴 것은?

> 정말 높은 건물이구나!

① How tall building!
② What a tall building!
③ What a tall building is!
④ How tall is the building!
⑤ The building is how tall!

🧭 **개념 가이드**

감탄문은 「③ ⬚ (a/an)+형용사+명사(+주어+동사)!」
나 「④ ⬚ +형용사/부사(+주어+동사)!」로 쓴다.

📋 답 ③ What ④ How

대표 예제 3 권유문

다음 빈칸에 들어갈 말로 어법상 어색한 것을 2개 고르면?

> Let's _____.

① don't talk about him
② meet at the *bus stop   *버스 정류장
③ playing the piano
④ move the table together
⑤ not *go to the movies   *영화 보러 가다

🧭 **개념 가이드**

'~하자'라는 뜻의 권유문은 「Let's+동사원형 ~.」으로 쓰고,
부정문은 「Let's ⑤ ⬚ +동사원형 ~.」으로 쓴다.

📋 답 ⑤ not

대표 예제 4 부정 명령문

다음 표지판의 내용과 일치하도록 할 때 빈칸에 알맞은 것은?

> _____ enter with pets.

① You   ② Don't   ③ Not
④ Let's   ⑤ Please

🧭 **개념 가이드**

부정 명령문은 「⑥ ⬚ +동사원형 ~.」으로 쓰고, '~하지
마라'라는 금지를 나타낸다.

📋 답 ⑥ Don't

대표 예제 5 장소 전치사

다음 그림을 보고 주어진 표현을 바르게 배열하여 문장을 완성하시오.

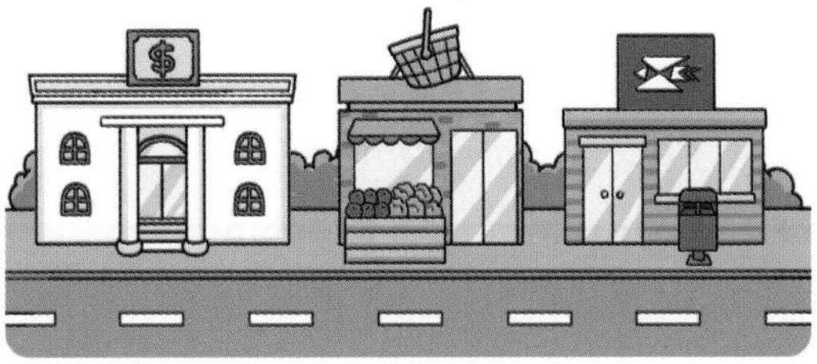

and / is / the post office / the bank / between

➡ The supermarket ____________________
____________________.

개념 가이드

'A와 B 사이에'는 ⑦ [   ] A and B로 쓴다.

답 ⑦ between

대표 예제 6 장소 전치사

다음 빈칸에 들어갈 전치사가 나머지와 다른 것은?

① Don't walk ________ the •grass. •잔디
② The painting is ________ the wall.
③ Emily stayed ________ the hotel.
④ She put the dish ________ the table.
⑤ I am drawing ________ the •sketchbook. •스케치북

개념 가이드

장소 전치사 ⑧ [   ]은 표면과 접촉되는 곳을 나타낼 때 쓰고, '~에'라는 뜻으로 비교적 좁은 장소를 나타낼 때는 ⑨ [   ]을 쓴다.

답 ⑧ on ⑨ at

대표 예제 7 시간 전치사

다음 빈칸에 알맞은 말이 순서대로 바르게 짝지어진 것은?

- We had fun ________ Halloween.
- Many people died ________ the war.

① in – on　② on – for
③ on – on　④ on – during
⑤ in – during

개념 가이드

시간 전치사 ⑩ [   ]은 특정한 날 앞에 쓰고, ⑪ [   ]은 특정한 기간 동안을 나타낸다.

답 ⑩ on ⑪ during

대표 예제 8 시간/장소 전치사

다음 밑줄 친 부분의 쓰임이 어색한 것은?

① I have a TV in my room.
② The shop •closes at midnight. •닫다
③ Put your bag under your desk.
④ I always •go skiing on winter. •스키 타러 가다
⑤ Trees are standing along the street.

개념 가이드

장소 전치사 in은 '~ 안에', ⑫ [   ]는 '~ 아래에', along은 '~을 따라'를 뜻한다. 시간 전치사 ⑬ [   ]은 계절 앞에 쓰고, midnight(밤 12시) 앞에는 at을 쓴다.

답 ⑫ under ⑬ in

인칭대명사와 be동사

01 다음 중 주어와 be동사의 연결이 <u>어색한</u> 것은?

① I am
② You are
③ She is
④ My parents is
⑤ They are

be동사의 부정문

02 다음 우리말을 영어로 옮길 때, ①~⑤ 중 세 번째로 오는 것은?

> Mr. Brown은 우리 선생님이 아니다.

① is
② our
③ Mr. Brown
④ not
⑤ teacher

be동사의 의문문

03 다음 그림의 내용과 일치하도록 할 때 대화의 빈칸에 알맞은 것은?

 Are you in the °history museum?
°역사 박물관

① Yes, I am.
② No, I amn't.
③ Yes, we are.
④ No, you aren't.
⑤ I like history.

일반동사의 3인칭 단수 현재형

04 다음 밑줄 친 부분이 어법상 <u>어색한</u> 것은?

① Ann <u>plays</u> chess well.
② James <u>teaches</u> science.
③ My dad <u>comes</u> home late.
④ She <u>goes</u> hiking every Sunday.
⑤ Dave and his brother <u>does</u> their homework together.

일반동사의 과거 시제 의문문

05 다음 대화의 빈칸에 들어갈 말로 알맞은 것은?

A Did Paul take his cell phone?
B No, he _____.

① isn't
② don't
③ didn't
④ wasn't
⑤ doesn't

현재진행형

06 다음 괄호 안에 주어진 동사의 올바른 형태는?

> Mark is (clean) the house.

① cleans
② cleaned
③ cleaning
④ to clean
⑤ cleanning

07 다음 그림을 보고 빈칸에 알맞은 것을 고르시오.

보어 역할의 동명사

(1)

> His job is _____ pictures.

① take
② took
③ taking
④ takings
⑤ takeing

목적어 역할의 동명사

(2)

> She enjoys _____.

① shop
② shoping
③ shopping
④ to shop
⑤ to shopping

일반동사의 과거형

08 다음 빈칸에 들어갈 말로 알맞지 <u>않은</u> 것은?

> I _____ yesterday.

① got up late
② studied hard
③ helped my mom
④ went to the hospital
⑤ eat steak °for dinner   °저녁으로

일반동사의 과거 시제 부정문과 의문문

09 다음 문장을 지시대로 바꾸어 쓸 때 빈칸에 알맞은 말을 쓰시오.

(1) Dave stayed at home. (부정문으로)

➡ Dave _____ _____ at home.

(2) They came to the party. (의문문으로)

➡ _____ _____ _____ to the party?

현재분사

10 다음 빈칸에 동사 dance를 알맞은 형태로 고쳐 쓰시오.

> Taemin is _____ on the °stage.
> (태민이는 무대에서 춤추고 있다.)   °무대

6일 47

조동사 will의 쓰임

01 다음 중 빈칸에 will을 쓸 수 <u>없는</u> 것은?

① I _____ be a *pilot.   *비행기 조종사

② We _____ help you.

③ She _____ have a test.

④ He _____ leave with us.

⑤ Sue _____ made some cookies.

능력의 can

02 다음 우리말을 영어로 옮길 때 빈칸에 알맞은 것은?

> 나는 차를 운전할 수 있다.
> ➡ I _____ drive a car.
> ➡ I am able to drive a car.

① can   ② may   ③ should

④ will   ⑤ have to

의무의 should와 추측의 may

03 다음 우리말과 일치하도록 빈칸에 알맞은 것을 〈보기〉에서 골라 쓰시오.

┌ 보기 ┐
will   may   should

(1) 너는 쉬어야 한다.

  ➡ You _____ take a rest.

(2) 그는 거짓말쟁이일지도 모른다.

  ➡ He _____ be a *liar.   *거짓말쟁이

허락의 may

04 다음 상황에서 남학생이 할 말로 어법상 알맞은 것은?

① Am I go to the restroom?

② May I go to the restroom?

③ May I goes to the restroom?

④ Can you go to the restroom?

⑤ Can you going to the restroom?

조동사가 쓰인 부정문/부정 명령문

05 다음 표지판의 내용을 <u>잘못</u> 나타낸 것은?

① Don't ride a bike here.

② You cannot ride a bike here.

③ You have to ride a bike here.

④ You mustn't ride a bike here.

⑤ You shouldn't ride a bike here.

부정 명령문
06 다음 그림에서 운전기사가 소녀에게 할 말을 완성하시오.

_____ eat food on the bus please.
(버스에서 음식을 먹지 마세요.)

감탄문
07 다음 두 문장의 의미가 통하도록 할 때 빈칸에 알맞은 것은?

°Dolphins are very smart.　　°돌고래
➡ _____ dolphins are!

① What smart　　② How smart
③ What a smart　　④ How a smart
⑤ What very smart

권유문
08 다음 우리말을 영어로 바르게 옮긴 것은?

우리 더 이상 싸우지 말자.

① Don't °fight °°anymore.　　°싸우다 °°더 이상
② We not fight anymore.
③ Let's not fight anymore.
④ We don't fight anymore.
⑤ Let's don't fight anymore.

시간/장소 전치사
09 다음 빈칸에 공통으로 알맞은 것을 고르시오.

(1)
· The final test is _____ Wednesday.
· The picture is _____ the wall.

① in　　② at　　③ to
④ for　　⑤ on

(2)
· I have a piano lesson _____ 4:30.
· Let's meet _____ the bus stop.

① to　　② of　　③ at
④ in　　⑤ during

시간/장소 전치사
10 다음 밑줄 친 ①~⑤ 중 어법상 어색한 것은?

Firework° Festival°°
♥ 일시: 3월 15일, 토요일
♥ 시각: 늦은 9시
♥ 장소: 다리 위

°불꽃놀이 °°축제

　The festival is ① on March 15th. It's ② on Saturday. The fireworks will start ③ at 9 ④ in the evening. You can watch them ⑤ under the bridge.

일반동사의 3인칭 단수형과 부정문

01 다음 표의 내용과 일치하도록 문장을 완성하시오.

I like ...	Mina	Dan
animals	○	×
English	○	○
sports	×	○

(1) Mina _____ animals.

(2) Mina and Dan _____ English.

(3) Mina _____ _____ sports, but Dan _____ sports.

be동사와 일반동사의 과거형

02 다음 그림을 보고, 〈보기〉의 단어를 활용하여 대화를 완성하시오.

┌ 보기 ┐

draw   do   play   is

How _____ your school?

It was fun.

What _____ you do at school?

I _____ a °picture.   °그림

I _____ basketball, too.   °농구

일반동사의 부정문과 의문문

03 다음 문장을 지시대로 바꿔 쓰시오.

(1) Mike has pets. (부정문으로)

➡ _____

(2) Amy finished her homework. (의문문으로)

➡ _____

현재진행형

04 〈보기〉와 같이 괄호 안의 단어를 활용하여 사람들이 현재 하고 있는 일을 묘사하는 문장을 완성하시오.

┌ 보기 ┐

I <u>am walking</u> my dog. (walk)

(1) They _____ badminton. (play)

(2) She _____ a scooter. (ride)

(3) He _____ on the °track. (run)

°경주로, 트랙

동명사

05 다음 문장의 굵은 부분에 유의하여 우리말로 해석하시오.

Watching movies is my hobby.

➡ _____

06 금지의 must not

다음 그림의 표지판이 나타내는 내용이 되도록 주어진 단어를 배열하여 문장을 완성하시오.

| not / enter / must |

➡ You _____ this place.

07 허락의 may와 can

다음 괄호 안의 표현을 사용하여 우리말을 영어로 옮기시오. (5단어)

| 제가 이 펜을 사용해도 되나요? (use, this pen) |

➡ _____

08 감탄문

다음 문장에서 어법상 어색한 부분을 찾아 바르게 고쳐 쓰시오. (단, 한 단어만 고칠 것)

| How a clever boy he is! |

➡ _____

09 부정 명령문

다음 그림의 상황에서 선생님이 남학생에게 할 말을 조건에 맞게 쓰시오.

➡ _____

조건
1. 부정 명령문으로 쓸 것
2. *talk on the phone, in the library를 사용할 것   *전화 통화를 하다
3. 8단어로 쓸 것

10 장소 전치사

다음 지도 정보와 일치하도록 〈보기〉의 표현을 사용하여 문장을 완성하시오.

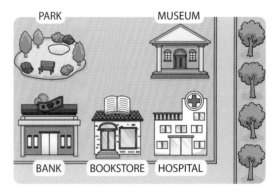

보기
behind   in front of   next to

(1) The bank is _____ the park.

(2) The bookstore is _____ the bank.

(3) The museum is _____ the hospital.

일반동사의 과거 시제

01 소민이가 지난 일요일에 한 일로 일기를 완성해 봅시다.

Step 1 그림에 해당하는 표현을 과거형으로 바꾸어 쓴다.

I	8:00	11:00	14:00	17:00
현재형	go hiking	study math	watch a movie	meet Jina
과거형				

Step 2 Step 1 의 표현을 사용하여 일기를 완성한다.

일기와 같이 지난 일을 다루는 글은 과거 시제로 써요.

Sunday, August 10th, ☀

I _____ in the morning. I _____ before lunch. After lunch, I _____ on TV. It was exciting. In the afternoon, I _____. We had a good time.

현재진행형

02 지호네 가족이 현재 하고 있는 일을 묘사해 봅시다.

현재 하고 있는 일은 「be동사의 현재형 +동사원형+-ing」로 나타내요.

read a newspaper
listen to music
water the plant
make a house

It is Sunday morning.

I am listening to music.

My dad is _____.

My mom _____.

My sister Suji _____.

창의 융합 조동사

03 미술관 이용에 관한 Q&A를 완성해 봅시다.

> can과 may는 허락을 나타내고, 부정형인 can't와 may not, mustn't는 금지를 나타내요.

Art Museum Q&A

Q May I take pictures?
A Yes, you _____. You _____.

Q Can I use a *flash?   *플래시
A No, you _____. You _____.

Q May I touch the paintings?
A No, you _____. You _____.

> can   may   can't   may not   mustn't

창의 융합 권유문

04 감염병 예방을 위해 우리가 할 일과 하지 말아야 할 일을 제안해 봅시다.

> 해야 할 일은 Let's로, 하지 말아야 할 일은 Let's not으로 제안해요.

Let's _____.   Let's not _____.

_____   _____

> *share food   wash hands often   wear masks   visit the **crowded place
> *공유하다, 나누다 **붐비는 장소

신경향 인칭대명사

01 다음 그림을 보고 빈칸에 알맞은 인칭대명사를 쓰시오.

_____ is my *classmate. *학급 친구

_____ name is Boram.

I like _____.

can의 쓰임

02 다음 밑줄 친 can의 쓰임이 나머지와 다른 것은?

① I can jump high.

② I can *climb the mountain. *오르다

③ She cannot play the guitar.

④ You can use my textbook.

⑤ He can *understand French. *이해하다

be동사의 부정문

03 다음 우리말과 일치하도록 빈칸에 알맞은 말을 쓰시오.

> Harry는 나의 사촌이 아니다.
> ➡ Harry _____ _____ my cousin.

의무의 must와 have to

04 다음 주어진 문장과 의미가 통하는 것은?

> You must tell the *truth. *진실

① You can tell the truth.

② You may tell the truth.

③ You will tell the truth.

④ You have to tell the truth.

⑤ You are able to tell the truth.

신경향 (부정) 명령문

05 다음 중 박물관의 표지판이 가리키는 내용으로 어법상 어색한 것은?

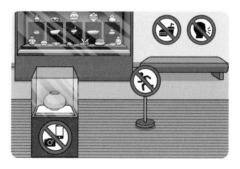

① Don't run in the museum.

② Make not noise in the museum.

③ Please be quiet in the museum.

④ Do not eat food in the museum.

⑤ Don't take pictures in the museum.

시간/장소 전치사

06 다음 밑줄 친 부분의 쓰임이 <u>어색한</u> 것은?

① I studied <u>in</u> the library.

② He is sitting <u>on</u> the bench.

③ The clock is <u>over</u> the wall.

④ He works <u>for</u> eight hours a day.

⑤ I took piano lessons <u>during</u> the vacation.

일반동사의 과거 시제 의문문

07 다음 대화의 빈칸에 들어갈 말이 순서대로 바르게 짝지어진 것은?

> **A** What _____ you do this afternoon?
> **B** I _____ a bike in the park.

① do – ride 　② are – ride

③ did – ride 　④ were – rode

⑤ did – rode

의문사 how

08 다음 빈칸에 공통으로 들어갈 말로 알맞은 것은?

> • _____ is the weather?
> • _____ tall you are!

① Who 　② How 　③ What

④ Where 　⑤ When

감탄문

09 다음 문장을 감탄문으로 바르게 바꿔 쓴 것은?

> Ann is a very °lovely girl.
> °사랑스러운

① How lovely girl is!

② What a lovely girl is!

③ How lovely girl Ann is!

④ How lovely a girl is Ann!

⑤ What a lovely girl Ann is!

신경향 충고의 should

10 다음 상황에서 의사의 충고로 빈칸에 알맞은 말을 주어진 철자로 시작하는 한 단어로 쓰시오.

> You s_____ eat too much salt. It is bad for health.

일반동사의 과거형

11 다음 빈칸에 들어갈 말로 알맞지 <u>않은</u> 것은?

> I _____ last week.

① meet friends
② went on a picnic
③ bought a new cap
④ visited the museum
⑤ watched a movie

의무의 have to

12 다음 두 문장의 의미가 통하도록 빈칸에 알맞은 말을 쓰시오.

> She must *return this book.   *반납하다
> ➡ She _____ return this book.

감탄문, (부정) 명령문, 권유문

13 다음 중 어법상 올바른 문장끼리 짝지어진 것은?

> ⓐ Let's wash the dishes.
> ⓑ How an interesting story!
> ⓒ What a beautiful lake it is!
> ⓓ Fight not with friends.

① ⓐ, ⓑ   ② ⓐ, ⓒ   ③ ⓑ, ⓒ
④ ⓑ, ⓓ   ⑤ ⓒ, ⓓ

일반동사의 과거 시제 의문문

14 다음 문장을 의문문으로 바르게 고쳐 쓴 것은?

> He took a test.

① Is he took a test?
② Was he take a test?
③ Did he take a test?
④ Did he took a test?
⑤ Does he take a test?

신경향 조동사의 쓰임

15 다음 중 경찰관이 그림 속 학생들에게 할 말로 알맞지 <u>않은</u> 것은?

① You cannot use fire here.
② You may *set up a tent here.   *텐트를 치다
③ You must not feed the birds.
④ You mustn't pick the flowers.
⑤ You should pick up trash.

동명사

16 다음 빈칸에 들어갈 말로 알맞은 것은?

> Her job is _____ students.

① teach ② taught

③ teaches ④ teaching

⑤ to teaching

의지의 will

17 다음 문장을 will을 포함하는 문장으로 바꿔 쓸 때 빈칸에 알맞은 것은?

> He is practicing soccer now.
> ➡ He _____ every morning.

① will practice soccer

② wills practice soccer

③ will practices soccer

④ will practicing soccer

⑤ will is practicing soccer

현재분사

18 다음 빈칸에 동사 sleep을 각각 올바른 형태로 고쳐 쓰시오.

> • My cat is _____ on the sofa.
> • Look at the _____ cat. It is cute.

추측의 may

19 다음 우리말을 영어로 바르게 옮긴 것은?

> 그 메시지는 중요할지도 모른다.

① The message is not important.

② The message will be important.

③ The message may be important.

④ The message must be important.

⑤ The message should be important.

신경향 현재진행형

20 다음 그림을 보고, 〈보기〉에서 단어를 골라 빈칸에 알맞은 형태로 고쳐 쓰시오. (중복해서 사용할 수 있음)

┌ 보기 ┐

> clean do sleep

Are you _____ ?

No, I'm not.

What are you _____ then?

I'm _____ my homework. How about you?

I'm _____ my desk.

be동사의 현재형

01 다음 빈칸에 들어갈 말이 나머지와 <u>다른</u> 것은?

① You _____ my best friend.

② They _____ the same age.

③ He _____ tired and hungry.

④ We _____ from Seoul, Korea.

⑤ Mr. and Mrs. Lee _____ kind.

미래 추측의 will

02 다음 우리말과 일치하도록 할 때 빈칸에 알맞은 것은?

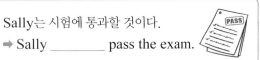

Sally는 시험에 통과할 것이다.
➡ Sally _____ pass the exam.

① can   ② will   ③ may

④ must   ⑤ should

명령문

03 다음 빈칸에 들어갈 말로 알맞은 것은?

_____ polite to your parents.

① Do   ② Be   ③ Not

④ Don't   ⑤ Let's

일반동사의 3인칭 단수 현재형

04 다음 밑줄 친 부분을 고쳐 쓴 것이 알맞지 <u>않은</u> 것은?

① It <u>live</u> in the cave. ➡ lives

② The baby <u>cry</u> *loudly. ➡ cries   *큰 소리로

③ Amy <u>watch</u> the news. ➡ watches

④ She <u>do</u> her homework. ➡ does

⑤ He <u>play</u> *board games. ➡ plaies   *보드게임

신경향 조동사의 부정형

05 다음 중 그림 속 학생들에게 할 말로 알맞지 <u>않은</u> 것은?

① You can't swim in this river.

② You may not swim in this river.

③ You must not swim in this river.

④ You shouldn't swim in this river.

⑤ You don't have to swim in this river.

일반동사의 의문문

06 다음 대화의 빈칸에 들어갈 말이 순서대로 바르게 짝지어진 것은?

> **A** _____ her father like cooking?
> **B** No, he _____.

① Is – isn't
② Do – don't
③ Are – aren't
④ Does – isn't
⑤ Does – doesn't

신경향 현재진행형

07 다음 그림을 보고, 질문에 알맞은 응답을 완성하시오.

> **Q** What are they doing now?

➡ They _____ tennis.

조동사의 특징

08 다음 대화의 밑줄 친 ①~⑤ 중 어법상 어색한 것을 고른 후, 그 이유를 우리말로 쓰시오.

> **A** ① Can you ② fix my watch?
> **B** No, I ③ can't. Nick ④ cans ⑤ fix it.

_____ , _____

시간/장소 전치사

09 다음 빈칸에 들어갈 말이 나머지와 다른 것은?

① I'm _____ the living room.
② The sky is high _____ fall.
③ My birthday is _____ January.
④ He drinks tea _____ the afternoon.
⑤ The school event is _____ April 10th.

신경향 동명사

10 다음 빈칸에 들어갈 말이 순서대로 바르게 짝지어진 것은?

> Sujin enjoys _____ the mountains.
> _____ the mountains is her hobby.

① climb – Climb
② climbing – Climb
③ climbing – Climbing
④ climb – Climbing
⑤ climbing – Climbs

may가 쓰인 의문문

11 다음 대화의 빈칸에 알맞은 응답을 **2개** 고르면?

> **A** May I sit here?
> **B** _____

① Yes, I may.　　② Yes, you may.

③ No, you may.　　④ No, I may not.

⑤ No, you may not.

일반동사의 현재 시제 부정문

12 다음 우리말 뜻에 해당하는 영어 문장을 만들 때 필요 **없는** 것은?

> 그녀는 내 이름을 모른다.

① don't　　② she　　③ doesn't

④ know　　⑤ my name

What 감탄문

13 다음 문장을 감탄문으로 바르게 바꾼 것은?

> He is a very rich man.

① What rich he is!

② How rich man he is!

③ What a rich he is man!

④ How a rich man he is!

⑤ What a rich man he is!

일반동사의 과거 시제 의문문

14 다음 밑줄 친 Did의 쓰임이 어색한 것은?

① <u>Did</u> you sleep well?

② <u>Did</u> you busy yesterday?

③ <u>Did</u> she like the *present?　　*선물

④ <u>Did</u> he watch stars last night?

⑤ <u>Did</u> Ben take an English class?

신경향　시간/장소 전치사

15 민수의 주말 일정표이다. 다음 중 표의 내용을 **잘못** 나타낸 것은?

7:00	기상
8:00	운동 1시간
12:00	점심 식사
14:00	영화관에서 영화 보기
19:00	도서관에서 숙제하기

① He gets up at 7 o'clock.

② He exercises for an hour.

③ He has lunch on noon.

④ He watches a movie at the *theater.　*영화관

⑤ He does his homework in the library.

동명사

16 다음 빈칸에 공통으로 들어갈 eat의 형태로 알맞은 것은?

> · I mind _____ fast food.
> · My plan is _____ healthy food.

① eat   ② ate

③ to eat   ④ eating

⑤ to eating

가능의 can

17 다음 두 문장이 같은 뜻이 되도록 빈칸에 알맞은 말을 3 단어로 쓰시오.

> She can eat spicy food.
> ➡ She _____ eat spicy food.

일반동사의 현재 시제 부정문

18 다음 문장을 부정문으로 바르게 고쳐 쓴 것은?

> Tim has brothers.

① Tim has not brothers.

② Tim isn't have brothers.

③ Tim don't have brothers.

④ Tim doesn't has brothers.

⑤ Tim doesn't have brothers.

How 감탄문

19 다음 주어진 표현을 바르게 배열하여 문장을 만드시오.

> is / how / the house / wonderful

➡ _____!

신경향 권유문

20 다음 일기예보를 보고 난 후 학생들이 할 수 있는 말로 어법상 어색한 것은?

① Let's stay at home.

② Let's not play outside.

③ Let's wear warm clothes.

④ Let's not go to the park.

⑤ Let's not riding bikes outside.

RECESS TIME

Crossword Puzzle

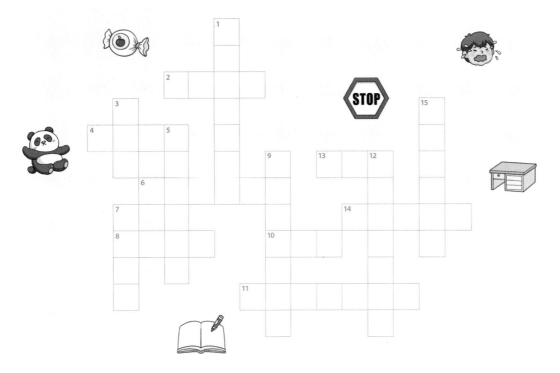

DOWN

1. I enjoy (draw) pictures.
3. _____ sweet the candy is!
5. 충고나 조언을 나타내는 조동사
7. You must keep promises.
   = You _____ to keep promises.
9. He (study) all night yesterday.
12. stop의 과거형
15. Look at the (cry) baby.

ACROSS

2. _____ a lovely panda!
4. She (go) jogging to the park.
6. She (buy) a house last year.
8. 가능의 can = be _____ to
10. _____ you exercise yesterday?
11. He (teach) English at school.
13. be동사 am/is의 과거형
14. I am (do) my homework.

A.

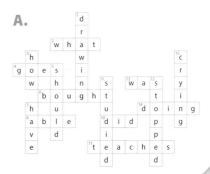

memo

memo

정답과 해설

01 주어가 I일 때 be동사는 am을 쓰고, you/we/they일 때는 are를 쓰고, she와 같은 3인칭 단수일 때는 is를 쓴다.

- ☐ **tall** 형 키가 큰
- ☐ **famous** 형 유명한
- ☐ **artist** 명 예술가, 화가

해석
(1) 나는 키가 크다. (am)
(2) 그들은 친절하다. (are)
(3) 그녀는 유명한 화가이다. (is)
(4) 너는 나의 가장 친한 친구이다. (are)

02 명사 앞에서 '~의'라는 뜻의 소유를 나타낼 때는 인칭대명사의 소유격을 쓴다. ② you는 2인칭 you의 주격 또는 목적격이고, 소유격은 your이다.
① I(나)의 소유격
③ he(그)의 소유격
④ she(그녀)의 소유격
⑤ we(우리)의 소유격

해석
이것은 ① 나의 ③ 그의 ④ 그녀의 ⑤ 우리의 책이다.

03 (1) be동사의 부정문은 be동사 뒤에 not을 쓰므로 빈칸에는 I am not이 알맞고, I'm not으로 줄여 쓸 수 있다. am not은 amn't로 줄여 쓰지 않는다.
(2) be동사의 부정문은 be동사 뒤에 not을 쓰므로 빈칸에는 We are not이 알맞고, We're not이나 We aren't로 줄여 쓸 수 있다.

- ☐ **classroom** 명 교실
- ☐ **classmate** 명 학급 친구

해석
(1) 나는 교실에 있다.
　➡ 나는 교실에 없다.
(2) 우리는 학급 친구이다.
　➡ 우리는 학급 친구가 아니다.

기초 확인 문제

정답과 해설 66쪽

01 다음 빈칸에 알맞은 말을 〈보기〉에서 찾아 쓰시오.

보기
am   is   are

(1) I __am__ tall.
(2) They __are__ kind.
(3) She __is__ a famous artist.
(4) You __are__ my best friend.

(2)
We are classmates.
➡ _____ classmates.

① We not　　② We are not
③ We aren't　④ We not are
⑤ We aren't not

02 다음 빈칸에 알맞지 않은 것은?

This is _____ book.

① my　　②you　　③ his
④ her　　⑤ our

03 다음 문장을 부정문으로 바꿔 쓸 때 빈칸에 알맞은 것을 두 개 고르시오.

(1)
I am in the classroom.
➡ _____ in the classroom.

① I am no　　② I amn't
③I am not　④I'm not
⑤ I not am

04 다음 질문의 응답을 완성하시오.

I'm from Australia.

Q Is he from Canada?
➡ No, __he__ __isn't__ .

05 다음 중 어법상 어색한 문장은?
① Are they your cats?
② I'm not late for school.
③ Is Mr. Smith a teacher?
④ They aren't baseball players.
⑤Paul and Jack isn't my friends.

9

---

04 be동사의 의문문인 「be동사+주어 ~?」에 대한 부정의 응답은 「No, 주어+be동사+not.」이다. 주어가 he이므로 No, he isn't.가 응답으로 알맞고, 응답에서 「be동사+not」은 줄여 쓸 수 있다.

- ☐ **be from** ~ 출신이다
- ☐ **Australia** 명 호주

해석
소년　나는 호주 출신이다.
Q　그는 캐나다 출신이니? ➡ 아니, 그렇지 않아.

05 ⑤ Paul and Jack은 복수 주어이므로 aren't가 알맞다.

- ☐ **be late for** ~에 늦다

해석
① 그들은 네 고양이니?
② 나는 학교에 늦지 않았다.
③ Smith 씨는 교사니?
④ 그들은 야구 선수가 아니다.
⑤ Paul과 Jack은 내 친구가 아니다. (isn't → aren't)

06 주어에 맞도록 밑줄 친 동사를 올바른 형태로 쓰시오.

(1) I fix ➡ He ___fixes___

(2) I wash ➡ It ___washes___

(3) We play ➡ She ___plays___

(4) You fly ➡ The bird ___flies___

(5) They have ➡ John ___has___

07 다음 밑줄 친 동사의 형태가 올바른 것은?

① Do you <u>has</u> apples?

② Eric <u>live</u> in New York.

③ Mom and I <u>make</u> bread.

④ Kate doesn't <u>teaches</u> math.

⑤ Jim and Tom <u>goes</u> jogging.

08 다음 우리말을 영어로 옮겨 쓸 때 필요 <u>없는</u> 것을 고르시오.

(1)

 나는 아침을 먹지 않는다.

① I ② eat ③ don't

④ breakfast ⑤ doesn't

(2)

 그는 뉴스를 보지 않는다.

① he ② watch ③ watches

④ doesn't ⑤ the news

09 다음 밑줄 친 부분 중 어법상 어색한 것은?

① I <u>don't have</u> sisters.

② <u>Do they speak</u> Chinese?

③ <u>Does Jake walk</u> to school?

④ <u>Dad comes</u> home late at night.

⑤ My brothers <u>doesn't like</u> sports.

10 다음 대화를 어법에 알맞게 고쳐 쓰시오.

Bob

A Does Bob has long hair?
B No, he don't.

↓

A ___Does___ Bob ___have___ long hair?
B No, ___he___ ___doesn't___.

11

해석

① 너는 사과를 가지고 있니? (→ have)

② Eric은 뉴욕에 산다. (→ lives)

③ 엄마와 나는 빵을 만든다.

④ Kate는 수학을 가르치지 않는다. (→ teach)

⑤ Jim과 Tom은 조깅하러 간다. (→ go)

08 (1) I don't eat breakfast.가 되는 것이 알맞다. doesn't는 주어가 3인칭 단수일 때 쓴다.

(2) He doesn't watch the news.가 되는 것이 알맞다. doesn't 뒤에는 동사원형이 온다.

☐ **breakfast** 명 아침 식사

☐ **watch** 통 보다

☐ **news** 명 소식, 뉴스

09 ⑤ My brothers가 복수 주어이므로 부정형은 don't를 써야 한다.

☐ **Chinese** 명 중국어

☐ **walk** 통 걸어가다

☐ **at night** 밤에

☐ **sports** 명 스포츠, 운동 경기

해석

① 나는 여자 형제가 없다.

② 그들은 중국어를 말하니?

③ Jake는 걸어서 학교에 가니?

④ 아빠는 밤늦게 집에 오신다.

⑤ 내 남자 형제들은 스포츠를 좋아하지 않는다.
  (→ don't like)

10 주어가 3인칭 단수일 때 일반동사의 의문문은 「Does+주어+동사원형 ~?」으로 쓰고, has의 원형은 have이다. 부정의 응답은 「No, 주어+doesn't.」이다.

☐ **hair** 명 머리카락

해석

A Bob은 긴 머리를 가지고 있니?

B 아니, 그렇지 않아.

---

06 주어가 he/she/it 또는 단수 명사일 때 일반동사는 3인칭 단수형으로 쓴다. -s, -ch, -sh, -o, -x로 끝나는 동사는 -es를 붙이고, 「자음+y」로 끝나는 동사는 y를 i로 바꾸고 -es를 붙여 3인칭 단수형을 만든다. have의 3인칭 단수형은 has이다.

☐ **fix** 통 고치다

☐ **wash** 통 씻다

☐ **fly** 통 날다

07 ③ Mom and I는 복수 주어이므로 원형인 make가 알맞다.

① 일반동사의 의문문은 「Do[Does]+주어+동사원형 ~?」 형태이다.

② 주어가 3인칭 단수이면 일반동사는 3인칭 단수형으로 쓴다.

④ 부정형 doesn't 뒤에는 동사원형이 온다.

⑤ 복수 주어일 때 동사는 원형으로 쓴다.

☐ **live in** ~에 살다

☐ **math** 명 수학

☐ **go jogging** 조깅하러 가다

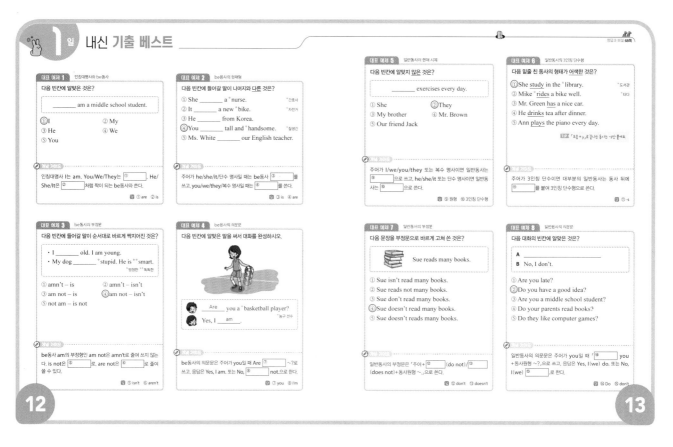

1일 내신 기출 베스트

정답과 해설 68쪽

대표 예제 1 인칭대명사와 be동사

다음 빈칸에 알맞은 것은?

_____ am a middle school student.

① I ② My
③ He ④ We
⑤ You

인칭대명사 I는 am. You/We/They는 ①, He/She/It은 ②처럼 짝이 되는 be동사를 쓴다.
답 ① are ② is

대표 예제 2 be동사의 현재형

다음 빈칸에 들어갈 말이 나머지와 다른 것은?

① She _____ a *nurse. *간호사
② It _____ a new *bike. *자전거
③ He _____ from Korea.
④ You _____ tall and *handsome. *잘생긴
⑤ Ms. White _____ our English teacher.

주어가 he/she/it/단수 명사일 때는 be동사 ③을 쓰고, you/we/they/복수 명사일 때는 ④를 쓴다.
답 ③ is ④ are

대표 예제 3 be동사의 부정문

다음 빈칸에 들어갈 말이 순서대로 바르게 짝지어진 것은?

· I _____ old. I am young.
· My dog _____ *stupid. He is **smart. *멍청한 **똑똑한

① amn't – is ② amn't – isn't
③ am not – is ④ am not – isn't
⑤ not am – is not

be동사 am의 부정형인 am not은 amn't로 줄여 쓰지 않는다. is not은 ⑤로, are not은 ⑥로 줄여 쓸 수 있다.
답 ⑤ isn't ⑥ aren't

대표 예제 4 be동사의 의문문

다음 빈칸에 알맞은 말을 써서 대화를 완성하시오.

_____ Are _____ you a *basketball player? *농구 선수
Yes, I _____ am _____.

be동사의 의문문은 주어가 you일 때 Are ⑦ ~?로 쓰고, 응답은 Yes, I am. 또는 No, ⑧ not으로 한다.
답 ⑦ you ⑧ I'm

대표 예제 5 일반동사의 현재 시제

다음 빈칸에 알맞지 않은 것은?

_____ exercises every day.

① She ② They
③ My brother ④ Mr. Brown
⑤ Our friend Jack

주어가 I/we/you/they 또는 복수 명사이면 일반동사는 ⑨으로 쓰고, he/she/it 또는 단수 명사이면 일반동사는 ⑩으로 쓴다.
답 ⑨ 원형 ⑩ 3인칭 단수형

대표 예제 6 일반동사의 3인칭 단수형

다음 밑줄 친 동사의 형태가 어색한 것은?

① She study in the *library. *도서관
② Mike *rides a bike well. *타다
③ Mr. Green has a nice car.
④ He drinks tea after dinner.
⑤ Ann plays the piano every day.

Tip 「자음 + y」로 끝나는 동사는 -y만 붙여요.

주어가 3인칭 단수이면 대부분의 일반동사는 동사 뒤에 ⑪을 붙여 3인칭 단수형으로 쓴다.
답 ⑪ -s

대표 예제 7 일반동사의 부정문

다음 문장을 부정문으로 바르게 고쳐 쓴 것은?

Sue reads many books.

① Sue isn't read many books.
② Sue reads not many books.
③ Sue don't read many books.
④ Sue doesn't read many books.
⑤ Sue doesn't reads many books.

일반동사의 부정문은 '주어 + ⑫ (do not)/ ⑬ (does not) + 동사원형 ~.'으로 쓴다.
답 ⑫ don't ⑬ doesn't

대표 예제 8 일반동사의 의문문

다음 대화의 빈칸에 알맞은 것은?

A _____
B No, I don't.

① Are you late?
② Do you have a good idea?
③ Are you a middle school student?
④ Do your parents read books?
⑤ Do they like computer games?

일반동사의 의문문은 주어가 you일 때 「⑭ you + 동사원형 ~?」으로 쓰고, 응답은 Yes, I(we) ~. 또는 No, I(we) ⑮.」로 한다.
답 ⑭ Do ⑮ don't

12   13

---

1 주어 자리이고 be동사가 am이므로 빈칸에는 1인칭 단수 주격인 I가 오는 것이 알맞다.
□ middle school 명 중학교
나는 중학생이다.

2 ① 그녀는 간호사이다. (is)
② 그것은 새 자전거이다. (is)
③ 그는 한국 출신이다. (is)
④ 너는 키가 크고 잘생겼다. (are)
⑤ White 선생님은 우리 영어 선생님이다. (is)

3 · 나는 나이 들지 않았다. (am not) 나는 젊다.
· 나의 개는 멍청하지 않다. (isn't) 그는 똑똑하다.

4 Are you로 묻고 긍정의 응답인 Yes, I am.으로 답하는 대화가 알맞다.
너는 농구 선수니? (Are)
응, 그래. (am)

5 빈칸 뒤에 일반동사의 3인칭 단수형이 왔으므로 빈칸에는 3인칭 단수 주어가 알맞고 ② They는 복수이므로 올 수 없다.
① 그녀는 ③ 나의 오빠는 ④ Brown 씨는 ⑤ 우리 친구인 Jack은 매일 운동한다.

6 ① 그녀는 도서관에서 공부한다. (→ studies)
② Mike는 자전거를 잘 탄다.
③ Green 씨는 멋진 차를 가지고 있다.
④ 그는 저녁 먹은 후에 차를 마신다.
⑤ Ann은 매일 피아노를 친다.

7 Sue는 많은 책을 읽는다.
➡ ④ Sue는 많은 책을 읽지는 않는다.

8 A ② 너는 좋은 생각이 있니? B 아니, 없어.
① 너는 늦었니? ③ 너는 중학생이니?
④ 너의 부모님은 책을 읽으시니?
⑤ 그들은 컴퓨터 게임을 좋아하니?

기초 확인 문제

정답과 해설 **69쪽**

01 다음 괄호 안에서 알맞은 말을 고르시오.

(1) I (am / (was)) busy yesterday.

(2) It (is / (was)) very cold last winter.

(3) Lucy ((was) / were) a police officer.

(4) They (was / (were)) famous musicians.

02 다음 밑줄 친 과거형이 어색한 것은?

① I studied math yesterday.

② He waited for me for an hour.

③ They arrived early this morning.

④ She watched a movie last night.

⑤Tina taked many pictures last week.

03 다음 빈칸에 알맞은 것을 고르시오.

(1)

| They _____ late for the movie. |

① was   ② did   ③ didn't

④were   ⑤ wasn't

(2)

| He _____ coffee last night. |

① drinks   ②drank

③ drinked   ④ dranks

⑤ wasn't drink

04 다음 빈칸에 didn't가 들어갈 수 있는 것은?

①He _____ cut down the tree.

② We _____ planned the party.

③ I _____ planted some flowers.

④ She _____ bought the house.

⑤ They _____ went to the restaurant.

05 다음 문장을 부정문으로 바꾸어 쓰시오.

(1) Ann was sick in bed.

➡ _____ Ann was not(wasn't) sick in bed. _____

(2) The baby cried all night.

➡ _____ The baby didn't(did not) cry all night. _____

17

---

01 be동사의 과거형은 주어가 I/he/she/it/단수 명사이면 was를, you/we/they/복수 명사이면 were를 쓴다.

해석

(1) 나는 어제 바빴다. (was)

(2) 지난 겨울은 아주 추웠다. (was)

(3) Lucy는 경찰관이었다. (was)

(4) 그들은 유명한 음악가였다. (were)

02 ⑤ take의 과거형은 took이다.

해석

① 나는 어제 수학을 공부했다.

② 그는 나를 1시간 동안 기다렸다.

③ 그들은 오늘 아침 일찍 도착했다.

④ 그녀는 어젯밤에 영화를 봤다.

⑤ Tina는 지난주에 많은 사진을 찍었다. (→ took)

03 (1) 주어가 They이므로 are의 과거형 were가 알맞다.

(2) last night(어젯밤)이 과거를 나타내므로 drink의 과거형 drank가 알맞다.

해석

(1) 그들은 영화에 늦었다. (were)

(2) 그는 어젯밤에 커피를 마셨다. (drank)

04 didn't 뒤에는 동사원형이 온다.

해석

① 그는 나무를 베지 않았다. (didn't)

② 우리는 파티를 계획했다.

③ 나는 꽃을 좀 심었다.

④ 그녀는 그 집을 샀다.

⑤ 그들은 그 식당에 갔다.

05 (1) be동사 뒤에 not을 쓴다.

(2) 「didn't + 동사원형」으로 쓴다.

해석

(1) Ann은 아파 누워 있었다.

➡ Ann은 아파 누워 있지 않았다.

(2) 그 아기는 밤새 울었다.

➡ 그 아기는 밤새 울지는 않았다.

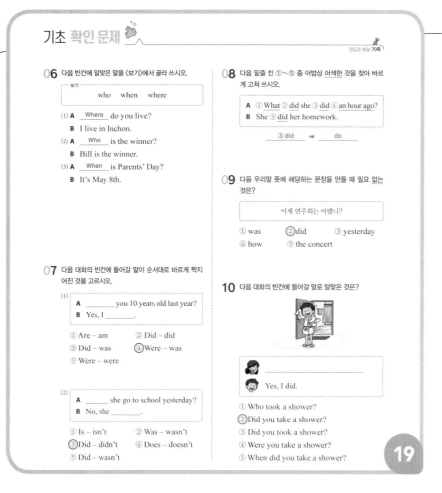

정답과 해설 70쪽

06 다음 빈칸에 알맞은 말을 〈보기〉에서 골라 쓰시오.

보기
who   when   where

(1) **A** ___Where___ do you live?
    B I live in Inchon.
(2) **A** ___Who___ is the winner?
    B Bill is the winner.
(3) **A** ___When___ is Parents' Day?
    B It's May 8th.

07 다음 대화의 빈칸에 들어갈 말이 순서대로 바르게 짝지어진 것을 고르시오.

(1)
A _____ you 10 years old last year?
B Yes, I _____.

① Are – am   ② Did – did
③ Did – was   ④ Were – was
⑤ Were – were

(2)
A _____ she go to school yesterday?
B No, she _____.

① Is – isn't   ② Was – wasn't
③ Did – didn't   ④ Does – doesn't
⑤ Did – wasn't

08 다음 밑줄 친 ①~⑤ 중 어법상 어색한 것을 찾아 바르게 고쳐 쓰시오.

A ①What ②did she ③did ④an hour ago?
B She ⑤did her homework.

___③ did___ ➡ ___do___

09 다음 우리말 뜻에 해당하는 문장을 만들 때 필요 없는 것은?

어제 연주회는 어땠니?

① was   ②did   ③ yesterday
④ how   ⑤ the concert

10 다음 대화의 빈칸에 들어갈 말로 알맞은 것은?

Yes, I did.

① Who took a shower?
②Did you take a shower?
③ Did you took a shower?
④ Were you take a shower?
⑤ When did you take a shower?

19

---

06 의문사는 구체적인 내용을 물을 때 사용하는 말로 의문문에서 「의문사＋동사＋주어 ~?」로 쓴다.

해석
(1) **A** 너는 어디에 사니?   **B** 나는 인천에 살아.
(2) **A** 누가 승자니?   **B** Bill이 승자야.
(3) **A** 어버이날이 언제니?   **B** 5월 8일이야.

07 (1) 주어가 you인 be동사의 과거 시제 의문문은 Were you ~?로 쓰고, 긍정이면 Yes, I was.로 응답한다.
(2) 일반동사의 과거 시제 의문문은 「Did＋주어＋동사원형 ~?」으로 쓰고, 부정이면 「No, 주어＋didn't.」로 응답한다.

해석
(1) **A** 너는 작년에 10살이었니?
    B 응, 그랬어.
(2) **A** 그녀는 어제 학교에 갔니?
    B 아니, 가지 않았어.

08 an hour ago(한 시간 전에)가 있으므로 과거 시제가 알맞고, 의문사가 있는 일반동사 의문문에서 주어 뒤에 오는 동사는 원형으로 쓴다.

해석
A 그녀는 한 시간 전에 무엇을 했니? (③ did → do)
B 그녀는 숙제를 했어.

09 How was the concert yesterday?가 알맞다. 의문사가 있는 be동사의 과거 시제 의문문은 「의문사＋was〔were〕＋주어 ~?」로 쓴다.

10 Yes, I did.로 답했으므로 「Did you＋동사원형 ~?」으로 묻는 ②가 알맞다. 의문사가 있는 의문문에 대한 응답은 Yes나 No로 하지 않는다.

해석

 ② 너는 샤워를 했니?   네, 했어요.

① 누가 샤워를 했니?
⑤ 너는 언제 샤워를 했니?

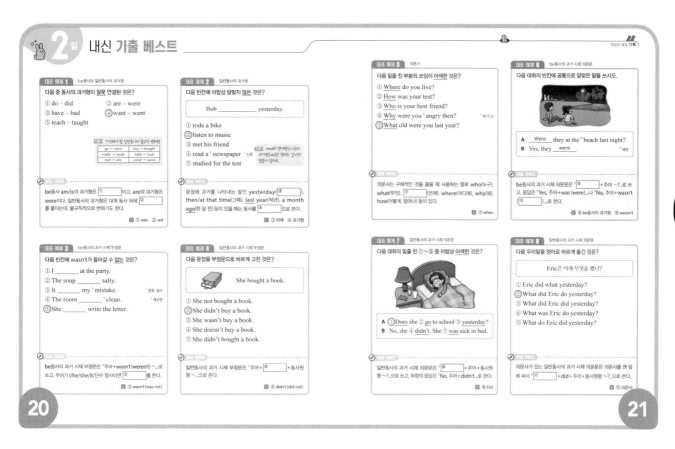

1 ④ want(원하다)의 과거형은 wanted이고 went는 go(가다)의 과거형이다.

2 yesterday(어제)가 있으므로 ②의 listen은 과거형인 listened가 되어야 한다.
Bob은 어제 ① 자전거를 탔다 ② 음악을 들었다(listen → listened) ③ 그의 친구를 만났다 ④ 신문을 읽었다 ⑤ 시험 공부를 했다.

3 ⑤ 빈칸 뒤에 일반동사 write가 있으므로 일반동사의 부정형인 didn't가 올 수 있다.
① 나는 파티에 없었다. (wasn't)
② 수프는 짜지 않았다. (wasn't)
③ 그건 내 잘못이 아니었다. (wasn't)
④ 방은 깨끗하지 않았다. (wasn't)
⑤ 그녀는 그 편지를 쓰지 않았다. (didn't)

4 「주어＋didn't＋동사원형 ~.」으로 쓴다.
그녀는 책을 샀다. ➡ ② 그녀는 책을 사지 않았다.

5 ⑤ 나이를 물을 때는 how old를 쓴다.
① 너는 어디에 사니?
② 시험은 어땠니?
③ 네 가장 친한 친구는 누구니?
④ 너는 그때 왜 화가 났니?
⑤ 너는 작년에 몇 살이었니? (→ How)

6 last night(어젯밤)이 있고 일반동사 없이 주어 they가 쓰였으므로 Were they로 묻는 것이 알맞다.
A 그들은 어젯밤에 해변에 있었니?
B 응, 그랬어.

7 일반동사의 과거 시제 의문문은 Did로 시작한다.
A 그녀는 어제 학교에 갔니? (① Does → Did)
B 아니, 가지 않았어. 그녀는 아파 누워 있었어.

8 '무엇'에 해당하는 의문사 what을 문장 맨 앞에 쓰고, 의문문을 만드는 did 뒤에 「주어＋동사」를 붙이고, 시간을 나타내는 부사를 문장 맨 뒤에 써 준다.

01

be동사 뒤에 쓰여 '~하고 있다'라는 의미의 현재진행형을 만드는 「동사원형 + -ing」가 알맞다. 동사의 -ing형은 대부분의 동사는 동사원형에 -ing를 붙이고, e로 끝나는 동사는 e를 빼고 -ing를 붙여 만든다. run 같이 「단모음 + 단자음」으로 끝나는 동사는 마지막 자음을 한 번 더 쓰고 -ing를 붙인다.

☐ **water** 图 물주다 ☐ **work** 图 작동하다
☐ **clean** 图 청소하다 ☐ **garden** 图 정원

해석
(1) 그는 공원에서 달리고 있다. (running)
(2) 나는 꽃에 물을 주고 있다. (watering)
(3) 우리는 샌드위치를 만들고 있다. (making)
(4) 그 컴퓨터는 작동하고 있지 않다. (working)
(5) 그들은 정원을 청소하고 있다. (cleaning)

02

현재진행형은 be동사의 현재형(am/are/is) 뒤에 동사의 -ing형이 오는 형태이다. be동사는 주어의 인칭과 수에 따라 다르게 쓰는데 ⑤ Jack and Sue가 복수 주어이므로 be동사는 are가 알맞다.

☐ **mall** 图 쇼핑몰
☐ **talk on the phone** 전화 통화를 하다

해석
① 그 아이들은 울고 있다.
② 내 여동생은 음악을 듣고 있다.
③ 그 고양이는 벤치 위에서 놀고 있다.
④ 사람들은 쇼핑몰에서 쇼핑하고 있다.
⑤ Jack과 Sue는 전화 통화를 하고 있다.
   (→ are talking)

03

(1) 현재진행형 의문문은 「be동사의 현재형 + 주어 + 동사원형 + -ing ~?」 형태이고, 긍정의 응답은 「Yes, 주어 + be동사의 현재형.」으로 한다. be동사 is가 있으므로 빈칸에는 take의 -ing형인 taking이 알맞다.
(2) 무엇을 하고 있는지 묻고 답하는 대화가 되도록 빈칸에는 동사의 -ing형이 오는 것이 알맞다. do의 -ing형은 doing이고 read의 -ing형은 reading이다.

기초 확인 문제

01 다음 괄호 안에 주어진 동사를 빈칸에 올바른 형태로 쓰시오.
(1) He is _running_ in the park. (run)
(2) I am _watering_ the flowers. (water)
(3) We are _making_ sandwiches. (make)
(4) The computer is not _working_ . (work)
(5) They are _cleaning_ the garden. (clean)

02 다음 밑줄 친 부분이 어법상 어색한 것은?
① The children are crying.
② My sister is listening to music.
③ The cat is playing on the bench.
④ People are shopping at the mall.
⑤ Jack and Sue is talking on the phone.

03 다음 빈칸에 들어갈 말이 순서대로 바르게 짝지어진 것을 고르시오.
(1)
A Is he _____ pictures outside?
B Yes, he _____ .

① take – is ② takes – does
③ taking – is ④ taking – does
⑤ took – did

25

(2)
A What are your cousins _____ ?
B They are _____ books.

① do – read ② did – reading
③ does – reads ④ doing – reading
⑤ doing – readding

04 다음 우리말을 영어로 쓰시오.
그는 수영하고 있지 않다.
➡ _____ He is not(isn't) swimming.

05 다음 대화의 빈칸에 들어갈 말로 알맞은 것은?

Yes, I am.
① Do you play computer games?
② Does he like computer games?
③ Is he playing computer games?
④ Are you play computer games?
⑤ Are you playing computer games?

해석
(1) A 그는 밖에서 사진을 찍고 있니? (taking)
   B 응, 그래. (is)
(2) A 너의 사촌들은 무엇을 하고 있니? (doing)
   B 그들은 책을 읽고 있어. (reading)

04

현재진행형 부정문은 「주어 + be동사의 현재형 + not + 동사원형 + -ing ~.」로 쓴다. 주어가 he이면 be동사는 is를 쓰고 swim의 -ing형은 swimming이다.

05

현재진행형 의문문인 ⑤가 알맞다. 현재진행형 의문문은 「be동사의 현재형 + 주어 + 동사원형 + -ing ~?」로 쓴다.

해석
 ⑤ 너는 컴퓨터 게임을 하고 있니?

 응, 그래.
① 너는 컴퓨터 게임을 하니?
② 그는 컴퓨터 게임을 좋아하니?
③ 그는 컴퓨터 게임을 하고 있니?

06 다음 밑줄 친 부분에 유의하여 문장의 우리말 뜻을 완성하시오.

(1) My job is **helping** sick people.
➡ 나의 직업은 아픈 사람들을 <u>돕는 것이다</u> .

(2) I enjoy **drinking** soda.
➡ 나는 탄산음료 <u>마시는 것을</u> 즐긴다.

(3) He is watching the **falling** leaves.
➡ 그는 <u>떨어지고 있는</u> 나뭇잎을 보고 있다.

(4) They are **listening** to the radio in class.
➡ 그들은 수업 중에 라디오를 <u>듣고 있다</u> .

07 다음 밑줄 친 부분의 성격이 나머지와 <u>다른</u> 것은?
① A bird is **flying**.
② I enjoy **swimming**.
③ **Painting** flowers is my hobby.
④ I gave up **singing** the pop song.
⑤ My problem is **eating** too much.

08 다음 괄호 안에 주어진 동사를 올바른 형태로 쓰시오.
(1)

(walk) is a good exercise.

➡ <u>Walking</u> (1글자)

(2)
He finished (write) a novel.

➡ <u>writing</u>

09 다음 중 〈보기〉의 밑줄 친 부분과 쓰임이 같은 것은?
> 〈보기〉
> The **sleeping** baby looks like an angel.

① She is **running** to the gate.
② **Baking** bread is interesting.
③ I practice **speaking** English.
④ We escaped from the **sinking** boat.
⑤ My favorite is **watching** the musicals.

10 다음 그림의 상황에서 남학생이 할 말을 동사 mind와 close를 사용하여 완성하시오.

Do you <u>mind</u> <u>closing</u> the window?

27

---

06 (1) helping은 보어 자리에 쓰인 동명사로, 보어 역할의 동명사는 '~하는 것이다'로 해석한다.
(2) drinking은 enjoy의 목적어로 쓰인 동명사로, 목적어 역할의 동명사는 '~하기를, ~하는 것을'로 해석한다.
(3) falling은 leaves를 꾸며 주는 형용사처럼 쓰인 현재분사로, 현재분사는 '~하고 있는'의 뜻이다.
(4) listening은 be동사와 함께 써서 진행의 의미를 나타내며, 현재진행형은 '~하고 있다, ~하는 중이다'라는 뜻이다.

☐ **soda** 명 탄산음료   ☐ **fall** 동 떨어지다
☐ **radio** 명 라디오   ☐ **in class** 수업 중

07 ①의 동사의 -ing형은 현재진행형을 이루는 현재분사이고, 나머지는 동명사이다.
②, ④ 목적어 역할의 동명사
③ 주어 역할의 동명사
⑤ 보어 역할의 동명사

☐ **paint** 동 그리다
☐ **problem** 명 문제   ☐ **too much** 지나치게

해석
① 새 한 마리가 날고 있다.
② 나는 수영하는 것을 즐긴다.
③ 꽃을 그리는 것은 나의 취미이다.
④ 나는 팝송 부르는 것을 포기했다.
⑤ 나의 문제는 너무 많이 먹는 것이다.

08 (1) 문장의 주어 자리에 동사가 올 때는 「동사원형＋-ing」 형태의 동명사로 쓰는 것이 알맞다.
(2) finish는 동명사를 목적어로 쓰는 동사이다.

☐ **exercise** 명 운동   ☐ **novel** 명 소설

해석
(1) 걷는 것은〔걷기는〕 좋은 운동이다.
(2) 그는 소설을 쓰는 것을 끝마쳤다.

09 〈보기〉와 ④의 동사의 -ing형은 명사를 꾸며 주는 형용사 역할의 현재분사이다.
① 진행의 의미를 나타내는 현재분사
② 주어 역할의 동명사
③ 목적어 역할의 동명사
④ 형용사 역할의 현재분사
⑤ 보어 역할의 동명사

☐ **escape** 동 탈출하다
☐ **favorite** 명 가장 좋아하는 것

해석
〈보기〉 그 자고 있는 아기는 천사처럼 보인다.
① 그녀는 문으로 달리고 있다.
② 빵을 굽는 것은 재미있다.
③ 나는 영어 말하기를 연습한다.
④ 우리는 가라 앉고 있는 배에서 탈출했다.
⑤ 내가 가장 좋아하는 것은 뮤지컬을 보는 것이다.

10 그림의 상황에서 남학생은 창문을 닫아도 되는지 묻는 것이 알맞고 mind(꺼리다)는 동명사를 목적어로 쓰는 동사이므로 mind closing으로 쓰는 것이 알맞다.

해석
너는 창문을 닫는 것을 꺼리니?
(내가 창문을 닫아도 되니?)

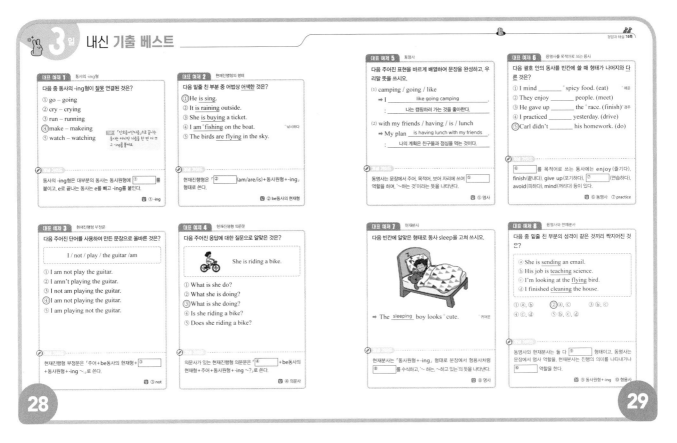

28

29

---

1 ④ e로 끝나는 동사는 e를 빼고 -ing를 붙인다.
① 가다 ② 울다 ③ 달리다 ④ 만들다 ⑤ 보다

2 현재진행형이 되려면 be동사 뒤에 오는 동사는 -ing형
으로 써야 하므로 ① sing은 singing이 알맞다.
① 그는 노래하고 있다. (→ is singing)
② 밖에는 비가 내리고 있다.
③ 그녀는 표를 사고 있다.
④ 나는 보트에서 낚시하고 있다.
⑤ 새들이 하늘을 날고 있다.

3 ④ 나는 기타를 치고 있지 않다.

4 응답이 '그녀는 자전거를 타고 있다.'라는 뜻이므로 현재
하고 있는 일이 무엇인지 묻는 ③이 질문으로 알맞다.
③ 그녀는 무엇을 하고 있니?
④ 그녀는 자전거를 타고 있니?

5 (1) like 뒤에 목적어로 동명사 going이 오게 한다.
(2) is 뒤에 보어로 동명사 having이 오게 한다.

☐ **go camping** 캠핑하러 가다
☐ **have lunch** 점심을 먹다

6 ①~④는 「동사원형＋-ing」 형태의 동명사로 쓰는 것이
알맞고, ⑤는 원형으로 쓴다.
① 나는 매운 음식 먹는 것을 꺼린다. (eating)
② 그들은 사람들을 만나는 것을 즐긴다. (meeting)
③ 그는 경주를 끝내는 것을 포기했다. (finishing)
④ 나는 어제 운전하는 것을 연습했다. (driving)
⑤ Carl은 숙제를 하지 않았다. (do)

7 자고 있는 남자아이는 귀여워 보인다. (sleeping)

8 ⓐ는 현재진행형의 현재분사이고, ⓒ는 형용사 역할을
하는 현재분사이다. ⓑ는 보어 역할을 하는 동명사이고,
ⓓ는 목적어 역할을 하는 동명사이다.
ⓐ 그녀는 이메일을 보내고 있다.
ⓑ 그의 직업은 과학을 가르치는 것이다.
ⓒ 나는 날고 있는 새를 보고 있다.
ⓓ 나는 집을 청소하는 것을 끝냈다.

01 다음 괄호 안에서 알맞은 것을 고르시오.

(1) I can (help / helping) you.

(2) Can he (fixes / fix) my bike?

(3) She (will / wills) finish the book.

(4) Tim won't (go / goes) hiking today.

02 다음 밑줄 친 can의 쓰임이 나머지와 다른 것은?

① He can ride a horse.

② Mark can play chess.

③ I can't move this box.

④ She can solve this puzzle.

⑤ You can use my computer.

03 다음 우리말과 일치하도록 빈칸에 알맞은 것을 고르시오.

(1)
> Paul이 먼저 도착할 것이다.
> ➡ Paul _____ first.

① arrives   ② arrived

③ is arriving   ④ will arrive

⑤ will arrives

(2)
> 나는 당신의 친절을 잊지 않겠다.
> ➡ I _____ forget your kindness.

① can   ② won't   ③ can't

④ don't   ⑤ am able to

04 다음 중 짝지어진 대화가 어색한 것은?

① A Can she climb the tree?

   B Yes, she can.

② A Will you keep a diary?

   B Yes, I will.

③ A Can I feed the animals?

   B No, I can't.

④ A Will they come to the meeting?

   B No, they won't.

⑤ A Can we take a picture here?

   B Yes, you can.

05 다음 그림의 상황과 일치하도록 주어진 표현을 배열하여 문장을 완성하시오.

| can / the drums / play / not |

➡ He ___cannot play the drums___ .

33

---

01 조동사는 주어에 따라 형태가 달라지지 않고, 「조동사＋동사원형」의 형태로 쓴다.

〔해석〕

(1) 나는 너를 도울 수 있다. (help)

(2) 그가 내 자전거를 고칠 수 있니? (fix)

(3) 그녀는 그 책을 끝낼 것이다. (will)

(4) Tim은 오늘 하이킹하러 가지 않을 것이다. (go)

02 ⑤는 허락을 나타내고, 나머지는 능력을 나타낸다.

〔해석〕

① 그는 말을 탈 수 있다.

② Mark는 체스를 할 수 있다.

③ 나는 이 상자를 옮길 수 없다.

④ 그녀는 이 퍼즐을 풀 수 있다.

⑤ 너는 내 컴퓨터를 써도 된다.

03 (1) 미래에 대한 추측을 나타낼 때는 「will＋동사원형」을 쓴다.

(2) 하지 않겠다는 의지를 나타낼 때는 won't를 쓴다.

04 ③ Can I ~?는 '~해도 되나요?'라는 뜻의 허락을 요청하는 말이고, 이에 대한 응답은 Yes, you can.이나 No, you can't.로 한다.

〔해석〕

① A 그녀는 나무에 오를 수 있니?

   B 응, 오를 수 있어.

② A 너는 일기를 쓸 거니?

   B 응, 쓸 거야.

③ A 동물들에게 먹이를 줘도 되니?

   B 아니, 난 할 수 없어. (×)

④ A 그들은 회의에 올까?

   B 아니, 안 올 거야.

⑤ A 여기서 사진을 찍어도 되니?

   B 응, 찍어도 돼.

05 「주어＋cannot＋동사원형 ~.」으로 쓴다. can의 부정형은 cannot이고, can't로 줄여 쓸 수 있다.

〔해석〕 그는 드럼을 치지 못한다.

정답과 해설

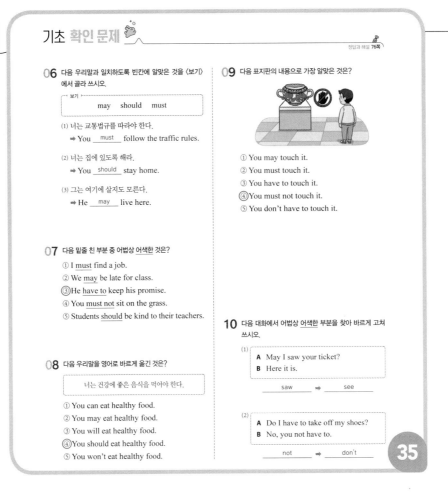

기초 확인 문제

06 다음 우리말과 일치하도록 빈칸에 알맞은 것을 〈보기〉에서 골라 쓰시오.

┌─ 보기 ─────────────────┐
│   may   should   must   │
└──────────────────────┘

(1) 너는 교통법규를 따라야 한다.
  ➡ You ___must___ follow the traffic rules.

(2) 너는 집에 있도록 해라.
  ➡ You ___should___ stay home.

(3) 그는 여기에 살지도 모른다.
  ➡ He ___may___ live here.

07 다음 밑줄 친 부분 중 어법상 어색한 것은?

① I <u>must</u> find a job.
② We <u>may</u> be late for class.
③ He <u>have to</u> keep his promise.
④ You <u>must not</u> sit on the grass.
⑤ Students <u>should</u> be kind to their teachers.

08 다음 우리말을 영어로 바르게 옮긴 것은?

┌──────────────────────┐
│ 너는 건강에 좋은 음식을 먹어야 한다. │
└──────────────────────┘

① You can eat healthy food.
② You may eat healthy food.
③ You will eat healthy food.
④ You should eat healthy food.
⑤ You won't eat healthy food.

09 다음 표지판의 내용으로 가장 알맞은 것은?

① You may touch it.
② You must touch it.
③ You have to touch it.
④ You must not touch it.
⑤ You don't have to touch it.

10 다음 대화에서 어법상 어색한 부분을 찾아 바르게 고쳐 쓰시오.

(1)
┌──────────────────────┐
│ A May I saw your ticket?   │
│ B Here it is.   │
└──────────────────────┘
   saw ➡ see

(2)
┌──────────────────────┐
│ A Do I have to take off my shoes? │
│ B No, you not have to.   │
└──────────────────────┘
   not ➡ don't

35

---

06 (1) 해야 한다는 강한 의무를 나타낼 때는 must를 쓴다.
(2) 하도록 해라는 충고를 나타낼 때는 should를 쓴다.
(3) 일지도 모른다는 추측을 나타낼 때는 may를 쓴다.

07 ③ 주어가 3인칭 단수일 때는 has to를 쓴다.
> 해석
① 나는 일자리를 구해야 한다.
② 우리는 수업에 늦은지도 모른다.
③ 그는 약속을 지켜야 한다. (→ has to)
④ 너는 잔디 위에 앉아서는 안 된다.
⑤ 학생들은 그들의 선생님들께 친절해야 한다.

08 should는 '~해야 한다'라는 의무를 나타내므로 ④가 알맞다.
> 해석
① 너는 건강에 좋은 음식을 먹을 수 있다.
② 너는 건강에 좋은 음식을 먹어도 된다.
③ 너는 건강에 좋은 음식을 먹을 것이다.

⑤ 너는 건강에 좋은 음식을 먹지 않을 것이다.

09 ④는 '너는 그것을 만져서는 안 된다.'라는 뜻으로 must not은 해서는 안 된다는 금지를 나타낸다.
> 해석
① 너는 그것을 만져도 된다.
②, ③ 너는 그것을 만져야 한다.
⑤ 너는 그것을 만질 필요가 없다.

10 (1) May I 뒤에 오는 동사는 원형으로 쓰므로 saw는 see가 되어야 한다.
(2) Do I have to ~?로 묻는 말에 대한 부정의 응답은 No, you don't have to.가 알맞다.
> 해석
(1) **A** 당신의 표를 봐도 될까요? (saw → see)
   B 여기 있어요.
(2) **A** 내가 신발을 벗어야 하니?
   B 아니, 그럴 필요 없어. (not → don't)

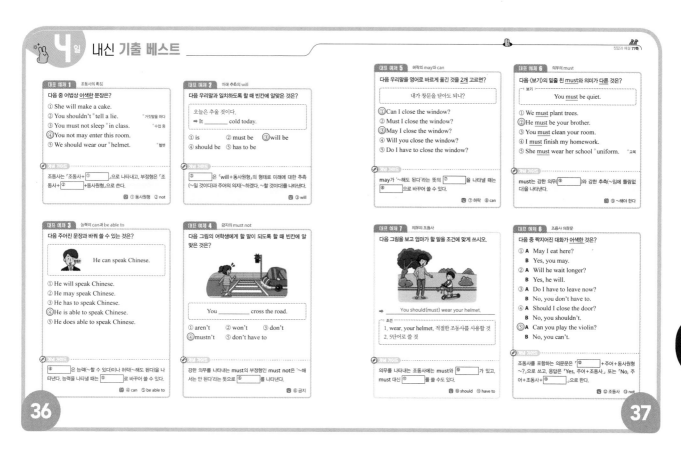

4일 내신 기출 베스트

정답과 해설 77쪽

대표 예제 1 조동사의 특징

다음 중 어법상 어색한 문장은?

① She will make a cake.
② You shouldn't *tell a lie. *거짓말을 하다
③ You must not sleep *in class. *수업 중
④ You not may enter this room.
⑤ We should wear our *helmet. *헬멧

조동사는 '조동사+①　'으로 나타내고, 부정형은 「조동사+②　+동사원형」으로 쓴다.

目 ① 동사원형 ② not

대표 예제 2 미래 추측의 will

다음 우리말과 일치하도록 할 때 빈칸에 알맞은 것은?

오늘은 추울 것이다.
➡ It _____ cold today.

① is　　② must be　　③ will be
④ should be　　⑤ has to be

③　은 「will+동사원형」의 형태로 미래에 대한 추측(~일 것이다)과 주어의 의지(~하겠다, ~할 것이다)를 나타낸다.

目 ③ will

대표 예제 3 능력의 can과 be able to

다음 주어진 문장과 바꿔 쓸 수 있는 것은?

He can speak Chinese.

① He will speak Chinese.
② He may speak Chinese.
③ He has to speak Chinese.
④ He is able to speak Chinese.
⑤ He does able to speak Chinese.

④　은 능력(~할 수 있다)이나 허락(~해도 된다)을 나타낸다. 능력을 나타낼 때는 ⑤　로 바꾸어 쓸 수 있다.

目 ④ can ⑤ be able to

대표 예제 4 금지의 must not

다음 그림의 여학생에게 할 말이 되도록 빈칸에 알맞은 것은?

You _____ cross the road.

① aren't　　② won't　　③ don't
④ mustn't　　⑤ don't have to

강한 의무를 나타내는 must의 부정형인 must not은 '~해서는 안 된다'라는 뜻으로 ⑥　를 나타낸다.

目 ⑥ 금지

대표 예제 5 허락의 may와 can

다음 우리말을 영어로 바르게 옮긴 것을 2개 고르면?

내가 창문을 닫아도 되니?

① Can I close the window?
② Must I close the window?
③ May I close the window?
④ Will you close the window?
⑤ Do I have to close the window?

may가 '~해도 된다'라는 뜻의 ⑦　을 나타낼 때는 ⑧　으로 바꾸어 쓸 수 있다.

目 ⑦ 허락 ⑧ can

대표 예제 6 의무의 must

다음 〈보기〉의 밑줄 친 must와 의미가 다른 것은?

── 보기 ──
You must be quiet.

① We must plant trees.
② He must be your brother.
③ You must clean your room.
④ I must finish my homework.
⑤ She must wear her school *uniform. *교복

must는 강한 의무(⑨　)와 강한 추측(~임에 틀림없다)을 나타낸다.

目 ⑨ ~해야 한다

대표 예제 7 의무의 조동사

다음 그림을 보고 엄마가 할 말을 조건에 맞게 쓰시오.

➡ You should(must) wear your helmet.

── 조건 ──
1. wear, your helmet, 적절한 조동사를 사용할 것
2. 5단어로 쓸 것

의무를 나타내는 조동사에는 must와 ⑩　가 있고, must 대신 ⑪　을 쓸 수도 있다.

目 ⑩ should ⑪ have to

대표 예제 8 조동사 의문문

다음 중 짝지어진 대화가 어색한 것은?

① A May I eat here?
　B Yes, you may.
② A Will he wait longer?
　B Yes, he will.
③ A Do I have to leave now?
　B No, you don't have to.
④ A Should I close the door?
　B No, you shouldn't.
⑤ A Can you play the violin?
　B No, you can't.

조동사를 포함하는 의문문은 「⑫　+주어+동사원형 ~?」으로 쓰고, 응답은 'Yes, 주어+조동사.」 또는 「No, 주어+조동사+⑬　.」으로 한다.

目 ⑫ 조동사 ⑬ not

36　　37

1 ① 그녀가 케이크를 만들 것이다.
　② 너는 거짓말을 해서는 안 된다.
　③ 너는 수업 중에 자서는 안 된다.
　④ 너는 이 방에 들어가면 안 된다.
　　(not may → may not)
　⑤ 우리는 헬멧을 써야 한다.

2 will은 '~일 것이다'라는 미래에 대한 추측을 나타낸다.

3 〈보기〉, ④ 그는 중국어를 말할 수 있다.
　① 그는 중국어를 말할 것이다.
　② 그는 중국어를 말할지도 모른다.
　③ 그는 중국어를 말해야 한다.

4 너는 길을 건너서는 안 된다. (mustn't)

5 ①, ③ 내가 창문을 닫아도 되니?
　②, ⑤ 내가 창문을 닫아야 하니?
　④ 창문을 닫아 줄래?

6 〈보기〉와 ①, ③, ④, ⑤는 의무를, ②는 추측을 나타낸다.
　① 우리는 나무를 심어야 한다.
　② 그는 너의 남동생임에 틀림없다.
　③ 너는 네 방을 청소해야 한다.
　④ 나는 숙제를 끝내야 한다.
　⑤ 그녀는 교복을 입어야 한다.

7 '너는 네 헬멧을 써야 해.'라는 뜻이 되는 것이 알맞다.

8 ① A 여기서 먹어도 되나요?
　　B 네, 돼요.
　② A 그가 좀 더 기다릴까?
　　B 응, 그럴 거야.
　③ A 내가 지금 출발해야 하니?
　　B 아니, 그럴 필요 없어.
　④ A 내가 문을 닫아야 하니?
　　B 아니, 닫으면 안 돼.
　⑤ A 너는 바이올린을 연주할 수 있니?
　　B 아니, 넌 할 수 없어. (×)

01 (1) '~하지 마라'라는 뜻의 부정 명령문은 Don't로 시작한다.

(2) 「Let's not + 동사원형 ~.」은 '~하지 말자'라는 뜻을 나타낸다.

(3) 형용사나 부사를 강조하는 감탄문은 「How + 형용사/부사(+ 주어 + 동사)!」로 쓴다. 명사를 강조하는 감탄문은 「What a/an + 형용사 + 명사(+ 주어 + 동사)!」로 쓴다.

(4) 명령문은 주어인 you를 생략하고 동사원형으로 시작한다.

☐ **turn down** 소리를 줄이다

[해석]

(1) 다시는 그러지 마라.

(2) 그 문을 열지 말자.

(3) 아이스크림이 정말 달콤하구나!

(4) 음악 소리를 줄여 주세요.

02 그림의 상황에서 남자아이가 할 말은 산책을 하자고 제안하는 말이 알맞고, '~하자'라는 뜻으로 제안하는 말은 「Let's + 동사원형 ~.」으로 쓴다.

☐ **take a walk** 산책하다

[해석]

산책해요. (Let's)

03 (1) 명사를 강조하는 What 감탄문은 「What a/an + 형용사 + 명사(+ 주어 + 동사)!」로 쓴다.

(2) 부정 명령문은 「Don't + 동사원형 ~.」으로 쓰고, '~하지 마라'라는 뜻이다.

☐ **person** 명 사람

☐ **make mistakes** 실수를 하다

[해석]

(1) 그는 정말 좋은 사람이구나! (What a)

(2) 실수하지 마라. (Don't)

04 ⓐ '~하지 마라'라는 뜻의 부정 명령문은 「Don't + 동사원형 ~.」으로 쓴다.

ⓑ What 감탄문은 단수 주어일 때는 「What a/

기초 확인 문제

01 다음 괄호 안에서 알맞은 것을 고르시오.

(1) (Don't / Not) do that again.

(2) Let's (open not / not open) the door.

(3) (What / How) sweet the ice cream is!

(4) (Turn / Turning) down the music, please.

(2) _____ make mistakes.

① Let   ② Not   ③ Don't

④ You not   ⑤ Doesn't

02 다음 그림 속 남자아이가 할 말로 빈칸에 알맞은 것은?

_____ take a walk.

① Don't   ② Let's

③ We can't   ④ Let's not

⑤ Let's we

03 다음 빈칸에 알맞은 것을 고르시오.

(1) _____ nice person he is!

① How   ② What   ③ What a

④ How a   ⑤ What an

04 다음 중 어법상 어색한 문장의 개수는?

ⓐ Don't leave.
ⓑ What a good idea!
ⓒ How kind are they!
ⓓ Let's waste not money.

① 1개   ② 2개   ③ 3개

④ 4개   ⑤ 없음

05 다음 주어진 표현을 바르게 배열하여 감탄문으로 만드시오.

it / beautiful / is / wedding dress / what / a

➡ What a beautiful wedding dress it is ____!

41

---

an + 형용사 + 명사(+ 주어 + 동사)!」로 쓰고, 「주어 + 동사」는 생략할 수 있다.

ⓒ How 감탄문은 「How + 형용사 + 주어 + 동사!」 어순으로 쓰므로 How kind they are!가 되어야 한다.

ⓓ '~하지 말자'라는 뜻의 권유문은 「Let's not + 동사원형 ~.」으로 쓰므로 Let's not waste money.가 되어야 한다.

[해석]

ⓐ 떠나지 마라.

ⓑ 정말 좋은 생각이구나!

ⓒ 그들은 정말 친절하구나! (are they → they are)

ⓓ 돈을 낭비하지 말자. (waste not → not waste)

05 「What a + 형용사 + 명사 + 주어 + 동사!」 어순으로 쓴다. What 감탄문은 명사를 강조할 때 쓴다.

☐ **beautiful** 형 아름다운

[해석]

정말 아름다운 웨딩드레스구나!

06 다음 빈칸에 알맞은 전치사를 〈보기〉에서 골라 쓰시오.

보기
in   at   for   on

(1) I have lunch ___at___ noon.
(2) It rains a lot ___in___ summer.
(3) Lisa walked ___for___ two hours.
(4) The festival is ___on___ May 10th.

07 다음 그림의 내용과 일치하도록 할 때 빈칸에 알맞은 것은?

People are jogging _____ the river.

① at   ② under   ③ over
④along   ⑤ during

08 다음 밑줄 친 부분이 어법상 올바른 것은?

① The cat is sitting <u>at</u> the sofa.
② The bank is <u>next</u> the hospital.
③ The world map is <u>at</u> the wall.
④There is a box <u>under</u> the tree.
⑤ My classroom is <u>in</u> the third floor.

09 다음 우리말을 영어로 옮긴 문장에서 어법상 **어색한** 부분을 찾아 바르게 고쳐 쓰시오.

(1)
> 그는 저녁에 일한다.
> ➡ He works for the evening.

for ➡ in

(2)
> 차들이 도로 위를 달리고 있다.
> ➡ Cars are running over the road.

over ➡ on

10 다음 초대장의 내용과 일치하도록 할 때 빈칸에 알맞은 말이 바르게 짝지어진 것은?

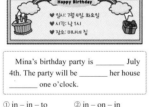

Mina's birthday party is _____ July 4th. The party will be _____ her house _____ one o'clock.

① in – in – to   ② in – on – in
③ on – in – for   ④on – at – at
⑤ on – at – on

43

5일

08 ① 접촉면 위를 나타낼 때는 on을 쓴다.
② '~ 옆에'를 나타낼 때는 next to를 쓴다.
③ 벽에 걸려 있을 때는 on을 쓴다.
④ '~ 아래에'를 나타낼 때는 under를 쓴다.
⑤ 층을 나타낼 때는 on을 쓴다.

☐ **map** 명 지도
☐ **wall** 명 벽
☐ **the third floor** 3층

해석
① 그 고양이는 소파에 앉아 있다. (→ on)
② 은행은 병원 옆에 있다. (→ next to)
③ 세계 지도가 벽에 걸려 있다. (→ on)
④ 나무 아래에 상자 한 개가 있다.
⑤ 우리 교실은 3층에 있다. (→ on)

06 (1) 정오를 나타낼 때는 at을 쓴다.
(2) 계절 앞에는 in을 쓴다.
(3) 연속하는 기간 앞에는 for를 쓴다.
(4) 날짜 앞에는 on을 쓴다.

☐ **festival** 명 축제

해석
(1) 나는 정오에 점심을 먹는다. (at)
(2) 여름에는 비가 많이 온다. (in)
(3) Lisa는 2시간 동안 걸었다. (for)
(4) 그 축제는 5월 10일이다. (on)

07 사람들이 강을 따라 조깅하는 모습이므로 빈칸에는 '~을 따라'라는 뜻의 along이 알맞다.

해석
사람들이 강을 따라 조깅하고 있다. (along)

09 (1) for는 숫자로 표현되는 연속하는 기간과 써서 '~ 동안'을 나타낸다. '저녁에'를 뜻할 때는 in을 쓴다.
(2) over는 표면과 떨어진 위를 나타내고, on은 표면과 접촉한 위를 나타낸다.

☐ **evening** 명 저녁
☐ **road** 명 도로

10 날짜 앞에는 on을 쓰고, 장소 앞에는 at이나 in, 정각인 시각 앞에는 at을 쓴다.

☐ **birthday** 명 생일

해석
미나의 생일 파티는 7월 4일이다. 파티는 그녀의 집에서 1시에 시작할 것이다.

5일 내신 기출 베스트

정답과 해설 80쪽

대표 예제 1 (부정) 명령문

다음 중 어법상 올바른 문장은?

① Helping me, please.
②*Listen to your parents. *듣다
③ Don't are late for school.
④ Does your homework first.
⑤ Not eat *snacks before dinner. *간식

개념 가이드

명령문은 주어인 you를 생략하고 ① [ ] 으로 시작하고, 부정 명령문은 「② [ ] +동사원형 ~.」으로 쓴다.

답 ① 동사원형 ② Don't

대표 예제 2 감탄문

다음 우리말을 영어로 바르게 옮긴 것은?

정말 높은 건물이구나!

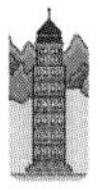

① How tall building!
② What a tall building!
③ What a tall building is!
④ How tall is the building!
⑤ The building is how tall!

개념 가이드

감탄문은 「③ [ ] (a/an)+형용사+명사(+주어+동사)!」나 「④ [ ] +형용사/부사(+주어+동사)!」로 쓴다.

답 ③ What ④ How

대표 예제 3 권유문

다음 빈칸에 들어갈 말로 어법상 어색한 것을 2개 고르면?

Let's ______________.

① don't talk about him
② meet at the *bus stop *버스 정류장
③ playing the piano
④ move the table together
⑤ not *go to the movies *영화 보러 가다

개념 가이드

'~하자'라는 뜻의 권유문은 「Let's+동사원형 ~.」으로 쓰고, 부정문은 「Let's ⑤ [ ] +동사원형 ~.」으로 쓴다.

답 ⑤ not

대표 예제 4 부정 명령문

다음 표지판의 내용과 일치하도록 할 때 빈칸에 알맞은 것은?

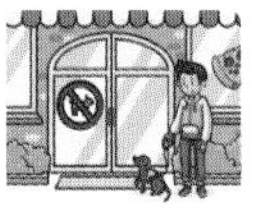

__________ enter with pets.

① You ② Don't ③ Not
④ Let's ⑤ Please

개념 가이드

부정 명령문은 「⑥ [ ] +동사원형 ~.」으로 쓰고, '~하지 마라'라는 금지를 나타낸다.

답 ⑥ Don't

대표 예제 5 장소 전치사

다음 그림을 보고 주어진 표현을 바르게 배열하여 문장을 완성하시오.

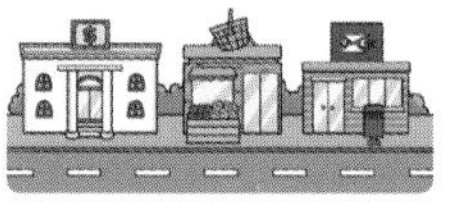

and / is / the post office / the bank / between

➡ The supermarket is between the bank and the post office 또는 is between the post office and the bank.

개념 가이드

'A와 B 사이에'는 ⑦ [ ] A and B로 쓴다.

답 ⑦ between

대표 예제 6 장소 전치사

다음 빈칸에 들어갈 전치사가 나머지와 다른 것은?

① Don't walk _______ the *grass. *잔디
② The painting is _______ the wall.
③ Emily stayed _______ the hotel.
④ She put the dish _______ the table.
⑤ I am drawing _______ the *sketchbook. *스케치북

개념 가이드

장소 전치사 ⑧ [ ] 은 표면과 접촉되는 곳을 나타낼 때 쓰고, '~에'라는 뜻으로 비교적 좁은 장소를 나타낼 때는 ⑨ [ ] 을 쓴다.

답 ⑧ on ⑨ at

대표 예제 7 시간 전치사

다음 빈칸에 알맞은 말이 순서대로 바르게 짝지어진 것은?

· We had fun _______ Halloween.
· Many people died _______ the war.

① in – on ② on – for
③ on – on ④ on – during
⑤ in – during

개념 가이드

시간 전치사 ⑩ [ ] 은 특정한 날 앞에 쓰고, ⑪ [ ] 은 특정한 기간 동안을 나타낸다.

답 ⑩ on ⑪ during

대표 예제 8 시간/장소 전치사

다음 밑줄 친 부분의 쓰임이 어색한 것은?

① I have a TV in my room.
② The shop *closes at midnight. *닫다
③ Put your bag under your desk.
④ I always *go skiing on winter. *스키 타러 가다
⑤ Trees are standing along the street.

개념 가이드

장소 전치사 in은 '~ 안에', ⑫ [ ] 는 '~ 아래에', along은 '~을 따라'를 뜻한다. 시간 전치사 ⑬ [ ] 은 계절 앞에 쓰고, midnight(밤 12시) 앞에는 at을 쓴다.

답 ⑫ under ⑬ in

44 45

1 ①, ④ 명령문은 동사원형으로 시작한다. ③, ⑤ 부정 명령문은 「Don't+동사원형 ~.」으로 쓴다.
① 나 좀 도와주세요. (Helping → Help)
② 부모님 말씀을 잘 들어라.
③ 학교에 늦지 마라. (are → be)
④ 네 숙제를 먼저 해라. (Does → Do)
⑤ 저녁 먹기 전에 간식을 먹지 마라. (Not → Don't)

2 건물인 building이 강조되도록 What 감탄문인 「What a+형용사+명사(+주어+동사)!」로 쓴다. 「주어+동사」는 생략할 수 있다.

3 ① 그에 대해 이야기하지 말자. (don't → not)
② 버스 정류장에서 만나자.
③ 피아노를 치자. (playing → play)
④ 함께 탁자를 옮기자.
⑤ 영화 보러 가지 말자.

4 애완동물과 들어오지 마시오. (Don't)

5 슈퍼마켓은 은행과 우체국 사이에(우체국과 은행 사이에) 있다.

6 ①, ②, ④, ⑤는 on이 알맞고, ③은 at이 알맞다.
① 잔디 위를 걷지 마라. (on)
② 그림이 벽에 걸려 있다. (on)
③ Emily는 호텔에 머물렀다. (at)
④ 그녀는 접시를 탁자 위에 놓았다. (on)
⑤ 나는 스케치북에 그림을 그리고 있다. (on)

7 • 우리는 핼러윈에 즐겁게 보냈다. (on)
• 많은 사람들이 전쟁 동안에 죽었다. (during)

8 ① 나는 내 방에 텔레비전 한 대가 있다.
② 그 가게는 밤 12시에 문을 닫는다.
③ 네 책상 아래에 가방을 놓아라.
④ 나는 겨울에는 항상 스키를 타러 간다. (on → in)
⑤ 나무들이 거리를 따라 서 있다.

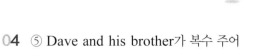

6일 누구나 100점 테스트 ①회

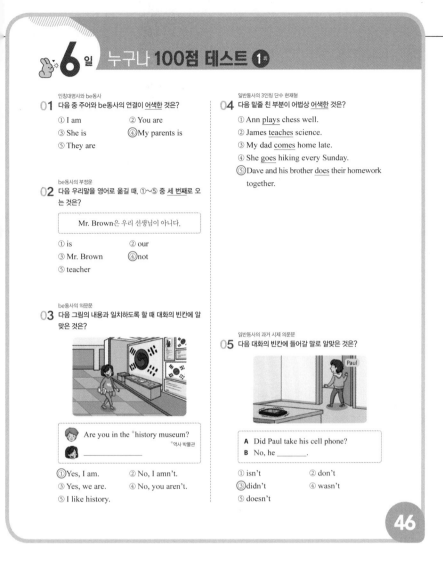

인칭대명사와 be동사
01 다음 중 주어와 be동사의 연결이 어색한 것은?

① I am
② You are
③ She is
④ My parents is
⑤ They are

be동사의 부정문
02 다음 우리말을 영어로 옮길 때, ①~⑤ 중 세 번째로 오는 것은?

> Mr. Brown은 우리 선생님이 아니다.

① is
② our
③ Mr. Brown
④ not
⑤ teacher

be동사의 의문문
03 다음 그림의 내용과 일치하도록 할 때 대화의 빈칸에 알맞은 것은?

Are you in the *history museum?
*역사 박물관
_____

① Yes, I am.
② No, I amn't.
③ Yes, we are.
④ No, you aren't.
⑤ I like history.

일반동사의 3인칭 단수 현재형
04 다음 밑줄 친 부분이 어법상 어색한 것은?

① Ann plays chess well.
② James teaches science.
③ My dad comes home late.
④ She goes hiking every Sunday.
⑤ Dave and his brother does their homework together.

일반동사의 과거 시제 의문문
05 다음 대화의 빈칸에 들어갈 말로 알맞은 것은?

Paul

A Did Paul take his cell phone?
B No, he _____.

① isn't
② don't
③ didn't
④ wasn't
⑤ doesn't

46

04 ⑤ Dave and his brother가 복수 주어이므로 do의 3인칭 단수 현재형인 does는 원형인 do로 써야 한다.
☐ **play chess** 체스를 하다
☐ **science** 몡 과학
☐ **go hiking** 하이킹하러 가다
☐ **do one's homework** 숙제를 하다
☐ **together** 뷔 함께

해석
① Ann은 체스를 잘한다.
② James는 과학을 가르친다.
③ 우리 아빠는 집에 늦게 오신다.
④ 그녀는 매주 일요일에 하이킹하러 간다.
⑤ Dave와 그의 남동생은 숙제를 함께 한다. (→ do)

6일

01 ④ parents는 복수이므로 be동사 are와 써야 한다.
☐ **parents** 몡 부모

02 우리말을 영어로 쓰면 Mr. Brown is not our teacher.가 알맞다. not은 be동사 뒤에 온다.

03 Are you ~?로 묻는 말에 대한 응답은 Yes, I am[we are].이나 No, I'm not[we aren't].으로 한다.
☐ **history museum** 몡 역사 박물관

해석
 너는 역사 박물관에 있니?

응, 그래 (Yes, I am.)

05 「Did + 주어 + 동사원형 ~?」으로 묻는 일반동사의 과거 시제 의문문에 대한 부정의 응답은 「No, 주어 + didn't.」로 한다.
☐ **cell phone** 몡 휴대전화

해석
A Paul은 그의 휴대전화를 가지고 갔니?
B 아니, 그러지 않았어. (didn't)

정답과 해설

06 be동사가 있으므로 clean을 동사의 -ing 형인 cleaning으로 써서 현재진행형 문장이 되게 한다.

해석
Mark는 집을 청소하고 있다. (cleaning)

07 (1) 문장에서 보어 자리에 동사가 올 때는 동명사(동사원형+-ing)로 쓰므로 taking이 알맞다.
(2) enjoy의 목적어 자리에 오는 동사는 동명사(동사원형+-ing)로 쓴다.
☐ **take pictures** 사진을 찍다
☐ **shop** 동 쇼핑하다

해석
(1) 그의 직업은 사진을 찍는 것이다. (taking)
(2) 그녀는 쇼핑하는 것을 즐긴다. (shopping)

08 yesterday(어제)가 있으므로 과거 시제 문장이 되는 것이 알맞다. ⑤는 eat(먹다)의 과거형인 ate가 되어야 한다.
☐ **get up** 일어나다
☐ **late** 분 늦게
☐ **hospital** 명 병원
☐ **steak** 명 스테이크
☐ **for dinner** 저녁으로

해석
① 나는 어제 늦게 일어났다.
② 나는 어제 열심히 공부했다.
③ 나는 어제 엄마를 도와 드렸다.
④ 나는 어제 병원에 갔다.
⑤ 나는 어제 저녁으로 스테이크를 먹었다. (eat → ate)

09 (1) 일반동사의 과거 시제 부정문을 만들 때는 주어에 상관없이 동사 앞에 didn't

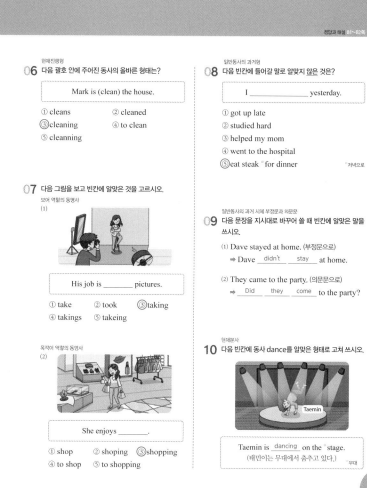

정답과 해설 81~82쪽

현재진행형
06 다음 괄호 안에 주어진 동사의 올바른 형태는?

> Mark is (clean) the house.

① cleans ② cleaned
③cleaning ④ to clean
⑤ cleanning

07 다음 그림을 보고 빈칸에 알맞은 것을 고르시오.
보어 역할의 동명사
(1)

> His job is _____ pictures.

① take ② took ③taking
④ takings ⑤ takeing

목적어 역할의 동명사
(2)

> She enjoys _____.

① shop ② shoping ③shopping
④ to shop ⑤ to shopping

일반동사의 과거형
08 다음 빈칸에 들어갈 말로 알맞지 않은 것은?

> I _____ yesterday.

① got up late
② studied hard
③ helped my mom
④ went to the hospital
⑤eat steak *for dinner   *저녁으로

일반동사의 과거 시제 부정문과 의문문
09 다음 문장을 지시대로 바꾸어 쓸 때 빈칸에 알맞은 말을 쓰시오.

(1) Dave stayed at home. (부정문으로)
➡ Dave _didn't_ _stay_ at home.

(2) They came to the party. (의문문으로)
➡ _Did_ _they_ _come_ to the party?

현재분사
10 다음 빈칸에 동사 dance를 알맞은 형태로 고쳐 쓰시오.

Taemin

> Taemin is _dancing_ on the *stage.
> (태민이는 무대에서 춤추고 있다.)   *무대

47

를 쓰고, 뒤에 오는 동사는 원형으로 쓴다.
(2) 일반동사의 과거 시제 의문문은 주어에 상관없이 「Did+주어+동사원형 ~?」으로 쓰고, came의 원형은 come이다.
☐ **stay** 동 머무르다
☐ **at home** 집에

해석
(1) Dave는 집에 머물렀다.
➡ Dave는 집에 머물지 않았다.
(2) 그들은 파티에 왔다.
➡ 그들은 파티에 왔니?

10 현재분사인 dancing으로 써서 be동사 is와 함께 현재진행형에서 진행의 의미를 나타내게 한다.
☐ **stage** 명 무대

6일 누구나 100점 테스트 2회

조동사 will의 쓰임
01 다음 중 빈칸에 will을 쓸 수 <u>없는</u> 것은?

① I _____ be a *pilot.　*비행기 조종사
② We _____ help you.
③ She _____ have a test.
④ He _____ leave with us.
⑤ Sue _____ made some cookies.

능력의 can
02 다음 우리말을 영어로 옮길 때 빈칸에 알맞은 것은?

나는 차를 운전할 수 있다.
➡ I _____ drive a car.
➡ I am able to drive a car.

① can　② may　③ should
④ will　⑤ have to

의무의 should와 추측의 may
03 다음 우리말과 일치하도록 빈칸에 알맞은 것을 〈보기〉에서 골라 쓰시오.

보기　will　may　should

(1) 너는 쉬어야 한다.
➡ You _should_ take a rest.

(2) 그는 거짓말쟁이일지도 모른다.
➡ He _may_ be a *liar.　*거짓말쟁이

허락의 may
04 다음 상황에서 남학생이 할 말로 어법상 알맞은 것은?

① Am I go to the restroom?
② May I go to the restroom?
③ May I goes to the restroom?
④ Can you go to the restroom?
⑤ Can you going to the restroom?

조동사가 쓰인 부정문/부정 명령문
05 다음 표지판의 내용을 <u>잘못</u> 나타낸 것은?

① Don't ride a bike here.
② You cannot ride a bike here.
③ You have to ride a bike here.
④ You mustn't ride a bike here.
⑤ You shouldn't ride a bike here.

48

---

03 (1) should는 '~해야 한다'라는 뜻의 의무를 나타낸다.
(2) may는 '~일지도 모른다'라는 뜻의 추측을 나타낸다.
☐ **take a rest** 휴식을 취하다
☐ **liar** 명 거짓말쟁이

04 '제가 ~해도 되나요?'라는 뜻으로 허락을 요청할 때는 May I ~?나 Can I ~?를 쓰고, May〔Can〕 뒤에 오는 동사는 원형으로 쓴다.
☐ **restroom** 명 화장실
해석
② 제가 화장실에 가도 되나요?

05 '자전거 통행금지'를 나타내는 표지판이므로 '~해서는 안 된다'라는 금지의 뜻을 나타내는 게 알맞다.
③ have to는 '~해야 한다'라는 뜻의 의무를 나타낸다.
☐ **ride a bike** 자전거를 타다
해석
① 여기서 자전거를 타지 마라.
②, ④, ⑤ 너는 여기서 자전거를 타면 안 된다.
③ 너는 여기서 자전거를 타야 한다.

TIP 조동사의 부정형

조동사	의미	부정형	의미
허락의 can	~해도 된다	cannot	~하면 안 된다
허락의 may		may not	
의무의 should	~해야 한다	shouldn't	
의무의 must		mustn't	

6일

---

01 will은 미래에 대한 추측이나 주어의 의지를 나타낼 때 쓰며, will 뒤에는 동사원형이 온다. ⑤의 made는 make(만들다)의 과거형이므로 will이 올 수 없다.
☐ **pilot** 명 비행기 조종사
☐ **have a test** 시험을 치르다
☐ **leave** 동 떠나다
해석
① 나는 비행기 조종사가 될 것이다. (will)
② 우리는 너를 도울 것이다. (will)
③ 그녀는 시험을 치를 것이다. (will)
④ 그는 우리와 함께 떠날 것이다. (will)
⑤ Sue는 약간의 쿠키를 만들었다.

02 '~할 수 있다'라는 뜻으로 능력을 나타내는 말에는 can과 be able to가 있다.

정답과 해설

06 '~하지 마라'라는 뜻으로 명령이나 지시를 할 때는 Don't를 쓴다. please를 붙여 좀 더 공손한 표현으로 만들 수 있다.

07 형용사 smart(똑똑한)를 강조하는 How 감탄문으로 쓰는 게 알맞고, 「How+형용사+주어+동사!」어순이다. What 감탄문은 명사를 강조할 때 쓴다.

☐ **dolphin** 명 돌고래

☐ **smart** 형 똑똑한, 영리한

해석

돌고래는 매우 똑똑하다.

➡ 돌고래는 정말 똑똑하구나!
(How smart)

08 '~하지 말자'라는 뜻으로 제안할 때는 「Let's not+동사원형 ~.」으로 쓰므로 ③이 알맞다. ①의 Don't는 '~하지 마라'라는 뜻으로 명령할 때 쓰는 말이다.

☐ **fight** 동 싸우다

☐ **anymore** 더 이상, 이제는

해석

① 더 이상 싸우지 마라.

④ 우리는 더 이상 싸우지 않는다.

09 (1) 요일 앞이나 표면 위를 나타낼 때는 전치사 on을 쓴다.

(2) 구체적인 시각 앞이나 비교적 좁은 장소 앞에는 전치사 at을 쓴다.

☐ **final test** 명 기말시험

☐ **on the wall** 벽에

☐ **have a lesson** 교습을 받다

해석

(1) • 기말시험은 수요일이다. (on)

　　• 그 그림은 벽에 걸려 있다. (on)

(2) • 나는 4시 30분에 피아노 교습을 받는다. (at)

　　• 버스 정류장에서 만나자. (at)

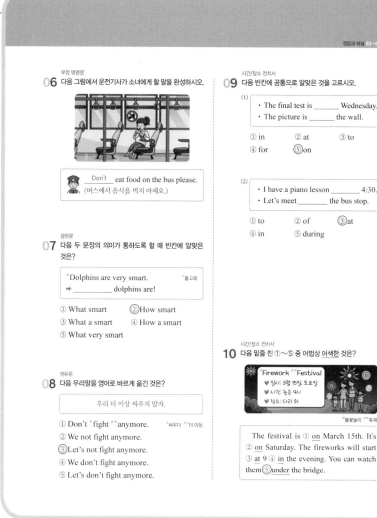

정답과 해설 83~84쪽

부정 명령문
06 다음 그림에서 운전기사가 소녀에게 할 말을 완성하시오.

　　Don't　 eat food on the bus please.
　　(버스에서 음식을 먹지 마세요.)

감탄문
07 다음 두 문장의 의미가 통하도록 할 때 빈칸에 알맞은 것은?

　　"Dolphins are very smart. "돌고래
　　➡ _____ dolphins are!

① What smart　　② How smart
③ What a smart　　④ How a smart
⑤ What very smart

권유문
08 다음 우리말을 영어로 바르게 옮긴 것은?

　　우리 더 이상 싸우지 말자.

① Don't "fight "anymore. "싸우다 ""더 이상
② We not fight anymore.
③ Let's not fight anymore.
④ We don't fight anymore.
⑤ Let's don't fight anymore.

시간/장소 전치사
09 다음 빈칸에 공통으로 알맞은 것을 고르시오.

(1)
　　• The final test is _____ Wednesday.
　　• The picture is _____ the wall.

① in　　② at　　③ to
④ for　　⑤ on

(2)
　　• I have a piano lesson _____ 4:30.
　　• Let's meet _____ the bus stop.

① to　　② of　　③ at
④ in　　⑤ during

시간/장소 전치사
10 다음 밑줄 친 ①~⑤ 중 어법상 어색한 것은?

　　Firework "Festival
　　♥일시: 3월 15일, 토요일
　　♥시간: 늦은 9시
　　♥장소: 다리 위
　　　　　　　　"불꽃놀이 ""축제

　　The festival is ① on March 15th. It's ② on Saturday. The fireworks will start ③ at 9 ④ in the evening. You can watch them ⑤ under the bridge.

49

10 ⑤ under는 아래를 나타낸다. 다리와 접촉하는 위를 나타낼 때는 전치사 on을 쓴다.

☐ **firework** 명 불꽃놀이

☐ **festival** 명 축제

☐ **evening** 명 저녁

☐ **bridge** 명 다리

해석

축제는 3월 15일이다. 그 날은 토요일이다. 불꽃놀이는 밤 9시에 시작할 것이다. 너는 그것을 다리 위에서 볼 수 있다. (⑤ under → on)

TIP 전치사 on/in/at의 쓰임

	on	in	at
시간 전치사	날짜나 요일 앞에 쓴다.	계절이나 월, 연도, 때 앞에 쓴다.	구체적인 시각이나 정각, 정오 앞에 쓴다.
장소 전치사	표면 위를 나타낼 때 쓴다.	안쪽 공간을 나타낼 때 쓴다.	비교적 좁은 장소를 나타낼 때 쓴다.

6일 창의·융합·서술·코딩 테스트 ①

일반동사의 3인칭 단수형과 부정문

01 다음 표의 내용과 일치하도록 문장을 완성하시오.

I like ...	Mina	Dan
animals	○	×
English	○	○
sports	×	○

(1) Mina <u>likes</u> animals.

(2) Mina and Dan <u>like</u> English.

(3) Mina <u>doesn't</u> <u>like</u> sports, but Dan <u>likes</u> sports.

be동사와 일반동사의 과거형

02 다음 그림을 보고, 〈보기〉의 단어를 활용하여 대화를 완성하시오.

┌ 보기 ┐
draw   do   play   is
└─────┘

How <u>was</u> your school?

It was fun.

What <u>did</u> you do at school?

I <u>drew</u> a *picture.   *그림

I <u>played</u> *basketball, too.   *농구

일반동사의 부정문과 의문문

03 다음 문장을 지시대로 바꿔 쓰시오.

(1) Mike has pets. (부정문으로)
➡ <u>Mike doesn't have pets.</u>

(2) Amy finished her homework. (의문문으로)
➡ <u>Did Amy finish her homework?</u>

현재진행형

04 〈보기〉와 같이 괄호 안의 단어를 활용하여 사람들이 현재 하고 있는 일을 묘사하는 문장을 완성하시오.

┌ 보기 ┐
I <u>am walking</u> my dog. (walk)
└──────┘

(1) They <u>are playing</u> badminton. (play)

(2) She <u>is riding</u> a scooter. (ride)

(3) He <u>is running</u> on the *track. (run)
*경주로, 트랙

동명사

05 다음 문장의 굵은 부분에 유의하여 우리말로 해석하시오.

Watching movies is my hobby.

➡ <u>영화 보는 것은 나의 취미이다.</u>

50

---

01 (1) 주어가 3인칭 단수이면 일반동사는 3인칭 단수형으로 쓰고, 대부분의 동사는 끝에 -s를 붙여 3인칭 단수형을 만든다.
(2) 주어가 복수이면 일반동사는 원형으로 쓴다.
(3) 일반동사의 부정문은 「주어＋don't〔doesn't〕＋동사원형 ~.」으로 쓰고, 주어가 3인칭 단수이면 doesn't를 쓴다.

☐ **animal** 명 동물
☐ **sports** 명 운동, 스포츠

〔해석〕
(1) 미나는 동물을 좋아한다.
(2) 미나와 Dan은 영어를 좋아한다.
(3) 미나는 운동을 좋아하지 않지만 Dan은 운동을 좋아한다.

02 의문사가 있는 be동사의 과거 시제 의문문은 「의문사＋be동사의 과거형＋주어 ~?」로 쓰고, 일반동사의 과거 시제 의문문은 「의문사＋did＋주어＋동사원형 ~?」으로 쓴다. draw(그리다)의 과거형은

---

drew이고 play의 과거형은 played이다.

☐ **draw** 동 (연필 등으로) 그리다
☐ **picture** 명 그림
☐ **basketball** 명 농구

〔해석〕

🧑 학교는 어땠니? (was)

👩 재미있었어요.

🧑 학교에서 무엇을 했니? (did)

👩 저는 그림을 그렸어요. (drew)
저는 농구도 했어요. (played)

03 (1) 주어가 3인칭 단수일 때 일반동사의 현재 시제 부정문은 동사 앞에 doesn't를 쓰고, 뒤에 오는 동사는 원형으로 쓴다.
(2) 일반동사의 과거 시제 의문문은 주어에 상관없이 「Did＋주어＋동사원형 ~?」으로 쓴다.

☐ **finish** 동 끝내다

〔해석〕
(1) Mike는 애완동물을 기른다.
➡ Mike는 애완동물을 기르지 않는다.
(2) Amy는 숙제를 끝냈다.
➡ Amy는 숙제를 끝냈니?

04 현재 하고 있는 일을 나타낼 때는 「be동사의 현재형＋동사원형＋-ing」 형태인 현재진행형을 사용한다. 대부분의 동사는 단어 끝에 -ing를 붙여 동사의 -ing형을 만든다.
(1) 주어가 복수인 they이므로 are playing이 알맞다.
(2) 주어가 3인칭 단수인 she이므로 is riding이 알맞다. ride는 e를 빼고 -ing를 붙인다.
(3) 주어가 3인칭 단수인 he이므로 is running이 알맞다. run은 마지막 자음 n

을 한 번 더 쓰고 -ing를 붙인다.

☐ **walk** 동 산책시키다

☐ **scooter** 명 스쿠터(외발 롤러스케이트)

☐ **track** 명 경주로, 트랙

해석

〈보기〉 나는 내 개를 산책시키고 있다.

(1) 그들은 배드민턴을 치고 있다.

　(are playing)

(2) 그녀는 스쿠터를 타고 있다.

　(is riding)

(3) 그는 트랙 위를 달리고 있다.

　(is running)

05 동명사는 '~하는 것'을 뜻하며, 문장에서 주어 역할을 할 때는 '~하는 것은'으로 해석한다.

06 조동사의 부정문은 「주어＋조동사＋not ＋동사원형 ~.」으로 쓰고, must not은 '~해서는 안 된다'라는 뜻의 강한 금지를 나타낸다.

☐ **enter** 동 들어가다

☐ **place** 명 장소, 곳

해석

너는 이 곳에 들어가면 안 된다.

(must not enter)

07 '제가 ~해도 되나요?'라는 뜻으로 허락을 요청할 때는 May I ~?나 Can I ~?를 쓰고, May[Can] 뒤에 오는 동사는 원형으로 쓴다.

☐ **use** 동 사용하다

08 How 감탄문은 형용사를 강조하고, What 감탄문은 명사를 강조한다. 명사 boy가 있으므로 What 감탄문인 「What a/an＋형용사＋명사＋주어＋동사!」로 쓴다.

☐ **clever** 형 영리한

---

06 금지의 must not

다음 그림의 표지판이 나타내는 내용이 되도록 주어진 단어를 배열하여 문장을 완성하시오.

| not / enter / must |

➡ You ___must not enter___ this place.

07 허락의 may와 can

다음 괄호 안의 표현을 사용하여 우리말을 영어로 옮기시오. (5단어)

| 제가 이 펜을 사용해도 되나요? (use, this pen) |

➡ ___May[Can] I use this pen?___

08 감탄문

다음 문장에서 어법상 어색한 부분을 찾아 바르게 고쳐 쓰시오. (단, 한 단어만 고칠 것)

| How a clever boy he is! |

➡ ___What a clever boy he is!___

09 부정 명령문

다음 그림의 상황에서 선생님이 남학생에게 할 말을 조건에 맞게 쓰시오.

➡ ___Don't talk on the phone in the library.___

조건

1. 부정 명령문으로 쓸 것

2. *talk on the phone, in the library를 사용할 것 　*전화 통화를 하다

3. 8단어로 쓸 것

10 장소 전치사

다음 지도 정보와 일치하도록 〈보기〉의 표현을 사용하여 문장을 완성하시오.

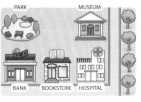

보기

| behind　in front of　next to |

(1) The bank is ___in front of___ the park.

(2) The bookstore is ___next to___ the bank.

(3) The museum is ___behind___ the hospital.

51

해석

그는 정말 영리한 소년이구나!

09 도서관에서 전화 통화를 하지 마라는 뜻의 금지하는 말이 알맞다. '~하지 마라'라는 뜻의 부정 명령문은 Don't로 시작하고, Don't 뒤에는 동사원형이 온다.

☐ **talk on the phone** 전화 통화를 하다

해석

도서관에서 전화 통화를 하지 마라.

10 behind는 '~ 뒤에', in front of는 '~ 앞에', next to는 '~ 옆에'를 나타낸다.

해석

(1) 은행은 공원 앞에 있다.

(2) 서점은 은행 옆에 있다.

(3) 박물관은 병원 뒤에 있다.

일반동사의 과거 시제
01 소민이가 지난 일요일에 한 일로 일기를 완성해 봅시다.

Step 1 그림에 해당하는 표현을 과거형으로 바꾸어 쓴다.

	8:00	11:00	14:00	17:00
현재형	go hiking	study math	watch a movie	meet Jina
과거형	went hiking	studied math	watched a movie	met Jina

Step 2 **Step 1** 의 표현을 사용하여 일기를 완성한다.

일기와 같이 지난 일을 다루는 글은 과거 시제로 써요.

Sunday, August 10th. ☀

I ___went hiking___ in the morning. I ___studied math___ before lunch.
After lunch, I ___watched a movie___ on TV. It was exciting. In the afternoon, I
___met Jina___. We had a good time.

현재진행형
02 지호네 가족이 현재 하고 있는 일을 묘사해 봅시다.

현재 하고 있는 일은 「be동사의 현재형 + 동사원형 + -ing」로 나타내요.

read a newspaper
listen to music
water the plant
make a house

It is Sunday morning.
I ___am listening to music___.
My dad is ___watering the plant___.
My mom ___is reading a newspaper___.
My sister Suji ___is making a house___.

52

을 먹고 나서 나는 텔레비전으로 영화를 봤다. 흥미진진했다. 오후에 나는 지나를 만났다. 우리는 좋은 시간을 보냈다.

TIP 일반동사의 과거형 (불규칙 변화 동사)

현재형	과거형	현재형	과거형
come	came	know	knew
do	did	get	got
go	went	read [ríːd]	read [red]
eat	ate	see	saw
teach	taught	meet	met
ride	rode	write	wrote
buy	bought	break	broke
have	had	send	sent
give	gave	drink	drank
take	took	feed	fed

02 현재하고 있는 일을 나타낼 때는 「be동사의 현재형(am/are/is) + 동사원형 + -ing」를 사용한다.
be동사는 주어의 인칭이나 수에 맞게 am/are/is를 사용하고, 동사의 -ing형은 대개 동사원형에 -ing를 붙여 만드는데 e로 끝나는 동사는 e를 빼고 -ing를 붙인다.

☐ **read a newspaper** 신문을 읽다
☐ **listen to music** 음악을 듣다
☐ **water the plant** 화초에 물을 주다
☐ **make a house** 집을 만들다

해석
일요일 아침이에요.
저는 음악을 듣고 있어요.
우리 아빠는 화초에 물을 주고 있어요.
우리 엄마는 신문을 읽고 있어요.
제 여동생 수지는 집을 만들고 있어요.

6일

---

01 **Step 1** 일반동사의 과거형은 대개 동사 뒤에 -ed를 붙여서 만드는데, study처럼 「자음 + y」로 끝나는 동사는 y를 i로 바꾸고 -ed를 붙인다. go → went, meet → met처럼 불규칙하게 형태가 바뀌기도 한다.

☐ **go hiking** 하이킹하러 가다
☐ **study math** 수학을 공부하다
☐ **watch a movie** 영화를 보다
☐ **meet Jina** 지나를 만나다

Step 2 일기와 같이 지난 일은 나타낼 때는 동사의 과거형을 사용한다. 특히 일반동사의 과거형은 동사에 따라 형태가 규칙적으로 바뀌거나 불규칙적으로 바뀌는 것에 주의한다.

해석
8월 10일 일요일, 맑음
나는 오전에 하이킹하러 갔다. 나는 점심 전에 수학을 공부했다. 점심

정답과 해설

03 '제가 ~해도 되나요?'라는 뜻으로 허락을 물을 때는 May[Can] I ~?로 하고, 이에 대한 응답은 Yes, you may[can].나 No, you may not[can't].으로 한다. '~해서는 안 된다'라는 뜻으로 금지를 나타낼 때는 정도의 차이는 있지만 can't, may not, mustn't를 모두 사용할 수 있다.

☐ **take pictures** 사진을 찍다
☐ **flash** 명 플래시
☐ **touch** 동 만지다
☐ **painting** 명 그림

해석

- **Q** 사진을 찍어도 되나요?
- **A** 네, 됩니다. 여러분은 사진을 찍어도 됩니다.
- **Q** 플래시를 사용해도 되나요?
- **A** 아니요, 안 됩니다. 여러분은 플래시를 사용해서는 안 됩니다.
- **Q** 그림을 만져도 되나요?
- **A** 아니요, 안 됩니다. 여러분은 그림을 만져서는 안 됩니다.

04 '~하자'라는 뜻으로 제안할 때는 Let's를 사용하고, '~하지 말자'라는 뜻으로 제안할 때는 Let's not을 사용한다. Let's와 Let's not 뒤에 오는 동사는 원형으로 쓴다.

☐ **share food** 음식을 나누어 먹다
☐ **wash hands often** 손을 자주 씻다
☐ **wear masks** 마스크를 쓰다
☐ **visit the crowded place** 붐비는 장소에 방문하다

해석

- 마스크를 쓰자.
- 음식을 나누어 먹지 말자.
- 손을 자주 씻자.
- 붐비는 장소에 방문하지 말자.

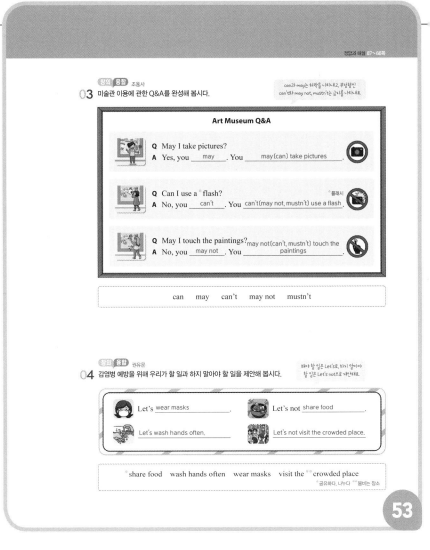

정답과 해설 57~60쪽

창의 융합 조동사

03 미술관 이용에 관한 Q&A를 완성해 봅시다.

> can과 may는 허락을 나타내고, 부정형인 can't와 may not, mustn't는 금지를 나타내요.

Art Museum Q&A

Q May I take pictures?
A Yes, you ___may___. You ___may[can]___ take pictures

Q Can I use a *flash?   *플래시
A No, you ___can't___. You ___can't[may not, mustn't]___ use a flash

Q May I touch the paintings?
A No, you ___may not___. You ___may not[can't, mustn't]___ touch the paintings

> can   may   can't   may not   mustn't

창의 융합 권유문

04 감염병 예방을 위해 우리가 할 일과 하지 말아야 할 일을 제안해 봅시다.

> 해야 할 일은 Let's로, 하지 말아야 할 일은 Let's not으로 제안해요.

Let's ___wear masks___.   Let's not ___share food___.
Let's ___wash hands often___.   Let's not ___visit the crowded place___.

> *share food   wash hands often   wear masks   visit the **crowded place
> *공유하다, 나누다 **붐비는 장소

53

7일 중간·기말고사 기본 테스트 1회

01 ^{신유형} 인칭대명사
다음 그림을 보고 빈칸에 알맞은 인칭대명사를 쓰시오.

> ___He___ is my *classmate.   *학급 친구
> ___His___ name is Boram.
> I like ___him___ .

02 can의 쓰임
다음 밑줄 친 can의 쓰임이 나머지와 다른 것은?

① I can jump high.
② I can *climb the mountain.   *오르다
③ She cannot play the guitar.
④ You can use my textbook.
⑤ He can *understand French.   *이해하다

03 be동사의 부정문
다음 우리말과 일치하도록 빈칸에 알맞은 말을 쓰시오.

> Harry는 나의 사촌이 아니다.
> ➡ Harry ___is___ ___not___ my cousin.

04 의무의 must와 have to
다음 주어진 문장과 의미가 통하는 것은?

> You must tell the *truth.   *진실

① You can tell the truth.
② You may tell the truth.
③ You will tell the truth.
④ You have to tell the truth.
⑤ You are able to tell the truth.

05 ^{신경향} (부정) 명령문
다음 중 박물관의 표지판이 가리키는 내용으로 어법상 어색한 것은?

① Don't run in the museum.
② Make not noise in the museum.
③ Please be quiet in the museum.
④ Do not eat food in the museum.
⑤ Don't take pictures in the museum.

54

□ **textbook** 명 교과서
□ **understand** 동 이해하다
□ **French** 명 프랑스어

[해석]
① 나는 높이 뛰어오를 수 있다.
② 나는 그 산을 오를 수 있다.
③ 그녀는 기타를 칠 수 없다.
④ 너는 내 교과서를 사용해도 된다.
⑤ 그는 프랑스어를 이해할 수 있다.

03 '~이 아니다'라는 뜻의 be동사의 부정문은 be동사 뒤에 not을 쓴다. Harry가 3인칭 단수이므로 be동사는 is가 알맞다.
□ **cousin** 명 사촌

04 주어진 문장은 '너는 진실을 말해야 한다.'라는 뜻이다. must가 해야 한다라는 의무를 나타낼 때는 have to로 바꾸어 쓸 수 있다.
□ **truth** 명 진실

[해석]
① 너는 진실을 말할 수 있다.
② 너는 진실을 말할지도 모른다.
③ 너는 진실을 말할 것이다.
④ 너는 진실을 말해야 한다.
⑤ 너는 진실을 말할 수 있다.

05 명령문은 '~해라'라는 뜻을 나타내며 주어 you를 생략하고 동사원형으로 시작하여 쓴다. 문장의 앞이나 뒤에 please를 붙여 공손하게 표현할 수 있다.
부정 명령문은 '~하지 마라'라는 뜻을 나타내며 「Don't〔Do not〕+동사원형 ~.」으로 쓴다.
□ **museum** 명 박물관
□ **make noise** 떠들다
□ **quiet** 형 조용한

[해석]
① 박물관에서 뛰지 마라.

---

01 be동사 앞은 남자를 지칭하는 인칭대명사 주격인 He가, 명사인 name 앞에는 소유격인 His가, like 뒤는 목적격인 him이 오는 것이 알맞다.
□ **classmate** 명 학급 친구

[해석]
그는 나의 학급 친구이다.
그의 이름은 보람이다.
나는 그를 좋아한다.

02 can은 '~할 수 있다'라는 뜻으로 능력이나 가능을 나타내고, '~해도 좋다'라는 뜻으로 허락을 나타낸다. ④는 허락을 나타내고 나머지는 능력이나 가능을 나타낸다.
□ **jump** 동 뛰어오르다
□ **high** 부 높이
□ **climb** 동 오르다

7일

② 박물관에서 떠들지 마라.

(Make not → Don't[Do not] make)

③ 박물관에서 조용히 해 주세요.

④ 박물관에서 음식을 먹지 마라.

⑤ 박물관에서 사진을 찍지 마라.

06 ③ 전치사 over는 표면에서 떨어져 있는 위를 나타낸다. on은 표면과 접촉되는 위를 나타내며 벽에 걸려 있는 것도 on으로 나타낸다.

☐ **a day** 하루에

해석

① 나는 도서관에서 공부했다.

② 그는 벤치에 앉아 있다.

③ 그 시계는 벽에 걸려 있다. (→ on)

④ 그는 하루에 8시간 동안 일한다.

⑤ 나는 방학 동안에 피아노 교습을 받았다.

07 의문사가 있는 일반동사의 과거 시제 의문문은 「의문사 + did + 주어 + 동사원형 ~?」으로 쓰고, ride의 과거형은 rode이다.

☐ **ride a bike** 자전거를 타다

해석

A 너는 오늘 오후에 무엇을 했니? (did)

B 나는 공원에서 자전거를 탔어. (rode)

08 의문사 how는 '어떻게'라는 뜻으로 상태가 어떠한지 물을 때 쓴다.

형용사를 강조할 때는 「How + 형용사 + 주어 + 동사!」 형태의 How 감탄문으로 쓴다.

해석

· 오늘 날씨는 어때? (How)

· 너는 정말 키가 크구나! (How)

09 명사인 girl이 있으므로 명사를 강조하는 What 감탄문인 「What a/an + 형용

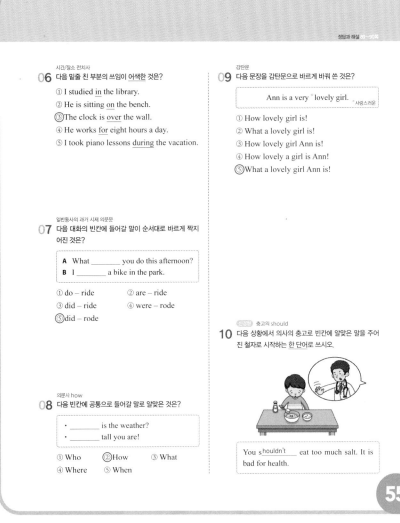

시간/장소 전치사

06 다음 밑줄 친 부분의 쓰임이 어색한 것은?

① I studied in the library.

② He is sitting on the bench.

③ The clock is over the wall.

④ He works for eight hours a day.

⑤ I took piano lessons during the vacation.

일반동사의 과거 시제 의문문

07 다음 대화의 빈칸에 들어갈 말이 순서대로 바르게 짝지어진 것은?

A What _____ you do this afternoon?

B I _____ a bike in the park.

① do – ride   ② are – ride

③ did – ride   ④ were – rode

⑤ did – rode

의문사 how

08 다음 빈칸에 공통으로 들어갈 말로 알맞은 것은?

· _____ is the weather?

· _____ tall you are!

① Who   ② How   ③ What

④ Where   ⑤ When

감탄문

09 다음 문장을 감탄문으로 바르게 바꿔 쓴 것은?

Ann is a very *lovely girl.   *사랑스러운

① How lovely girl is!

② What a lovely girl is!

③ How lovely girl Ann is!

④ How lovely a girl is Ann!

⑤ What a lovely girl Ann is!

신유형 충고의 should

10 다음 상황에서 의사의 충고로 빈칸에 알맞은 말을 주어진 철자로 시작하는 한 단어로 쓰시오.

You shouldn't ____ eat too much salt. It is bad for health.

55

사 + 명사 + 주어 + 동사!」로 쓰는 것이 알맞다. 「주어 + 동사」는 생략할 수 있다.

☐ **lovely** 형 사랑스러운

해석

Ann은 매우 사랑스러운 소녀이다.

➡ ⑤ Ann은 정말 사랑스러운 소녀이구나!

10 그림의 상황에서 의사의 충고는 소금을 너무 많이 먹지 마라는 뜻이 되는 것이 알맞으므로, 빈칸의 단어는 '~하지 말도록 해라, ~해서는 안 된다'라는 뜻을 나타내는 shouldn't가 되는 것이 알맞다.

☐ **salt** 명 소금

☐ **be bad for** ~에 나쁜

☐ **health** 명 건강

해석

소금을 너무 많이 먹지 말도록 해요. 건강에 나쁩니다.

7일 중간·기말고사 기본 테스트 ❶

일반동사의 과거형

11 다음 빈칸에 들어갈 말로 알맞지 <u>않은</u> 것은?

> I ＿＿＿＿＿＿＿ last week.

① meet friends
② went on a picnic
③ bought a new cap
④ visited the museum
⑤ watched a movie

의무의 have to

12 다음 두 문장의 의미가 통하도록 빈칸에 알맞은 말을 쓰시오.

> She must *return this book. *반납하다
> ➡ She ＿has to＿ return this book.

감탄문, (부정) 명령문, 권유문

13 다음 중 어법상 올바른 문장끼리 짝지어진 것은?

> ⓐ Let's wash the dishes.
> ⓑ How an interesting story!
> ⓒ What a beautiful lake it is!
> ⓓ Fight not with friends.

① ⓐ, ⓑ   ② ⓐ, ⓒ   ③ ⓑ, ⓒ
④ ⓑ, ⓓ   ⑤ ⓒ, ⓓ

일반동사의 과거 시제 의문문

14 다음 문장을 의문문으로 바르게 고쳐 쓴 것은?

> He took a test.

① Is he took a test?
② Was he take a test?
③ Did he take a test?
④ Did he took a test?
⑤ Does he take a test?

조동사의 쓰임

15 다음 중 경찰관이 그림 속 학생들에게 할 말로 알맞지 <u>않은</u> 것은?

① You cannot use fire here.
② You may *set up a tent here.   *텐트를 치다
③ You must not feed the birds.
④ You mustn't pick the flowers.
⑤ You should pick up trash.

56

---

11 last week(지난주)이 과거를 나타내므로 빈칸에는 동사의 과거형이 오는 것이 알맞다. ①은 met friends가 되어야 한다.

☐ **go on a picnic** 소풍 가다

해석

① 나는 지난주에 친구들을 만났다. (meet → met)
② 나는 지난주에 소풍을 갔다.
③ 나는 지난주에 새 모자를 샀다.
④ 나는 지난주에 박물관을 방문했다.
⑤ 나는 지난주에 영화를 봤다.

12 의무를 나타내는 must는 have to로 바꾸어 쓸 수 있고, 주어가 3인칭 단수이면 has to로 쓴다.

☐ **return** 동 반납하다

해석

그녀는 이 책을 반납해야 한다.

13 ⓑ 명사를 강조할 때는 What 감탄문을 사용하므로 What an interesting story! 가 되는 것이 알맞다. 감탄문에서 「주어＋동사」는 생략할 수 있다.
ⓓ '~하지 마라'라는 뜻의 부정 명령문은 「Don't＋동사원형 ~.」으로 쓴다.

☐ **wash the dishes** 설거지를 하다
☐ **interesting** 형 재미있는
☐ **fight** 동 싸우다

해석

ⓐ 설거지를 하자.
ⓑ 정말 재미있는 이야기구나!
　(How → What)
ⓒ 정말 아름다운 호수구나!
ⓓ 친구들과 싸우지 마라.
　(Fight not → Don't〔Do not〕fight)

14 일반동사의 과거 시제 의문문은 주어에 상관없이 Did를 사용하여 「Did＋주어＋동사원형 ~?」으로 쓰고, took의 현재형은 take이다.

☐ **take a test** 시험을 치르다

해석

그는 시험을 치렀다.
➡ ③ 그는 시험을 치렀니?

15 ②는 여기서 텐트를 쳐도 된다는 뜻이므로 야영금지 표지판의 내용과 맞지 않는다.

☐ **set up a tent** 텐트를 치다
☐ **feed** 동 먹이를 주다
☐ **pick** 동 (꽃을) 꺾다
☐ **trash** 명 쓰레기

해석

① 너는 여기서 불을 사용하면 안 된다.
② 너는 여기서 텐트를 쳐도 된다.
③ 너는 새들에게 먹이를 주면 안 된다.
④ 너는 꽃을 꺾으면 안 된다.
⑤ 너는 쓰레기를 주워야 한다.

16 빈칸은 보어 자리이고, 보어 자리에 동사가 올 때는 동명사(동사원형＋-ing)나 to부정사(to＋동사원형)로 쓴다.

【해석】

그녀의 직업은 학생들을 가르치는 것이다.
(teaching)

17 조동사는 주어의 수와 인칭에 상관없이 동일한 형태로 쓰며,「조동사＋동사원형」형태로 쓴다.

☐ **practice** 통 연습하다

【해석】

그는 지금 축구 연습을 하고 있다.
➡ 그는 매일 아침 축구 연습을 할 것이다.
(will practice soccer)

18 둘 다 현재분사가 되도록 「동사원형＋-ing」 형태인 sleeping으로 쓰는 것이 알맞다. 첫 번째 문장에서는 be동사 뒤에 쓰여 진행의 의미를 나타내고, 두 번째 문장에서는 명사 cat을 수식하는 형용사 역할을 한다.

【해석】

• 나의 고양이는 소파에서 자고 있다.
(sleeping)
• 자고 있는 고양이를 봐라. 그것은 귀엽다. (sleeping)

19 may는 '~일지도 모른다'라는 뜻의 추측을 나타낸다. must는 '~임에 틀림없다'라는 뜻으로 강한 추측을 나타낸다.

☐ **message** 명 메시지
☐ **important** 형 중요한

【해석】

① 그 메시지는 중요하지 않다.
② 그 메시지는 중요할 것이다.
③ 그 메시지는 중요할지도 모른다.
④ 그 메시지는 중요함에 틀림없다.
⑤ 그 메시지는 중요해야 한다.

동명사
16 다음 빈칸에 들어갈 말로 알맞은 것은?

> Her job is _____ students.

① teach ② taught
③ teaches ④teaching
⑤ to teaching

추측의 may
19 다음 우리말을 영어로 바르게 옮긴 것은?

> 그 메시지는 중요할지도 모른다.

① The message is not important.
② The message will be important.
③The message may be important.
④ The message must be important.
⑤ The message should be important.

의지의 will
17 다음 문장을 will을 포함하는 문장으로 바꿔 쓸 때 빈칸에 알맞은 것은?

> He is practicing soccer now.
> ➡ He _____ every morning.

①will practice soccer
② wills practice soccer
③ will practices soccer
④ will practicing soccer
⑤ will is practicing soccer

현재분사
18 다음 빈칸에 동사 sleep을 각각 올바른 형태로 고쳐 쓰시오.

• My cat is __sleeping__ on the sofa.
• Look at the __sleeping__ cat. It is cute.

신경향 현재진행형
20 다음 그림을 보고, 〈보기〉에서 단어를 골라 빈칸에 알맞은 형태로 고쳐 쓰시오. (중복해서 사용할 수 있음)

보기
> clean do sleep

Are you __sleeping__ ?

No, I'm not.

What are you __doing__ then?

I'm __doing__ my homework. How about you?

I'm __cleaning__ my desk.

57

---

20 빈칸은 be동사의 뒷자리이므로 동사를 -ing형으로 써서 be동사와 함께 현재진행형이 되게 한다. 동사의 -ing형은 동사 뒤에 -ing를 붙여 주고, e로 끝나는 동사는 e를 빼고 -ing를 붙인다.

☐ **desk** 명 책상

【해석】

 너는 자고 있니? (sleeping)

 아니, 그렇지 않아.

 그러면 너는 무엇을 하고 있니? (doing)

 나는 숙제를 하고 있어. (doing)
너는?

 나는 내 책상을 청소하고 있어. (cleaning)

7일 중간·기말고사 기본 테스트 ②회

be동사의 현재형
01 다음 빈칸에 들어갈 말이 나머지와 <u>다른</u> 것은?

① You _____ my best friend.
② They _____ the same age.
③ He _____ tired and hungry.
④ We _____ from Seoul, Korea.
⑤ Mr. and Mrs. Lee _____ kind.

미래 추측의 will
02 다음 우리말과 일치하도록 할 때 빈칸에 알맞은 것은?

> Sally는 시험에 통과할 것이다.
> ➡ Sally _____ pass the exam.

① can   ② will   ③ may
④ must   ⑤ should

명령문
03 다음 빈칸에 들어갈 말로 알맞은 것은?

> _____ polite to your parents.

① Do   ② Be   ③ Not
④ Don't   ⑤ Let's

일반동사의 3인칭 단수 현재형
04 다음 밑줄 친 부분을 고쳐 쓴 것이 알맞지 <u>않은</u> 것은?

① It <u>live</u> in the cave. ➡ lives
② The baby <u>cry</u> *loudly. ➡ cries   *큰 소리로
③ Amy <u>watch</u> the news. ➡ watches
④ She <u>do</u> her homework. ➡ does
⑤ He <u>play</u> *board games. ➡ plaies   *보드게임

신간형 조동사의 부정형
05 다음 중 그림 속 학생들에게 할 말로 알맞지 <u>않은</u> 것은?

① You can't swim in this river.
② You may not swim in this river.
③ You must not swim in this river.
④ You shouldn't swim in this river.
⑤ You don't have to swim in this river.

58

---

01 주어가 you/we/they/복수 명사이면 be동사는 are를 쓰고, he/she/it/단수 명사이면 is를 쓴다. ③은 is가 알맞고, 나머지는 are가 알맞다.

☐ **best friend** 가장 친한 친구
☐ **the same age** 같은 나이(동갑)
☐ **tired** 형 피곤한
☐ **hungry** 형 배고픈
☐ **be from** ~에서 오다, 출신이다
☐ **kind** 형 친절한

해석
① 너는 나의 가장 친한 친구이다. (are)
② 그들은 같은 나이다. (are)
③ 그는 피곤하고 배가 고프다. (is)
④ 우리는 한국의 서울 출신이다. (are)
⑤ Lee 씨 부부는 친절하다. (are)

02 will은 '~일 것이다'라는 뜻으로 미래에 대한 추측을 나타내거나, '~하겠다, ~할 것이다'라는 뜻으로 주어의 의지를 나타낸다.

☐ **pass** 통 통과하다
☐ **exam** 명 시험

03 명령문은 동사원형으로 시작하고, 빈칸 뒤에 형용사인 polite가 있으므로 Be로 시작하여 '부모님께 예의 바르게 굴어라.'라는 뜻의 명령문이 되는 것이 알맞다.

☐ **polite** 형 예의 바른, 공손한
☐ **parents** 명 부모

해석
부모님께 예의 바르게 굴어라. (Be)

04 일반동사의 3인칭 단수 현재형을 만들 때 「자음+y」로 끝나는 동사는 y를 i로 고치고 -es를 붙이고, 「모음+y」로 끝나는 동사는 단어 뒤에 -s를 붙이므로 ⑤ play는 plays가 알맞다.

☐ **live in** ~에 살다
☐ **cave** 명 동굴
☐ **loudly** 부 큰 소리로
☐ **news** 명 소식, 뉴스
☐ **board game** 명 보드게임

해석
① 그것은 동굴에 산다.
② 그 아기는 큰 소리로 운다.
③ Amy는 뉴스를 본다.
④ 그녀는 숙제를 한다.
⑤ 그는 보드게임을 한다. (→ plays)

05 can't, may not, must not, shouldn't는 모두 행동을 하지 말라는 금지의 뜻을 나타낸다. ⑤의 don't have to는 '~할 필요가 없다'라는 뜻의 불필요를 나타낸다.

해석
①, ②, ③, ④ 너희들은 이 강에서 수영하면 안 된다.

7일

⑤ 너희들은 이 강에서 수영할 필요가 없다.

06 일반동사의 의문문은 주어가 3인칭 단수이면 「Does + 주어 + 동사원형 ~?」으로 쓰고, 응답은 「Yes, 주어 + does.」나 「No, 주어 + doesn't.」로 쓴다.

해석

A 그녀의 아빠는 요리하는 것을 좋아하시니? (Does)

B 아니, 그렇지 않아. (doesn't)

07 그들이 현재 하고 있는 일을 묻고 있으므로 현재진행형을 써서 답하는 것이 알맞다. 주어가 they이면 be동사는 are를 쓰고 play의 -ing형은 playing이다.

☐ **now** 〔부〕지금

☐ **play tennis** 테니스를 치다

해석

Q 그들은 지금 무엇을 하고 있나요?

➡ 그들은 테니스를 치고 있다.

　(are playing)

08 조동사는 주어의 인칭에 따라 형태가 달라지지 않으므로 ④ cans는 can이 되어야 한다.

☐ **fix** 〔동〕 고치다

☐ **watch** 〔명〕 손목시계

해석

A 너는 내 손목시계를 고칠 수 있니?

B 아니, 못 고쳐. Nick이 그것을 고칠 수 있어. (④ cans → can)

09 ①~④는 in이 알맞고, ⑤는 on이 알맞다. 공간의 안쪽을 나타내거나 계절, 월, 때 앞에는 in을 쓰고, 날짜 앞에는 on을 쓴다.

☐ **living room** 〔명〕 거실

☐ **sky** 〔명〕 하늘

☐ **fall** 〔명〕 가을

해석

① 나는 거실에 있다. (in)

일반동사의 의문문

06 다음 대화의 빈칸에 들어갈 말이 순서대로 바르게 짝지어진 것은?

A _____ her father like cooking?

B No, he _____.

① Is – isn't　　② Do – don't

③ Are – aren't　④ Does – isn't

⑤ Does – doesn't

현재진행형

07 다음 그림을 보고, 질문에 알맞은 응답을 완성하시오.

Q What are they doing now?

➡ They ___are playing___ tennis.

조동사의 특징

08 다음 대화의 밑줄 친 ①~⑤ 중 어법상 어색한 것을 고른 후, 그 이유를 우리말로 쓰시오.

A ① Can you ② fix my watch?

B No, I ③ can't. Nick ④ cans ⑤ fix it.

④ _____, 조동사는 주어에 따라 형태가 달라지지 않는다.

시간/장소 전치사

09 다음 빈칸에 들어갈 말이 나머지와 다른 것은?

① I'm _____ the living room.

② The sky is high _____ fall.

③ My birthday is _____ January.

④ He drinks tea _____ the afternoon.

⑤ The school event is _____ April 10th.

동명사

10 다음 빈칸에 들어갈 말이 순서대로 바르게 짝지어진 것은?

Sujin enjoys _____ the mountains. _____ the mountains is her hobby.

① climb – Climb

② climbing – Climb

③ climbing – Climbing

④ climb – Climbing

⑤ climbing – Climbs

59

---

② 가을에는 하늘이 높다. (in)

③ 나의 생일은 1월이다. (in)

④ 그는 오후에 차를 마신다. (in)

⑤ 학교 행사는 4월 10일이다. (on)

10 enjoy는 동명사를 목적어로 쓰는 동사이므로 enjoy 뒤에 오는 동사는 동사의 -ing형으로 쓴다. 주어 자리에 동사를 쓸 때는 동명사인 「동사원형 + -ing」나 「to + 동사원형」으로 쓸 수 있다.

☐ **climb** 〔동〕 오르다

☐ **mountain** 〔명〕 산

☐ **hobby** 〔명〕 취미

해석

수진이는 산을 오르는 것을 즐긴다. (climbing)

산을 오르는 것은 그녀의 취미이다. (Climbing)

may가 쓰인 의문문

11 다음 대화의 빈칸에 알맞은 응답을 2개 고르면?

> **A** May I sit here?
> **B** _____

① Yes, I may.　　②Yes, you may.
③ No, you may.　　④ No, I may not.
⑤No, you may not.

일반동사의 현재 시제 부정문

12 다음 우리말 뜻에 해당하는 영어 문장을 만들 때 필요 **없는** 것은?

> 그녀는 내 이름을 모른다.

①don't　　② she　　③ doesn't
④ know　　⑤ my name

What 감탄문

13 다음 문장을 감탄문으로 바르게 바꾼 것은?

> He is a very rich man.

① What rich he is!
② How rich man he is!
③ What a rich he is man!
④ How a rich man he is!
⑤What a rich man he is!

일반동사의 과거 시제 의문문

14 다음 밑줄 친 Did의 쓰임이 어색한 것은?

① <u>Did</u> you sleep well?
②<u>Did</u> you busy yesterday?
③ <u>Did</u> she like the *present?　　*선물
④ <u>Did</u> he watch stars last night?
⑤ <u>Did</u> Ben take an English class?

시간/장소 전치사

15 민수의 주말 일정표이다. 다음 중 표의 내용을 잘못 나타낸 것은?

7:00	기상
8:00	운동 1시간
12:00	점심 식사
14:00	영화관에서 영화 보기
19:00	도서관에서 숙제하기

① He gets up at 7 o'clock.
② He exercises for an hour.
③He has lunch on noon.
④ He watches a movie at the *theater.　*영화관
⑤ He does his homework in the library.

60

---

11 May I ~?로 묻는 말에는 Yes, you may.나 No, you may not.으로 답한다.

> 해석
> **A** 여기에 앉아도 되나요?
> **B** ② 네, 돼요. / ⑤ 아니요, 안 돼요.

12 우리말을 영어로 옮기면 She doesn't know my name.이 된다. 일반동사의 현재 시제 부정문은 주어가 3인칭 단수이면 doesn't를 사용해서 만들고, doesn't 뒤에 오는 동사는 원형으로 쓴다.
□ **know** 통 알다

13 명사 man이 있으므로 명사를 강조하는 What 감탄문인 「What a/an + 형용사 + 명사(+ 주어 + 동사)!」로 쓰는 것이 알맞다. 「주어 + 동사」는 생략할 수 있다.
□ **rich** 형 부유한

해석
그는 매우 부유한 사람이다.
➡ ⑤ 그는 정말 부유한 사람이구나!

14 일반동사의 과거 시제 의문문은 주어에 상관없이 「Did + 주어 + 동사원형 ~?」으로 쓴다.
②는 You were busy yesterday.가 평서문이므로 Were you로 시작하는 의문문이 되어야 한다.
□ **well** 부 잘
□ **present** 명 선물

해석
① 너는 잘 잤니?
② 너는 어제 바빴니? (→ Were)
③ 그녀는 그 선물을 좋아했니?
④ 그는 어젯밤에 별을 봤니?
⑤ Ben은 영어 수업을 들었니?

7일

15 ③ 낮 12시인 정오(noon)를 나타낼 때는 전치사 at을 쓴다.
□ **get up** 일어나다
□ **exercise** 통 운동하다
□ **noon** 명 정오, 낮 12시
□ **theater** 명 영화관

해석
① 그는 7시에 일어난다.
② 그는 한 시간 동안 운동한다.
③ 그는 정오에 점심을 먹는다.
　(on noon → at noon)
④ 그는 영화관에서 영화를 본다.
⑤ 그는 도서관에서 숙제를 한다.

16 mind의 목적어나 문장의 보어 자리에 동사가 올 때는 동명사(동사원형 + -ing)로 쓴다.

[해석]
- 나는 패스트푸드 먹는 것을 꺼린다. (eating)
- 나의 계획은 건강에 좋은 음식을 먹는 것이다. (eating)

17 can이 능력을 나타낼 때는 '~할 수 있다'라는 뜻의 be able to로 바꾸어 쓸 수 있다. 주어가 3인칭 단수일 때는 is able to로 쓴다.

☐ **spicy** 형 매운

[해석]
그녀는 매운 음식을 먹을 수 있다.

18 일반동사의 현재 시제 부정문은 주어가 3인칭 단수이면 동사 앞에 doesn't를 쓰고, 뒤에 오는 동사는 원형으로 쓴다.

[해석]
Tim은 형제가 있다.
➡ ⑤ Tim은 형제가 없다.

19 형용사 wonderful을 강조하도록 「How + 형용사 + 주어 + 동사!」 어순으로 쓴다.

☐ **wonderful** 형 아주 멋진

[해석]
그 집은 정말 멋지구나!

20 '~하자'라는 뜻으로 제안하는 말은 「Let's + 동사원형 ~.」으로 쓰고, '~하지 말자'라는 뜻으로 제안하는 말은 「Let's not + 동사원형 ~.」으로 쓴다. ⑤에서 riding은 원형인 ride로 써야 한다.

동명사
16 다음 빈칸에 공통으로 들어갈 eat의 형태로 알맞은 것은?

> - I mind _____ fast food.
> - My plan is _____ healthy food.

① eat   ② ate
③ to eat   ④eating
⑤ to eating

가능의 can
17 다음 두 문장이 같은 뜻이 되도록 빈칸에 알맞은 말을 3단어로 쓰시오.

> She can eat spicy food.
> ➡ She _is able to_ eat spicy food.

일반동사의 현재 시제 부정문
18 다음 문장을 부정문으로 바르게 고쳐 쓴 것은?

> Tim has brothers.

① Tim has not brothers.
② Tim isn't have brothers.
③ Tim don't have brothers.
④ Tim doesn't has brothers.
⑤Tim doesn't have brothers.

How 감탄문
19 다음 주어진 표현을 바르게 배열하여 문장을 만드시오.

> is / how / the house / wonderful

➡ _____ How wonderful the house is _____ !

권유문
20 다음 일기예보를 보고 난 후 학생들이 할 수 있는 말로 어법상 어색한 것은?

It's very cold outside.

① Let's stay at home.
② Let's not play outside.
③ Let's wear warm clothes.
④ Let's not go to the park.
⑤ Let's not riding bikes outside.

☐ **outside** 부 밖에, 밖에서
☐ **warm** 형 따뜻한
☐ **clothes** 명 옷

[해석]

 밖은 정말 춥습니다.

① 집에 있자.

② 밖에서 놀지 말자.

③ 따뜻한 옷을 입자.

④ 공원에 가지 말자.

⑤ 밖에서 자전거를 타지 말자.
(riding → ride)

핵심 정리 01 　인칭대명사와 be동사

1. **❶[　　　]**: 사람이나 사물을 가리키는 말

	주격(~은/는)		소유격(~의)		목적격(~을/를)	
	단수	복수	단수	복수	단수	복수
1인칭	I	we	my	our	me	us
2인칭	you		your		you	
3인칭	he she it	they	his her its	their	him her it	them

2. **be동사**: '~이다, ~에 있다'라는 뜻으로 주어의 상태를 나타내는 말

주격 인칭대명사	be동사	줄임말
I	**am**	**❷[　　　]**
you / we / they	**are**	you**'re** / we**'re** / they**'re**
he / she / it	**is**	he**'s** / she**'s** / it**'s**

📋 답 ❶ 인칭대명사 ❷ I'm

핵심 정리 02 　be동사의 부정문과 의문문

1. **be동사의 부정문**: '~이 아니다, ~에 없다'라는 뜻으로 be동사 뒤에 not을 써서 「주어+be동사+**❶[　　　]**~」으로 쓴다.

2. **be동사+not**

주격 인칭대명사	be동사+not	줄임말
I	**am not**	줄여 쓰지 않음
you / we / they	**are not**	**❷[　　　]**
he / she / it	**is not**	**isn't**

3. **be동사의 의문문**

질문	be동사+주어 ~?
응답	Yes, 주어+be동사. No, 주어+be동사+not.

📋 답 ❶ not ❷ aren't

핵심 정리 03 　일반동사

1. **❶[　　　]**: 주어의 상태나 행위를 나타내는 말

2. **일반동사의 3인칭 단수형**: 주어가 he/she/it 또는 단수 명사이면 대부분의 동사는 동사원형에 -s를 붙여 만든다.

대부분의 동사+-s	comes, eats, makes, walks, speaks
-s, -ch, -sh, -o, -x로 끝나는 동사+**❷[　　　]**	pass**es**, teach**es**, wash**es**, go**es**, fix**es**
「자음+y」로 끝나는 동사: y → i로 바꾸고+-es	study → stud**ies**, fly → fl**ies**
「모음+y」로 끝나는 동사+-s	play**s**, pay**s**, say**s**
have	**❸[　　　]**

📋 답 ❶ 일반동사 ❷ -es ❸ has

핵심 정리 04 　일반동사의 부정문과 의문문

1. **주어가 I/you/we/they 또는 복수 명사일 때**

부정문	주어+do not〔**❶[　　　]**〕+동사원형 ~.
의문문	**❷[　　　]**+주어+동사원형 ~? – Yes, 주어+do. – No, 주어+don't.

2. **주어가 he/she/it 또는 단수 명사일 때**

부정문	주어+does not〔doesn't〕+동사원형 ~.
의문문	**❸[　　　]**+주어+동사원형 ~? – Yes, 주어+does. – No, 주어+doesn't.

📋 답 ❶ don't ❷ Do ❸ Does

핵심 예문 02

e.g. 〈be동사의 부정문〉

- I'm ❶ [____] late for school.
  나는 학교에 늦지 않는다.
- You ❷ [____] (are not) Mr. Smith.
  당신은 Smith 씨가 아니다.
- He is not (isn't) my cousin.
  그는 나의 사촌이 아니다.

〈be동사의 의문문〉

- ❸ [____] he from Canada?
  그는 캐나다 출신이니?
- ❹ [____] they at home?
  그들은 집에 있니?
- Are you a basketball player?
  너는 농구 선수니?

답 ❶not ❷aren't ❸Is ❹Are

핵심 예문 01

e.g. · I ❶ [____] a student.
나는 학생이다.

- You are my best friend.
  너는 나의 가장 친한 친구이다.
- This is your book.
  이것은 너의 책이다.
- We ❷ [____] the same age.
  우리는 나이가 같다.
- They are ❸ [____] classmates.
  그들은 우리의 학급 친구이다.
- ❹ [____] is in the museum.
  그녀는 박물관에 있다.

답 ❶am ❷are ❸our ❹She

핵심 예문 04

e.g. 〈일반동사의 부정문〉

- I ❶ [____] eat breakfast.
  나는 아침을 먹지 않는다.
- He ❷ [____] watch the news.
  그는 뉴스를 보지 않는다.

〈일반동사의 의문문〉

- ❸ [____] you have a pet?
  너는 애완동물을 기르니?
- ❹ [____] he come home late?
  그는 집에 늦게 오니?
- Do they speak Chinese?
  그들은 중국어를 말하니?

답 ❶don't ❷doesn't ❸Do ❹Does

핵심 예문 03

e.g. · He speaks English well.
그는 영어를 잘 말한다.

- Sue ❶ [____] many books.
  Sue는 많은 책을 읽는다.

- Mike fixes bikes well.
  Mike는 자전거를 잘 고친다.
- She ❷ [____] the violin every day.
  그녀는 매일 바이올린을 연주한다.
- My dad ❸ [____] TV after dinner.
  우리 아빠는 저녁 먹은 후에 텔레비전을 보신다.
- Tina ❹ [____] a nice car.
  Tina는 좋은 차를 가지고 있다.

답 ❶reads ❷plays ❸watches ❹has

1. be동사의 과거형: '~이었다, ~에 있었다'라는 뜻

주격 인칭대명사	현재형	과거형
I	am	❶
you / we / they	are	**were**
he / she / it	is	**was**

2. 일반동사의 과거형 (규칙 동사)

대부분의 동사+❷	talk**ed**, want**ed**, wait**ed**
e로 끝나는 동사+-d	lik**ed**, liv**ed**, arriv**ed**
「자음+y」로 끝나는 동사: y → i로 바꾸고+-ed	cry → cr**ied**, marry → ❸
「단모음+단자음」으로 끝나는 동사: 마지막 자음 추가+-ed	stop → stop**ped**, plan → plan**ned**

답 ❶was ❷-ed ❸married

come	came	know	knew
do	❶	get	got
go	went	read[ríːd]	read[red]
eat	ate	see	saw
teach	taught	meet	❷
ride	rode	write	wrote
buy	bought	break	broke
have	❸	send	sent
give	gave	drink	❹
take	took	feed	fed
make	made	tell	told

답 ❶did ❷met ❸had ❹drank

1. be동사의 과거 시제 부정문과 의문문

부정문	주어+was〔were〕❶ ~.
의문사가 없는 의문문	Was〔Were〕+주어 ~? – Yes, 주어+was〔were〕. – No, 주어+wasn't〔weren't〕.
의문사가 있는 의문문	의문사+was〔were〕+주어 ~? – Yes나 No로 답하지 않는다.

2. 일반동사의 과거 시제 부정문과 의문문

부정문	주어+did not〔didn't〕+동사원형 ~.
의문사가 없는 의문문	❷ +주어+동사원형 ~? – Yes, 주어+did. / No, 주어+didn't.
의문사가 있는 의문문	의문사+did+주어+❸ ~? – Yes나 No로 답하지 않는다.

답 ❶not ❷Did ❸동사원형

1. 현재진행형: 「be동사의 현재형(am/are/is)+동사원형+❶ 」 형태로 현재 일어나고 있는 일을 나타낸다.

2. 현재진행형의 부정문: '~하고 있지 않다, ~하는 중이 아니다'라는 뜻으로 「주어+be동사의 현재형+❷ +동사원형+-ing ~.」로 쓴다.

3. 현재진행형의 의문문

의문사가 없는 의문문	be동사의 현재형+주어+동사원형+-ing ~? – Yes, 주어+be동사의 현재형. – No, 주어+be동사의 현재형+not.
의문사가 있는 의문문	❸ +be동사의 현재형+주어+동사원형+-ing ~? – Yes나 No로 답하지 않는다.

답 ❶-ing ❷not ❸의문사

- I **①**[　　　] my TV.
  나는 내 텔레비전을 망가뜨렸다.

- Everybody **②**[　　　] his name.
  모두가 그의 이름을 알고 있었다.

- She bought a book.
  그녀는 책 한 권을 샀다.

- I **③**[　　　] many pictures last week.
  나는 지난주에 많은 사진을 찍었다.

- I did my homework.
  나는 숙제를 했다.

- She **④**[　　　] her bike in the park.
  그녀는 공원에서 자전거를 탔다.

답 **①** broke **②** knew **③** took **④** rode

〈be동사의 과거형〉

- I **①**[　　　] sick last night.
  나는 어젯밤에 아팠다.

- They **②**[　　　] late for the movie.
  그들은 영화에 늦었다.

〈일반동사의 과거형〉

- They **③**[　　　] early this morning.
  그들은 오늘 아침 일찍 도착했다.

- He waited for me for an hour.
  그는 나를 1시간 동안 기다렸다.

- They **④**[　　　] tennis yesterday.
  그들은 어제 테니스를 쳤다.

답 **①** was **②** were **③** arrived **④** played

〈현재진행형의 부정문〉

- I am not **①**[　　　] a book.
  나는 책을 읽고 있지 않다.

- We **②**[　　　] studying in the library.
  우리는 도서관에서 공부하는 중이 아니다.

〈현재진행형의 의문문〉

- Is she **③**[　　　] a walk outside?
  그녀는 밖에서 산책을 하고 있니?

- What are your cousins doing?
  네 사촌들은 무엇을 하고 있니?

- Are you **④**[　　　] dinner?
  너는 저녁을 만들고 있니?

- Are you playing computer games?
  너는 컴퓨터 게임을 하고 있니?

답 **①** reading **②** aren't **③** taking **④** making

〈be동사의 과거 시제 부정문과 의문문〉

- It **①**[　　　] my mistake.
  그것은 나의 잘못이 아니었다.

- They weren't in the classroom.
  그들은 교실에 있지 않았다.

- **②**[　　　] the movie interesting?
  영화는 재미있었니?

〈일반동사의 과거 시제 부정문과 의문문〉

- He **③**[　　　] ride a bike.
  그는 자전거를 타지 않았다.

- How **④**[　　　] you come here?
  너는 여기에 어떻게 왔니?

- Did you take a shower?
  너는 샤워를 했니?

답 **①** wasn't **②** Was **③** didn't **④** did

1. **동명사**: 「동사원형+-ing」 형태로 문장에서 **❶** [　　　]
역할(주어, 목적어, 보어)을 한다.
Seeing is believing. (주어 역할)
I enjoy **watching** movies. (목적어 역할)
My hobby is **baking** cookies. (보어 역할)

2. **동명사를 목적어로 쓰는 동사들**
enjoy, practice, finish, mind, avoid, give up 등

3. **현재분사**: 「동사원형+-ing」 형태로 문장에서 **❷** [　　　]
의 의미(~하고 있는)를 나타내거나 **❸** [　　　] 역할(명
사 수식: ~하는, ~하고 있는)을 한다.
A baby is **sleeping**. (진행의 의미)
Look at the **sleeping** baby. (형용사 역할)

답 ❶명사 ❷진행 ❸형용사

---

1. **조동사**
- 동사 앞에 쓰여 추측이나 능력, 허락, 의무 등의 의미를 더
한다.
- 주어의 인칭이나 수에 따라 형태가 달라지지 않고, 「조동
사+ **❶** [　　　]」의 형태로 쓴다.

2. **조동사 will의 쓰임**
- '~일 것이다' 라는 뜻으로 **❷** [　　　]을 나타낸다.
It will rain soon. (곧 비가 올 것이다.)
- '~하겠다, ~할 것이다' 라는 뜻으로 **❸** [　　　]를 나
타낸다.
I **will** win the match. (나는 경기를 이기겠다.)
- '~해 주겠니?' 라는 뜻으로 요청의 의미를 나타낸다.
Will you do it for me?
(나를 위해 그것을 해 주겠니?)

답 ❶동사원형 ❷미래에 대한 추측 ❸주어의 의지

---

1. **조동사 can의 쓰임**
- '~할 수 있다' 라는 뜻으로 **❶** [　　　]이나 가능을 나
타내며, be able to로 바꾸어 쓸 수 있다.
I **can**(= am able to) speak Chinese.
(나는 중국어를 말할 수 있다.)
- '~해도 된다' 라는 뜻으로 **❷** [　　　]을 나타낸다.
You **can** go now.
(너는 이제 가도 된다.)

2. **조동사 may의 쓰임**
- '~일지도 모른다' 라는 뜻으로 **❸** [　　　]을 나타낸다.
She **may** be busy.
(그녀는 바쁠지도 모른다.)
- '~해도 된다' 라는 뜻으로 can과 같이 허락을 나타낸다.
You **may** sit here.
(너는 여기에 앉아도 된다.)

답 ❶능력 ❷허락 ❸(약한) 추측

---

1. **조동사 must의 쓰임**
- '~해야 한다' 라는 뜻으로 필요나 **❶** [　　　]를 나타
내며, have to로 바꾸어 쓸 수 있다.
You **must**(= have to) wear a seat belt.
(너는 안전벨트를 매야 한다.)
- '~임에 틀림없다' 라는 뜻으로 **❷** [　　　]을 나타낸다.
The man **must** be the thief.
(그 남자가 도둑임에 틀림없다.)

2. **조동사 should의 쓰임**
- '~해야 한다' 라는 뜻으로 하는 것이 바람직한 의무를 나
타낸다.
We **should** save the Earth.
(우리는 지구를 구해야 한다.)
- '~하도록 해라' 라는 뜻으로 **❸** [　　　]를 나타낸다.
You **should** see a doctor.
(너는 진찰을 받도록 해라.)

답 ❶(강한) 의무 ❷강한 추측 ❸충고

핵심 예문 10

- I ❶[____] practice soccer. (의지)
  나는 축구 연습을 할 것이다.

- It will snow tonight. (미래 추측)
  오늘 밤에 눈이 올 것이다.

- I ❷[____] be a pilot. (의지)
  나는 비행기 조종사가 될 것이다.

- She ❸[____] take a piano lesson tomorrow. (미래 추측)
  그녀는 내일 피아노 교습을 받을 것이다.

- ❹[____] you close the window? (요청)
  창문을 닫아 주겠니?

답 ❶ will ❷ will ❸ will ❹ Will

핵심 예문 09

〈동명사〉

- ❶[____] is important. (주어 역할)
  잠자는 것은 중요하다.

- I practice ❷[____] English. (목적어 역할)
  나는 영어를 말하는 것을 연습한다.

- My job is ❸[____] sick people. (보어 역할)
  내 직업은 아픈 사람들을 돕는 것이다.

〈현재분사〉

- They're swimming in the river. (진행의 의미)
  그들은 강에서 수영하고 있다.

- The ❹[____] boy looks cute. (형용사 역할)
  자고 있는 남자아이는 귀여워 보인다.

답 ❶ Sleeping ❷ speaking ❸ helping ❹ sleeping

핵심 예문 12

〈조동사 must〉

- You must wear a seat belt. (의무)
  너는 안전벨트를 매야 한다.

- You ❶[____] follow the traffic rules. (의무)
  너는 교통법규를 따라야 한다.

- He ❷[____] be your brother. (추측)
  그는 네 남동생임이 틀림없다.

〈조동사 should〉

- You ❸[____] stay home. (충고)
  너는 집에 있도록 해라.

- We ❹[____] save energy. (의무)
  우리는 에너지를 아껴야 한다.

답 ❶ must ❷ must ❸ should ❹ should

핵심 예문 11

〈조동사 can〉

- I ❶[____] swim in the sea. (능력)
  나는 바다에서 수영할 수 있다.

- He ❷[____] solve the puzzle. (능력)
  그는 퍼즐을 풀 수 있다.

- You can use my computer. (허락)
  너는 내 컴퓨터를 사용해도 된다.

〈조동사 may〉

- You ❸[____] take pictures. (허락)
  너는 사진을 찍어도 된다.

- He ❹[____] live here. (추측)
  그는 여기에 살지도 모른다.

답 ❶ can ❷ can ❸ may ❹ may

1. 조동사의 부정문
- 「주어+조동사+❶[　　　]+동사원형 ~.」으로 쓴다.
- 「조동사+not」은 won't, cannot[can't], shouldn't, mustn't로 줄여 쓸 수 있다.
- have to의 부정문은 「주어+don't[doesn't] have to+동사원형 ~.」으로 써서 불필요를 나타낸다.

2. 조동사의 의문문
- 「❷[　　　]+주어+동사원형 ~?」으로 쓴다.
- 응답은 긍정일 때는 「Yes, 주어+조동사.」, 부정일 때는 「No, 주어+조동사+not.」으로 쓴다.
- 「Do[Does]+주어+have to+동사원형 ~?」으로 묻는 말에 대한 부정의 응답을 '~할 필요가 없다'라는 뜻으로 할 때는 「No, 주어+don't[doesn't] ❸[　　　] to.」로 한다.

답 ❶not ❷조동사 ❸have

1. 감탄문
- 명사를 강조하는 감탄문은 「What (a/an)+형용사+❶[　　　](+주어+동사)!」로 쓰고, '정말 ~한 …구나!'라는 뜻을 나타낸다.
- 형용사를 강조하는 감탄문은 「How+형용사/부사(+주어+동사)!」로 쓰고, '정말 ~하구나!'라는 뜻을 나타낸다.

2. (부정) 명령문
- (주어 you를 생략하고) 동사원형 ~: ~해라.
- ❷[　　　][Do not]+동사원형 ~: ~하지 마라.
- 문장의 앞이나 뒤에 please를 붙여 공손하게 표현할 수 있다.

3. 권유문
- ❸[　　　]+동사원형 ~: ~하자.
- Let's not+동사원형 ~: ~하지 말자.

답 ❶명사 ❷Don't ❸Let's

at ~에	구체적인 시각, 정각, 정오(낮 12시), 자정(밤 12시) **at** 7:30, **at** 2 o'clock, ❶[　　　] noon, **at** midnight
on ~에	요일, 날짜, 특정한 날 **on** Monday, ❷[　　　] May 1st, **on** Halloween
in ~에	오전(오후, 저녁), 연도, 월, 계절 **in** the morning (afternoon, evening), **in** 2010, ❸[　　　] June, **in** fall
for ~동안	연속하는 기간(숫자) **for** an hour
during ~동안	특정한 기간 ❹[　　　] the vacation

답 ❶at ❷on ❸in ❹during

at ~에	**at the bank** 은행에
on ~ 위에	**on the table** 탁자 ❶[　　　]
in ~ (안)에	**in my room** 내 방에
over ~ 위에	**over the building** 건물 위에
under ~ 아래에	**under the bed** 침대 아래에
along ~을 따라	**along the river** 강을 ❷[　　　]
behind ~ 뒤에	**behind the tree** 나무 뒤에
in front of ~ 앞에	**in front of the door** 문 앞에
next to ~ 옆에	**next to the tree** 나무 ❸[　　　]
between ~ 사이에	**between the park and the bank** 공원과 은행 ❹[　　　]
across from ~의 맞은편에	**across from the building** 건물의 맞은편에

답 ❶위에 ❷따라 ❸옆에 ❹사이에

핵심 예문 14

e.g. 〈감탄문〉

- ❶ [_____] a tall building it is!
  그것은 정말 높은 건물이구나!

- How fun the movie is!
  그 영화는 정말 재미있구나!

〈(부정) 명령문〉

- Be quiet, ❷ [_____]. 조용히 해 주세요.
- ❸ [_____] tell a lie. 거짓말을 하지 마라.

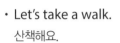

〈권유문〉

- Let's take a walk.
  산책해요.

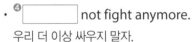

- ❹ [_____] not fight anymore.
  우리 더 이상 싸우지 말자.

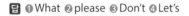

답 ❶What ❷please ❸Don't ❹Let's

핵심 예문 13

e.g. 〈조동사의 부정문〉

- He ❶ [_____] play the drums.
  그는 드럼을 못 친다.

- I ❷ [_____] give up.
  나는 포기하지 않을 것이다.

- You shouldn't cross the road.
  너는 길을 건너면 안 된다.

〈조동사의 의문문〉

- Will you help me?
  나를 도와주겠니?

- ❸ [_____] 〔Should〕 I leave now?
  제가 지금 출발해야 하나요?

- ❹ [_____] I go to the restroom?
  화장실에 가도 되나요?

답 ❶can't ❷won't ❸Must ❹May〔Can〕

핵심 예문 16

e.g.
- He works ❶ [_____] the bank.
  그는 은행에서 일한다.

- The newspaper is on the table.
  신문이 탁자 위에 있다.

- The rainbow is ❷ [_____] the building.
  무지개가 건물 위에 있다.

- The socks are ❸ [_____] the bed.
  양말이 침대 아래에 있다.

- It is ❹ [_____] the bank and the museum.
  그것은 은행과 박물관 사이에 있다.

- People are jogging along the river.
  사람들이 강을 따라 조깅하고 있다.

답 ❶at ❷over ❸under ❹between

핵심 예문 15

e.g.
- I get up ❶ [_____] 7 o'clock.
  나는 7시에 일어난다.

- The festival is ❷ [_____] March 15th.
  축제는 3월 15일이다.

Firework Festival
- 일시: 3월 15일, 토요일
- 시간: 늦은 9시
- 장소: 다리 위

- I came to Korea in 2010.
  나는 2010년에 한국에 왔다.

- It rains a lot ❸ [_____] summer.
  여름에는 비가 많이 내린다.

- We stayed here for two days.
  우리는 여기에 이틀 동안 머물렀다.

- I will travel ❹ [_____] the vacation.
  나는 방학 동안에 여행할 것이다.

답 ❶at ❷on ❸in ❹during

기초력 다지는 중학 영어 문법서·어휘서

2021 신간

부담 없이 술~술~ 풀리는 중학 영어!

시작은 하루 영어
(문법 / 어휘)

EASY!

꼭 알아야 할 핵심 문법과
필수 어휘를 누구나 쉽게
학습할 수 있는 교재!

FAST!

하루 6쪽, 주 5일, 4주 완성의
체계적인 구성으로 탄탄하게!
꾸준히 공부하는 습관은 덤!

FUN!

지루하고 어려운 영어는 NO!
만화, 이미지, 퀴즈를 활용한
재미있는 영어 공부!

예비중도 OK! 쉽고 재미있는 중학 영어! 초5~중3(문법/어휘 각 3권)

book.chunjae.co.kr

교재 내용 문의	·······	교재 홈페이지 ▶ 중등 ▶ 교재상담
교재 내용 외 문의	·······	교재 홈페이지 ▶ 고객센터 ▶ 1:1문의
발간 후 발견되는 오류	·······	교재 홈페이지 ▶ 중등 ▶ 학습지원 ▶ 학습자료실

7일 끝

시험 대비 문법 기초

7일 끝으로 끝내자!

중학 영문법 1

BOOK 2

천재교육

언제나 만점이고 싶은 친구들 ——————————

Welcome!

숨 돌릴 틈 없이 찾아오는 시험과 평가.
성적과 입시 그리고 미래에 대한 걱정.
중·고등학교에서 보내는 6년이란 시간은
때때로 힘들고, 버겁게 느껴지곤 해요.

그런데 여러분, 그거 아세요?
지금 이 시기가 노력의 대가를
가장 잘 확인할 수 있는 시간이라는 걸요.

안 돼, 못하겠어, 해도 안 될 텐데—
이렇게 생각하지 말아요. 천재교육이 있잖아요.
첫 시작의 두려움을 첫 마무리의 뿌듯함으로 바꿔줄게요.

펜을 쥐고 이 책을 펼친 순간
여러분 앞에 무한한 가능성의 길이 열렸어요.

우리와 함께 꽃길을 향해 걸어가 볼까요?

#시험대비
#핵심정복

7일 끝
시험 대비
문법 기초

Chunjae
Makes
Chunjae

▼

편집개발   구은경, 구보선, 김희윤
제작   황성진, 조규영

발행일   2021년 4월 15일 초판 2021년 4월 15일 1쇄
발행인   (주)천재교육
주소   서울시 금천구 가산로9길 54
신고번호   제2001-000018호
고객센터   1577-0902
교재 내용문의 (02)3282-1711 / 8884

7일 끝으로 끝내자!

중학 영문법 1

BOOK 2

7일 끝 중학 영문법
구성과 활용

공부 시작

생각 열기

공부할 내용을 만화로 가볍게 살펴보며 학습 준비를 해 보세요.

❶ 공부할 내용을 살피며 핵심 학습 요소를 확인해 보세요.

❷ 학습 요소를 떠올리며 **Quiz**를 풀어 보세요.

본격 공부 중

교과서 **핵심 문법** + 기초 **확인 문제**

꼭 알아야 할 교과서 핵심 문법을 익히고 기초 확인 문제를 풀며 제대로 이해했는지 확인해 보세요.

❶ 빈칸을 채우며 핵심 내용을 다시 한 번 체크해 보세요.

❷ 기초 확인 문제를 풀며 앞서 공부한 문법 내용을 확인해 보세요.

내신 **기출 베스트**

학교 시험 유형의 문제를 풀어 보며 공부한 내용을 점검해 보세요.

❶ 8개의 대표 예제를 풀며 학교 시험 유형의 기본 문제를 익혀 보세요.

❷ 개념 가이드의 빈칸을 채우며 각 문제의 핵심 문법 내용을 다시 한 번 확인해 보세요.

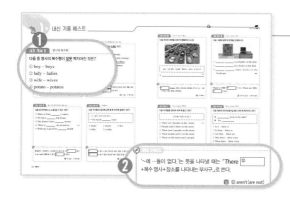

공부
마무리

누구나 100점 테스트
앞서 공부한 내용에 대한 기초
이해력을 점검해 보세요.

창의·융합·서술·코딩 테스트
문장 완성하기 유형의 다양한
서술형 문제를 풀어 보세요.

중간·기말고사 기본 테스트
학교 시험 유형의 예상 문제를
풀며 실전에 대비해 보세요.

틈틈이 공부하기

앞서 공부한 내용을 요약한
16장의 핵심 정리 총집합 학습 카드를
들고 다니며 공부해 보세요.

7일 끝 중학 영문법

차례

1일 명사와 There is/are

셀 수 있는(없는) 명사

명사에서 셀 수 있는 명사는 a나 an과 함께 쓸 수 있고 복수형은 대개 -s를 붙여서 나타내요.

셀 수 없는 명사는 a나 an과 함께 쓰거나 -s를 붙여서 복수형을 만들 수 없어요.

셀 수 있는 명사	셀 수 없는 명사
a cookie → cookies	a water an advice
a child → children	money sugar

그러면 셀 수 없는 명사에는 어떤 것이 있어요?

좋은 질문이에요.

일정한 모양이 없는 물질과 눈에 보이지 않는 개념, 고유한 이름은 셀 수가 없어요.

물도 셀 수 없어.

children도 복수형이에요? s가 안 붙었는데...

맞아요. children처럼 복수형이 다른 형태로 바뀌기도 해요.

명사의 수량 표현

Wow, you have many cookies.

나도 / 나도 / 나도 / 나도

You have a few cookies.

Now, I don't have cookies.

many가 셀 수 있는 명사 앞에서 많다는 뜻을 나타내지? 뭐 이정도 쯤이야. 하나 먹을래?

① 셀 수 있는 명사와 셀 수 없는 명사
② 명사의 수량 표현
③ There is/are

공부할
내용

Quiz

1. cookie의 복수형은 cookies이고, '많은 쿠키'는 $\boxed{\text{many / much}}$ cookies입니다.

2. There $\boxed{\text{is / are}}$ 뒤에는 단수 명사와 셀 수 없는 명사를 쓰고, There $\boxed{\text{is / are}}$ 뒤에는 복수 명사를 씁니다.

Answers

1. many
2. is, are

1일 교과서 핵심 문법 ①

핵심 1) 셀 수 있는 명사의 복수형 만들기

한 개일 때는 단어 앞에 a나 an을 쓰고, 두 개 이상일 때는 복수형으로 쓴다.

대부분의 명사	+ ❶ ☐	girls, boys, pencils, tables, bottles	❶ -s
-(s)s, -sh, -ch, -o, -x로 끝나는 명사	+-es	classes, dishes, benches, mangoes, tomatoes, boxes	
「자음+-y」로 끝나는 명사	y → i로 고치고+-es	lady → ladies, candy → candies	
-f, -fe로 끝나는 명사	-f, -fe를 -ves로	leaf → leaves, knife → ❷ ☐	❷ knives
별도의 복수형을 갖는 명사	man → men, goose → geese, child → children, foot → feet, tooth → ❸ ☐ , mouse → mice		❸ teeth
단수형과 복수형이 같은 명사	fish → fish, sheep → sheep		

핵심 2) 셀 수 없는 명사

셀 수 없는 명사는 단수 취급해서 단수 동사와 써요

a나 an을 쓸 수 없고, 복수형이 없다.

물질명사	일정한 모양이 없는 물질	water, air, money, flour, sugar, paper	
추상명사	눈에 보이지 않는 추상적인 개념	love, advice, friendship, health, peace	
❹ ☐	도시, 나라, 사람, 사물의 고유한 이름	Seoul, Korea, Tom, Mr. Brown	❹ 고유명사

핵심 3) 명사의 수량 표현(수량형용사)

	거의 없는	조금 있는		❺ ☐		❺ 많은
셀 수 있는 명사	few	a few	some	many	a lot of, lots of	
셀 수 없는 명사	❻ ☐	a little		much		❻ little

TIP 셀 수 없는 명사의 수나 양은 용기나 모양, 단위를 나타내는 말을 사용하여 표현한다.
a piece[two pieces] of paper, a cup[two cups] of coffee, a bottle[two bottles] of water, a pound[two pounds] of flour

Words and Phrases

☐ goose 거위 ☐ flour 밀가루 ☐ advice 충고 ☐ friendship 우정 ☐ peace 평화 ☐ piece 조각
☐ bottle (플라스틱, 유리) 병

기초 확인 문제

정답과 해설 **66**쪽

01 다음 괄호 안에서 알맞은 말을 고르시오.

(1) I need five (chair / chairs).

(2) I have many (question / questions).

(3) The sink is full of (water / waters).

(4) Your (advice / advices) was helpful.

02 다음 중 빈칸에 들어갈 수 <u>없는</u> 것은?

> He has _____ money.

① some ② a little ③ much

④ a lot of ⑤ a few

03 다음 중 밑줄 친 부분이 어법상 올바른 것은?

① My <u>child</u> are all tall.

② Lisa has one bad <u>teeth</u>.

③ These <u>boxes</u> are very heavy.

④ I saw two <u>mouse</u> in the kitchen.

⑤ How many <u>candy</u> do you have?

04 다음 중 어법상 <u>어색한</u> 문장을 <u>2개</u> 고르면?

① I need some sugars.

② Do you have paper?

③ We can't live without air.

④ I want peace in my house.

⑤ A love is important for him.

05 다음 문장에서 어법상 어색한 부분을 고쳐 문장을 다시 쓰시오. (단, 한 단어만 고칠 것)

(1)

> Much people are on the bus.

➡ _____

(2)

> Put some flours in the bowl.

➡ _____

Words and Phrases

□ sink 싱크대 □ be full of ~로 가득 찬 □ bad 상한 □ heavy 무거운 □ without ~ 없이 □ bowl (우묵한) 그릇

1일 **9**

핵심 4 There is/are

1. '(~에) …가 있다'라는 뜻이며, there는 별도로 해석하지 않는다. 이때 There is 뒤에는 **❶**□□□□□ 또는 셀 수 없는 명사가 오고, There are 뒤에는 **❷**□□□□□가 온다.

❶ 단수 명사

❷ 복수 명사

> **e.g.** There is juice in the glass. 유리잔에 주스가 있다.
>
> There are two pencils in the pencil case. 필통에 연필이 두 자루 있다.

TIP be동사 뒤에 있는 명사가 주어이고, be동사의 수는 바로 뒤에 오는 명사의 수에 일치시킨다.
There is a cat on the sofa. ➡ 주어 a cat이 단수이므로 단수 동사 is를 쓴다.

2. There is/are의 문장 형태

현재형	긍정문	**❸**□□□□□(There's)+단수 명사	There are+복수 명사
	부정문	There is not(isn't)+단수 명사	There are not(aren't)+복수 명사
	의문문	Is there+단수 명사 ~?	**❹**□□□□□ there+복수 명사 ~?
과거형	긍정문	There **❺**□□□□□+단수 명사	There were+복수 명사
	부정문	There was not(wasn't)+단수 명사	There were not(weren't)+복수 명사
	의문문	Was there+단수 명사 ~?	Were there+복수 명사 ~?

❸ There is

❹ Are

❺ was

- 긍정문은 '(~에) …가 있(었)다'라는 뜻으로, There is는 There's로 줄여 쓸 수 있다.

> **e.g.** There is a book in the bag. 가방 안에 책이 한 권 있다.
>
> There **❻**□□□□□ socks under the bed. 침대 아래에 양말이 있다.

❻ are

- 부정문은 '(~에) …가 없(었)다'라는 뜻으로, be동사 뒤에 not을 쓴다.

> **e.g.** There **❼**□□□□□ not money in the box. 상자 안에 돈이 없다.
>
> There weren't cookies on the table. 탁자 위에 쿠키가 없었다.

❼ is

- 의문문은 '(~에) …가 있(었)니?'라는 뜻으로, be동사를 there 앞에 쓴다.

긍정의 응답: Yes, there is/are/was/were.
　　　　　　　　　현재형　　　과거형

부정의 응답: No, there isn't/aren't/wasn't/weren't.
　　　　　　　　　현재형　　　　과거형

> **e.g.** **A** Is there a flower in the vase? 꽃병에 꽃이 있니?
>
> **B** Yes, there is. 응, 있어.

기초 확인 문제

06 다음 빈칸에 들어갈 수 있는 것을 <u>2개</u> 고르면?

> There is _____ in the house.

① an old dog   ② many people

③ some smoke   ④ a few children

⑤ two bathrooms

07 다음 빈칸에 들어갈 말이 나머지와 <u>다른</u> 것은?

① There _____ sheep in the farm.

② There _____ a picture on the wall.

③ There _____ an egg in the basket.

④ There _____ some coffee in the cup.

⑤ There _____ a museum in my town.

08 다음 대화의 빈칸에 들어갈 말이 순서대로 바르게 짝지어진 것을 고르시오.

(1)

> **A** _____ there donuts on the plate?
> **B** No, _____. There are cookies.

① Is – it isn't   ② Are – they aren't

③ Is – it doesn't   ④ Are – there aren't

⑤ Are – there isn't

(2)

> **A** _____ there milk in the fridge?
> **B** Yes, _____. There is a bottle of milk.

① Is – it is   ② Are – they are

③ Is – it does   ④ Are – there aren't

⑤ Is – there is

09 다음 우리말 뜻이 되도록 주어진 단어를 바르게 배열하시오.

> 의자 아래에 신발이 없었다.
> (under / were / there / shoes / the chair / not)

➡ _____

10 다음 그림에 알맞게 문장을 완성하시오.

(1) _____ _____ a plane in the sky.

(2) _____ _____ two birds on the roof.

(3) _____ _____ some animals in the yard.

Words and Phrases

☐ smoke 연기   ☐ bathroom 욕실   ☐ plate 접시   ☐ fridge 냉장고(= refrigerator)   ☐ roof 지붕   ☐ yard 마당

내신 기출 베스트

대표 예제 1   명사의 복수형

다음 중 명사의 복수형이 잘못 짝지어진 것은?

① boy – boys
② lady – ladies
③ wife – wives
④ potato – potatos
⑤ bench – benches

> **TIP** 명사의 복수형은 「모음+y」로 끝나는 명사는 -s를 붙이고, 「자음+y」로 끝나는 명사는 y를 i로 고치고 -es를 붙여요.

명사의 복수형은 대개 ① [   ] 를 붙여서 만들고, -(s)s, -sh, -ch, -o, -x로 끝나는 명사는 ② [   ] 를 붙인다.

답 ① -s ② -es

대표 예제 2   셀 수 있는 명사와 셀 수 없는 명사

다음 밑줄 친 부분이 어법상 어색한 것은?

① She has twin <u>children</u>.
② I have six <u>classes</u> on Monday.
③ He bought two <u>tomatoes</u> and a mango.
④ They ordered two cups of <u>coffees</u>.
⑤ Many <u>students</u> joined the camp.

셀 수 있는 명사가 ③ [   ] 이상의 숫자나 여러 개를 나타내는 말과 올 때는 ④ [   ] 으로 쓴다.

답 ③ 둘 ④ 복수형

대표 예제 3   셀 수 있는 명사와 셀 수 없는 명사

다음 중 빈칸에 a나 an을 쓸 수 있는 것은?

① Mike is from _____ London.
② We have _____ big house.
③ She doesn't have _____ money.
④ There is _____ *air around us.   *공기
⑤ Walking is good for _____ health.

물질명사, 추상명사, 고유명사와 같이 셀 수 ⑤ [   ] 명사는 a나 an과 함께 쓸 수 없고 ⑥ [   ] 이 없다.

답 ⑤ 없는 ⑥ 복수형

대표 예제 4   수량형용사

다음 우리말과 일치하도록 할 때 빈칸에 알맞은 것은?

> 그는 많은 물이 필요하다.
> ➡ He needs _____ water.

① many
② much
③ few
④ little
⑤ a little

⑦ [   ] 는 셀 수 있는 명사와 써서 '많은 수'를 나타내고, ⑧ [   ] 는 셀 수 없는 명사와 써서 '많은 양'을 나타낸다.

답 ⑦ many ⑧ much

대표 예제 **5**　There is/are+명사

다음 주어진 표현을 바르게 배열하여 쓰시오.

| are / on the *road / there / cars / a lot of |

➡ _____ *도로

개념 가이드

「⑨ [　　　] is/are+명사+장소를 나타내는 부사구.」는 '～에 …가 있다.'라는 뜻을 나타낸다.

답 ⑨ There

대표 예제 **6**　There is/are+명사

다음 그림에 알맞게 문장을 완성하시오.

(1) _____ _____ a computer on the desk.

(2) _____ _____ two books on the desk.

(3) _____ _____ many books in the *bookcase. *책장

개념 가이드

There is 뒤에는 ⑩ [　　　] 가 오고, There are 뒤에는 ⑪ [　　　] 가 온다.

답 ⑩ 단수 명사　⑪ 복수 명사

대표 예제 **7**　There is/are 부정문

다음 우리말을 영어로 바르게 옮긴 것은?

| 거리에 사람들이 없다. |

① There isn't people on the *street. *거리
② People aren't there on the street.
③ There aren't people on the street.
④ There people aren't on the street.
⑤ There on the street aren't people.

개념 가이드

'～에 …들이 없다.'는 뜻을 나타낼 때는 「There ⑫ [　　　] +복수 명사+장소를 나타내는 부사구.」로 쓴다.

답 ⑫ aren't (are not)

대표 예제 **8**　There is/are 의문문

다음 대화의 빈칸에 들어갈 말이 바르게 짝지어진 것은?

| **A** _____ food on the table? **B** Yes, _____. |

① Is it – there is
② Is there – there is
③ Are they – there are
④ Was there – there were
⑤ Were there – there were

개념 가이드

주어가 셀 수 없는 명사이면 의문문은 「⑬ [　　　] there+ 셀 수 없는 명사 ～?」로 쓴다.

답 ⑬ Is (Was)

생각 열기

감각동사를 쓰는 문장

2형식 문장은 「주어 + 동사 + 보어」로 이루어진 문장이에요. 감각동사는 2형식 문장에서 쓰고, 보어로 형용사를 써요.

2형식	주어	동사	보어
	주어	감각동사	형용사

감각동사가 뭐야?

look, smell, feel처럼 감각을 나타내는 말이야.

나 졸려.
I feel sleepy.

이거 먹어.
It tastes sour.

윽! 셔!

시다고 했잖아.

목적어를 취하는 문장

From Mike

3형식 문장은 동사 뒤에 목적어 1개가 오고,

To Judy

4형식 문장은 동사 뒤에 목적어 2개가 와.

3형식	Mike	wrote	a letter	
	주어	동사	목적어	
4형식	Mike	wrote	Judy	a letter
	주어	동사	간접목적어	직접목적어
5형식	Suho	made	Judy	angry
	주어	동사	목적어	목적격보어

5형식 문장은 목적어 뒤에 목적격보어가 와. 목적격보어는 목적어를 보충해 주는 말이야.

내 편지 내놔!

공부할 내용

❶ 감각동사를 쓰는 문장
❷ 목적어를 취하는 문장
❸ 수여동사를 쓰는 문장

수여동사를 쓰는 문장

4형식 문장에서 쓰는 동사가 따로 있어?

호오

○○서점

예를 들면, bought 뒤에 간접목적어인 him이랑 직접목적어인 a book을 써서

I bought him a book

응. 수여동사를 써서 '누군가에게 무엇을 해 주다'라는 뜻의 4형식 문장을 만들어.

'나는 그에게 책 한 권을 사 줬다.'라는 뜻의 4형식 문장으로 만들 수 있어.

○○서점

오랜만이야.

I bough

호오

○○서점

4형식 문장은 전치사를 써서 3형식으로 바꿀 수도 있어. 같이 알아두도록 해.

I bought him a book.
I bought a book for him.

어? 깜짝이야! 선생님!

네~

Quiz

1. 2형식 문장의 동사가 감각동사일 때는 보어로 ▢명사 / 형용사▢ 를 씁니다.

2. 4형식 문장에서 수여동사 뒤에는 ▢간접목적어＋직접목적어 / 목적어＋목적격보어▢ 가 옵니다.

Answers

1. 형용사

2. 간접목적어＋직접목적어

핵심 ① 감각동사＋형용사(2형식)

1. 2형식 문장은 「주어＋동사＋❶[ ] (명사나 형용사)」로 이루어진다.

❶ 보어

> **e.g.** Tina is my sister. Her eyes are blue. Tina는 나의 여동생이다. 그녀의 눈은 파랗다.
>   동사 보어(명사)   동사 보어(형용사)

2. 감각동사의 보어는 ❷[ ] 를 쓴다.

❷ 형용사

> **e.g.** You look sad. 너는 슬프게 보인다.
>   감각동사 sadly(×)

감각동사의 보어는 '~하게'
라고 해석되어도 형용사만
쓸 수 있어요

3. 감각동사의 종류

look	~하게 보이다	You look happy. 너는 행복하게 보인다.	
sound	~하게 들리다	The story sounds sad. 그 이야기는 슬프게 들린다.	
smell	~한 냄새가 나다	This apple ❸[ ] sweet. 이 사과는 달콤한 냄새가 난다.	❸ smells
feel	~한 기분이(느낌이) 들다	I feel sorry for him. 나는 그에게 미안한 기분이 든다. This blanket feels wet. 이 담요는 젖은 느낌이 든다.	
taste	~한 맛이 나다	The noodles ❹[ ] salty. 국수가 짠 맛이 난다.	❹ taste

TIP 감각동사 뒤에 명사가 올 때는 동사 뒤에 like를 쓴다.
The cheese smells bad. 그 치즈는 상한 냄새가 난다.
The cheese smells like bad milk. 그 치즈는 상한 우유 같은 냄새가 난다.

핵심 ② 목적어를 취하는 문장 형식

1. 동사＋목적어(3형식)

3형식 문장은 「주어＋동사＋❺[ ] 」로 이루어진다.

❺ 목적어

> **e.g.** I have a nice cap. 나는 멋진 모자를 가지고 있다.
>   동사   목적어

2. make＋목적어＋형용사 (5형식)

make는 목적격보어로 형용사를 써서 「주어＋make＋목적어＋❻[ ] 」의 형태로 '~을 …
하게 만들다'라는 뜻을 나타낸다.

❻ 형용사

> **e.g.** My dog makes me pleased. 내 개는 나를 기쁘게 만든다.
>   목적어   형용사

Words and Phrases

☐ sorry 유감스러운, 미안한 ☐ blanket 담요 ☐ wet 젖은 ☐ pleased 기쁜

기초 확인 문제

01 다음 괄호 안에서 알맞은 말을 고르시오.

(1) You (look / look like) tired today.

(2) The water feels (warm / warmly).

(3) The bread smells (chocolate / good).

(4) The song sounds (beautiful / beautifully).

02 다음 우리말과 일치하도록 할 때 빈칸에 알맞은 것은?

> 이 레모네이드는 신맛이 난다.
> ➡ This lemonade _____ sour.

① looks   ② smells   ③ tastes

④ feels   ⑤ sounds

03 다음 빈칸에 들어갈 수 없는 것은?

> The news made him _____ .

① sad   ② happily

③ serious   ④ pleased

⑤ nervous

04 다음 우리말을 영어로 옮긴 것 중 어색한 것은?

① 이 천은 부드러운 느낌이 든다.

   ➡ This cloth feels soft.

② 그 쓰레기는 지독한 냄새가 난다.

   ➡ The trash smells terribly.

③ 그 음악은 멋지게 들린다.

   ➡ The music sounds great.

④ 그 퍼즐은 쉬워 보인다.

   ➡ The puzzle looks easy.

⑤ 그것은 사과 같은 맛이 난다.

   ➡ It tastes like an apple.

05 다음 밑줄 친 ①~⑤ 중 어법상 어색한 것을 찾아 바르게 고쳐 쓰시오.

> This pizza ① smells ② very ③ delicious.
> It ④ makes me ⑤ hungrily.

_____   ➡   _____

Words and Phrases

☐ sour 맛이 신   ☐ happily 행복하게   ☐ serious 심각한   ☐ nervous 초조한   ☐ cloth 천   ☐ terribly 지독하게
☐ hungrily 배고픈 듯이, 게걸스럽게

핵심 3 수여동사＋간접목적어＋직접목적어(4형식)

1. 4형식 문장은 「주어＋수여동사＋간접목적어(대상)＋❶[   ](사물)」로 이루어진다.

e.g. I gave Kate flowers. 나는 Kate에게 꽃을 ❷[   ].
　수여동사 └ 직접목적어
　└ 간접목적어

❶ 직접목적어

❷ 주었다

2. 수여동사는 성격이 다른 두 개의 목적어를 취하는 동사로 4형식 문장에 쓰여 '～(해) 주다'라는 의미를 나타낸다.

give 주다	show 보여 주다	bring 가져다주다	cook 요리해 주다
send 보내 주다	teach 가르쳐 주다	buy 사 주다	find 찾아 주다
tell 말해 주다	write 써 주다	make 만들어 주다	ask 물어보다, 요청하다
pass 건네주다	lend 빌려 주다	get 가져다주다	

핵심 4 4형식 문장의 3형식 전환

1. 4형식 문장에서 간접목적어와 직접목적어의 위치를 바꾸면서 그 사이에 전치사 to, for, of를 넣으면 ❸[   ] 문장이 된다. 문장 형식은 달라져도 문장의 뜻은 같다.

❸ 3형식

4형식 문장	He	sent	me	a letter	. 그는 나에게 편지를 보냈다.
	주어	수여동사	간접목적어	직접목적어	

3형식 문장	He	sent	a letter	to me	.
	주어	동사	목적어	부사구(전치사＋목적격(명사))	

2. 전치사는 동사에 따라 달라진다.

to를 쓰는 동사	give, send, tell, pass, show, teach, write, lend, bring		
for를 쓰는 동사	buy, make, get, cook, find	of를 쓰는 동사	ask

e.g. James teaches us English. James는 우리에게 영어를 가르쳐 준다. (4형식)
➡ James teaches English ❹[   ] us. (3형식)
She made Tom cookies. 그녀는 Tom에게 쿠키를 만들어 줬다. (4형식)
➡ She made cookies ❺[   ] Tom. (3형식)
He asked me a favor. 그는 나에게 부탁 하나를 했다. (4형식)
➡ He asked a favor ❻[   ] me. (3형식)

❹ to

❺ for

❻ of

Words and Phrases
☐ favor 부탁

정답과 해설 **70쪽**

06 다음 문장에 대한 설명이 <u>틀린</u> 것에 ✔표 하시오.

> I gave her a ring.

- ☐ 목적어가 2개인 4형식 문장이다.
- ☐ '나는 그녀에게 반지를 줬다.'라는 뜻이다.
- ☐ her가 직접목적어이고 a ring이 간접목적어이다.
- ☐ I gave a ring to her.로 바꾸어 쓸 수 있다.

07 다음 중 한 문장으로 만들 때 필요 <u>없는</u> 것은?

① I   ② him   ③ for
④ lent   ⑤ some money

08 다음 우리말을 영어로 바르게 옮긴 것을 2개 고르면?

> 나는 그에게 부탁 하나를 했다.

① I asked him a favor.
② I asked of him a favor.
③ I asked a favor to him.
④ I asked a favor of him.
⑤ I asked a favor for him.

09 다음 문장을 3형식으로 바꾸어 쓴 것 중 <u>어색한</u> 것은?

① He sent me a card.
  ➡ He sent a card to me.
② May I ask you a question?
  ➡ May I ask a question of you?
③ I showed Jack my homework.
  ➡ I showed my homework for Jack.
④ Chen teaches us Chinese.
  ➡ Chen teaches Chinese to us.
⑤ He bought his son a new bike.
  ➡ He bought a new bike for his son.

10 다음 우리말과 일치하도록 괄호 안의 단어를 바르게 배열하시오.

(1)
> 나는 그들에게 스파게티를 만들어 줬다.
> (I / them / spaghetti / made)

➡ _____

(2)
> 그녀는 나에게 그녀의 주소를 말해 줬다.
> (she / me / her address / told)

➡ _____

Words and Phrases
☐ ring 반지 ☐ question 질문 ☐ address 주소

대표 예제 1 감각동사+형용사

다음 빈칸에 들어갈 말로 알맞지 <u>않은</u> 것은?

> You look _____.

① nicely
② tired
③ lovely
④ busy
⑤ sleepy

> **TIP** -ly로 끝나더라도 「명사+-ly」는 형용사예요.
> lovely(사랑스러운), friendly(친절한), lonely(외로운)

🧭 **개념 가이드**

「주어+동사+보어」로 이루어진 [①   ] 문장에서 감각동사의 보어는 [②   ]를 쓴다.

📋 ① 2형식 ② 형용사

대표 예제 2 감각동사+형용사

다음 빈칸 ⓐ~ⓓ 중 like가 들어갈 위치로 알맞은 곳은?

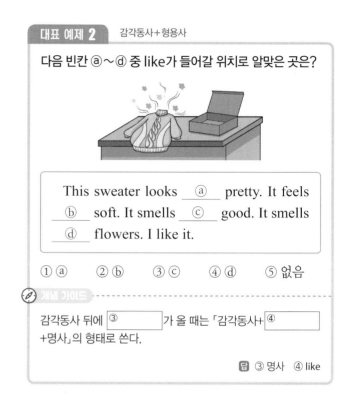

> This sweater looks ⓐ pretty. It feels ⓑ soft. It smells ⓒ good. It smells ⓓ flowers. I like it.

① ⓐ   ② ⓑ   ③ ⓒ   ④ ⓓ   ⑤ 없음

🧭 **개념 가이드**

감각동사 뒤에 [③   ]가 올 때는 「감각동사+[④   ]+명사」의 형태로 쓴다.

📋 ③ 명사 ④ like

대표 예제 3 make+목적어+형용사

다음 〈보기〉의 밑줄 친 <u>made</u>와 같은 뜻으로 쓰인 것은?

> ┌ 보기 ┐
> Exercise <u>made</u> me healthy.

① She <u>made</u> me a nice hat.
② I <u>made</u> him a paper plane.
③ The dress <u>made</u> her beautiful.
④ Grandma <u>made</u> us an apple pie.
⑤ We <u>made</u> him a birthday cake.

🧭 **개념 가이드**

• make+간접목적어+직접목적어: ~에게 …을 [⑤   ]
• make+목적어+[⑥   ]: ~을 …하게 만들다

📋 ⑤ 만들어 주다 ⑥ 형용사

대표 예제 4 문장 형식

다음 중 문장 형식이 같은 것끼리 짝지어진 것은?

> ⓐ He felt *lonely.   *외로운
> ⓑ I wrote him a letter.
> ⓒ The food made us happy.
> ⓓ I cooked chicken soup for her.
> ⓔ He sent me a Christmas card.

① ⓐ, ⓒ   ② ⓑ, ⓒ   ③ ⓑ, ⓔ
④ ⓒ, ⓓ   ⑤ ⓒ, ⓔ

🧭 **개념 가이드**

• [⑦   ] : 주어+동사+보어 • 3형식: 주어+동사+목적어
• [⑧   ] : 주어+수여동사+간접목적어+직접목적어
• 5형식: 주어+동사+목적어+목적격보어

📋 ⑦ 2형식 ⑧ 4형식

대표 예제 **5** 4형식 문장

다음 우리말과 일치하도록 할 때 빈칸에 알맞은 것은?

> Emma는 우리들에게 스페인어를 가르쳐 준다.
> ➡ Emma teaches ＿＿＿＿＿＿＿.

① Spanish us
② us Spanish
③ to us Spanish
④ to Spanish us
⑤ Spanish with us

개념 가이드

teach는 4형식 문장에서 「teach+ ⑨ ＿＿ +직접목적어」로 쓰고 '~에게 …을 ⑩ ＿＿ '라는 뜻을 나타낸다.

🔑 ⑨ 간접목적어 ⑩ 가르쳐 주다

대표 예제 **6** 4형식 문장의 3형식 전환

다음 빈칸에 들어갈 말로 알맞은 것은?

> May I ask you a question?
> ➡ May I ask a question ＿＿＿＿ you?

① at
② on
③ for
④ of
⑤ to

개념 가이드

4형식 문장을 ⑪ ＿＿ 으로 전환할 때는 간접목적어와 직접목적어의 순서를 바꾸고 그 사이에 ⑫ ＿＿ 를 쓴다.

🔑 ⑪ 3형식 ⑫ 전치사

대표 예제 **7** 4형식 문장과 3형식 문장

다음 주어진 표현을 사용하여 남자가 할 말을 완성하시오.

> me / the salt / pass / to

➡ Will you ＿＿＿＿＿＿? (4형식)
➡ Will you ＿＿＿＿＿＿? (3형식)

개념 가이드

pass는 4형식 문장에서는 「pass+간접목적어+ ⑬ ＿＿ 」로 쓰고, 3형식 문장에서는 「pass+목적어+ ⑭ ＿＿ +목적격(명사)」으로 쓴다.

🔑 ⑬ 직접목적어 ⑭ to

대표 예제 **8** 4형식 문장과 3형식 문장

다음 우리말을 영어로 바르게 옮긴 것을 **2개** 고르면?

> 그는 나에게 꽃을 사 줬다.

① He bought me flowers.
② He bought flowers me.
③ He bought flowers of me.
④ He bought flowers to me.
⑤ He bought flowers for me.

개념 가이드

'~에게 …을 사 줬다'라는 뜻의 문장은 「 ⑮ ＿＿ +간접목적어+직접목적어」로 쓰거나 「bought+목적어+ ⑯ ＿＿ +목적격(명사)」으로 쓴다.

🔑 ⑮ bought ⑯ for

3일 to부정사

생각 열기

to부정사의 명사적 용법

형, to부정사에 대해 알아?

「to + 동사원형」 형태잖아. 문장에서 명사, 형용사, 부사처럼 쓰이지.

이것 좀 설명해 줘.

to부정사의 명사적 용법이네. to부정사가 주어, 목적어, 보어 자리에서 명사처럼 쓰이는 걸 말해.

be동사 앞에 오는 to부정사는 주어 역할인 거고, want 뒤에 오는 to부정사는 목적어 역할, be동사 뒤에 오는 to부정사는 보어 역할을 하는 거야.

어디, 문제는 어떻게 풀었는지 볼까?

흠... 여긴 다 to부정사로 써야 하는데...

To cook is fun.
I want to cook.
My hobby is to cook.

아하!

to부정사의 형용사적 용법

to부정사의 형용사적 용법은 「to+동사원형」이 문장에서 형용사처럼 쓰이는 거지?

형용사는 명사를 수식하는 역할을 하는 거고.

그러면 「명사+to+동사원형」 형태겠네?

맞아.

이제 좀 알겠네.

그러면 이 문장을 해석해 봐.
I have a plan to go out. Bye!

나는 외출할 계획이 있다. 안녕!

to부정사의 부사적 용법

Quiz

1. to부정사는 「to + 명사 / 동사원형」의 형태로 문장에서 명사, 형용사, 부사처럼 씁니다.

2. Suho met Mike to play games.에서 to play는 목적 / 감정의 원인 을 나타냅니다.

Answers
1. 동사원형
2. 목적

3일 교과서 핵심 문법 ①

1. to부정사는 「to+동사원형」의 형태로 문장에서 명사, 형용사, 부사 역할을 한다.

❶ [ ]의 to부정사	명사처럼 주어, 목적어, 보어로 쓴다.
형용사적 용법의 to부정사	형용사처럼 명사나 대명사를 꾸며 준다.
부사적 용법의 to부정사	부사처럼 동사, 형용사, 다른 부사를 꾸며 준다.

❶ 명사적 용법

e.g. To see is to believe. ❷ [   ]이 믿는 것이다. (명사적 용법: 주어 역할 / 보어 역할)

I have things to buy. 나는 살 것이 있다. (형용사적 용법)

She went out to walk. 그녀는 산책하기 위해 밖에 나갔다. (부사적 용법)

❷ 보는 것

2. to부정사의 부정형은 「not to+동사원형」으로 쓴다.

e.g. He ran not ❸ [   ] miss the train. 그는 기차를 놓치지 않기 위해 달렸다.

❸ to

핵심 ② to부정사의 명사적 용법

1. 주어 역할: to부정사가 문장에서 ❹ [   ] 자리에 온다. 주어로 쓰인 to부정사는 단수 취급한다.

❹ 주어

e.g. To swim in the river is dangerous. 강에서 수영하는 것은 위험하다.

2. 목적어 역할: to부정사가 문장에서 동사의 ❺ [   ]로 쓰인다. 동사 want(원하다), need(필요하다), hope(바라다), learn(배우다), decide(결정하다), plan(계획하다)은 to부정사를 목적어로 쓴다.

❺ 목적어

e.g. I ❻ [   ] to meet you. 나는 너를 만나길 바란다.

❻ hope

> **TIP** • enjoy(즐기다), practice(연습하다), mind(꺼리다), finish(끝내다)는 동명사를 목적어로 쓴다.
> • like(좋아하다), love(매우 좋아하다), hate(싫어하다)는 to부정사와 동명사를 둘 다 목적어로 쓴다.

3. 보어 역할: to부정사가 문장에서 ❼ [   ] 자리에 온다.

❼ 보어

e.g. My job is to teach English. 내 직업은 영어를 가르치는 것이다.

Words and Phrases

☐ believe 믿다 ☐ walk 걷다, 산책하다 ☐ miss 놓치다 ☐ dangerous 위험한

기초 확인 문제

01 다음 괄호 안에서 알맞은 말을 고르시오.

(1) I have books (to read / reading).

(2) (Play / To play) the piano is fun.

(3) I don't want (study / to study) on weekend.

(4) I will go home (have / to have) dinner.

02 다음 밑줄 친 부분의 성격이 나머지와 다른 것은?

① She sent a letter to me.

② He came to say goodbye.

③ I decided not to work here.

④ To do our best is important.

⑤ My job is to build buildings.

03 다음 밑줄 친 to부정사의 쓰임이 같은 것끼리 짝지어진 것은?

ⓐ She doesn't like to exercise.

ⓑ To make new friends is difficult.

ⓒ What do you want to do tomorrow?

ⓓ His plan is to have a surprise party.

① ⓐ, ⓑ   ② ⓐ, ⓒ   ③ ⓐ, ⓓ

④ ⓑ, ⓒ   ⑤ ⓑ, ⓓ

04 다음 우리말과 일치하도록 괄호 안의 동사를 사용하여 문장을 완성하시오.

(1)

> 나의 취미는 빵을 굽는 것이다. (bake)
>
> ➡ My hobby is _____ _____ bread.

(2)

> 그는 비행기 조종사가 되기를 바란다. (become)
>
> ➡ He hopes _____ _____ a pilot.

05 다음 우리말을 영어로 바르게 옮긴 것은?

> 만화를 그리는 것은 재미있다.

① Draw cartoons is interesting.

② To draw cartoons is interesting.

③ To draw cartoons are interesting.

④ To interesting is to draw cartoons.

⑤ To be interesting is drawing cartoons.

Words and Phrases

☐ say goodbye 작별 인사를 하다   ☐ build 짓다, 건설하다   ☐ surprise party 깜짝 파티   ☐ cartoon 만화

핵심 3 to부정사의 형용사적 용법

to부정사가 문장에서 명사나 대명사를 꾸며 주는 ❶[　　　　　] 역할을 하고, '~할, ~하는'으로 해석한다.

❶ 형용사

e.g. I have homework to do. 나는 해야 할 숙제가 있다.
└─명사─┘

I have something to eat. 나는 먹을 것이 있다.
└─대명사─┘

핵심 4 to부정사의 부사적 용법

1. to부정사가 문장에서 ❷[　　　　　]처럼 쓰여 목적이나 감정의 원인 등을 나타낸다.

❷ 부사

목적	~하기 위해서, ~하려고	I went to Canada to study English. 나는 영어를 공부하기 위해 캐나다에 갔다.
감정의 원인	~해서, ~하다니	I'm glad to meet you. 너를 만나서 반갑다.

2. to부정사가 ❸[　　　　　]을 나타낼 때는 '~하기 위해서'라고 해석한다.

❸ 목적

e.g. I will go to the library to return books. 나는 책을 반납하기 위해 도서관에 갈 것이다.

She went to the park to ride a bike. 그녀는 자전거를 타기 위해 공원에 갔다.

He got up early to catch the first train. 그는 첫 기차를 타기 위해 일찍 일어났다.

3. to부정사가 ❹[　　　　　]을 나타낼 때는 '~해서, ~하다니'라고 해석한다. 감정을 나타내는 형용사 뒤에 쓰인 to부정사는 일반적으로 감정의 원인을 나타낸다.

❹ 감정의 원인

e.g. I'm happy to help you. 나는 너를 도와서 기쁘다.

He was sad to lose his cat. 그는 그의 고양이를 잃어버려서 슬펐다.

She was surprised to hear the news. 그녀는 그 소식을 듣고 놀랐다.

I was pleased to meet him at the party. 나는 그를 파티에서 ❺[　　　　　] 기뻤다.

❺ 만나서

TIP 감정을 나타내는 형용사에는 happy(행복한, 기쁜), glad(기쁜, 반가운), sad(슬픈), surprised(놀란), sorry(미안한), nice(좋은), pleased(기쁜) 등이 있다.

Words and Phrases

□ something 어떤 것　□ return 반납하다　□ catch (버스, 기차 등을 시간 맞춰) 타다　□ lose 잃어버리다

06 다음 문장의 알맞은 곳에 to를 써 넣어 문장을 다시 쓰시오.

(1) Nice meet you.

➡ _____

(2) I don't have money spend.

➡ _____

07 다음 괄호 안에 주어진 단어의 형태로 알맞은 것은?

He was surprised (hear) the story.

① hear ② hears ③ heard
④ hearing ⑤ to hear

08 다음 빈칸에 들어갈 말이 순서대로 바르게 짝지어진 것은?

- He came to Seoul _____.
- I'll go out _____ a movie.

① travel – watch ② travel – to watch
③ to travel – watch ④ to travel – watching
⑤ to travel – to watch

09 다음 우리말과 일치하도록 괄호 안의 단어를 바르게 배열하시오.

(1)

나는 학교에 가기 위해 버스를 탔다. (school / to / go / to)

➡ I rode the bus _____.

(2)

Luna는 선물을 받아서 기뻤다.
(get / was / to / pleased)

➡ Luna _____ the present.

10 다음 영어를 우리말로 옮긴 것 중 어색한 것은?

① I was sad to lose the game.
➡ 나는 그 게임에서 져서 슬펐다.
② A car stopped to help him.
➡ 차 한 대가 그를 돕기 위해 멈췄다.
③ He exercises to lose weight.
➡ 그는 운동을 해서 체중을 줄인다.
④ She took an exam to be a nurse.
➡ 그녀는 간호사가 되기 위해 시험을 치렀다.
⑤ They save money to buy a house.
➡ 그들은 집을 사기 위해 돈을 모은다.

Words and Phrases

☐ spend (돈을) 쓰다 ☐ go out 외출하다, 밖에 나가다 ☐ present 선물 ☐ lose 지다, 패하다 ☐ lose weight 체중을 줄이다

3일 내신 기출 베스트

대표 예제 1   to부정사의 형태

다음 밑줄 친 부분의 형태가 <u>어색한</u> 것은?

① I ran fast <u>to catch</u> the bus.

② They love <u>to go</u> shopping.

③ Her dream is <u>to be</u> a teacher.

④ I am happy <u>to see</u> you again.

⑤ He opened the book <u>to did</u> his homework.

개념 가이드

to부정사는 「to + ①[   ]」 형태로 문장에서 명사,
②[   ], 부사 역할을 한다.

답 ① 동사원형   ② 형용사

대표 예제 2   to부정사의 to와 전치사 to

다음 빈칸에 공통으로 알맞은 말을 쓰시오.

- We went _____ the concert.
- My problem is _____ eat too much.
- He bought apples _____ make juice.

개념 가이드

to부정사의 to 뒤에는 ③[   ]이 오고, 전치사 to 뒤에는
④[   ]가 온다.

답 ③ 동사원형   ④ 명사(구)

대표 예제 3   to부정사의 쓰임

다음 밑줄 친 to부정사의 쓰임이 나머지와 <u>다른</u> 것은?

① He hopes <u>to be</u> a singer.

② I don't have time <u>to eat</u>.

③ Dave wants <u>to buy</u> a new car.

④ <u>To speak</u> in English is not easy.

⑤ Her dream is to <u>travel</u> around the world.

*전 세계를 여행하다

TIP to부정사가 명사 뒤에 올 때는
형용사처럼 명사를 꾸며 줘요.

개념 가이드

to부정사는 문장에서 주어, ⑤[   ], 보어로 쓰여
⑥[   ] 역할을 한다.

답 ⑤ 목적어   ⑥ 명사

대표 예제 4   to부정사의 명사적 용법

다음 주어진 표현을 바르게 배열하여 문장을 완성한 후,
우리말 뜻을 쓰시오.

| to / likes / sports games / watch |

➡ He _____.

  : _____

개념 가이드

to부정사를 ⑦[   ]로 쓰는 동사에는 want, need,
hope, learn, decide, plan 등이 있다. like, love는 to부
정사와 동명사를 둘 다 목적어로 쓴다.

답 ⑦ 목적어

대표 예제 5　to부정사의 형용사적 용법

다음 그림의 내용과 일치하도록 괄호 안의 단어를 사용하여 문장을 완성하시오.

➡ She has °a lot of work _____(do).

°많은

개념 가이드

to부정사는 문장에서 명사나 대명사를 꾸며 주는 형용사 역할을 하고, '⑧ _____'으로 해석한다.

답 ⑧ ~할, ~하는

대표 예제 6　to부정사의 부사적 용법

다음 밑줄 친 to부정사의 용법이 같은 것끼리 짝지어진 것은?

ⓐ Are you pleased to win the race?
ⓑ I cleaned the house to help my mom.
ⓒ I am sad to °fail the test.　°(시험에) 떨어지다
ⓓ I went to the hospital to see a doctor.

① ⓐ, ⓑ　　② ⓐ, ⓓ　　③ ⓑ, ⓒ
④ ⓑ, ⓓ　　⑤ ⓒ, ⓓ

개념 가이드

to부정사는 문장에서 동사, 형용사, 다른 부사를 꾸며 주는 부사 역할을 하며, ⑨ _____이나 ⑩ _____을 나타낸다.

답 ⑨ 목적 ⑩ 감정의 원인

대표 예제 7　to부정사의 부사적 용법

다음 괄호 안에 주어진 표현을 사용하여 우리말과 일치하는 문장을 완성하시오.

나는 새 옷을 입어서 기분이 좋다. (happy, wear)

➡ I am _____ new °clothes.

°옷

개념 가이드

to부정사가 감정을 나타내는 형용사 뒤에 쓰여 감정의 ⑪ _____을 나타낼 때는 '⑫ _____'라고 해석한다.

답 ⑪ 원인 ⑫ ~해서, ~하다니

대표 예제 8　to부정사의 부정문

다음 문장을 부정문으로 바르게 고쳐 쓴 것은?

I ate quickly to be late.

① I not ate quickly to be late.
② I ate quickly to be not late.
③ I ate not quickly to be late.
④ I ate quickly not to be late.
⑤ I ate quickly to not be late.

개념 가이드

to부정사의 부정형은 「⑬ _____+to+동사원형」으로 쓴다.

답 ⑬ not

4일 접속사

생각 열기

등위접속사

접속사가 뭔지 알아?

어, 그래.

문장에서 작게는 단어와 단어, 크게는 문장과 문장을 연결시켜주는 말이래.

접속사 중에서도 and 같은 등위접속사는 성격이 같은 것끼리 연결한대.

어.

난 결정했어! I want a hot dog and juice.

and가 '그리고'라는 뜻으로 연결하는 거지? I want a hot dog and juice, too.

난 감자튀김은 안 먹을래.

I like potatoes, but I don't like French fries.

난 감자튀김 먹을래. I like potatoes, but I want French fries.

여기선 but이 아니라 so가 어울려. but은 '그러나', so는 '그래서'라는 뜻이니까.

For here or to go? or는 선택의 의미야.

For here!

내 꺼는?

내가 주문해 준다곤 안 했는데.

명사절을 이끄는 접속사

Mike, 너 명사절을 이끄는 접속사에 대해 알아?

우디, 접속사 that에 대해 설명해 줘.

접속사 that은 문장에서 주어, 목적어, 보어 역할을 하는 명사절 앞에 쓰여 중심 문장과 연결하는 역할을 합니다.

디링

간단히 that이 명사 역할을 하는 문장을 다른 문장과 연결하는 말이라는 거지?

맞아. 이제 좀 먹자.

Quiz

1. 등위접속사 중에서 '그러나'라는 뜻을 갖는 것은 [and / but / or / so] 입니다.

2. '~할 때'라는 뜻으로 부사절을 이끄는 접속사는 [that / when] 입니다.

Answers

1. but
2. when

교과서 핵심 문법 ❶

핵심 1 등위접속사 and/but/or/so

1. 등위접속사는 문법적으로 성격이 같은 것끼리 연결한다.

❶ ☐	~와, 그리고	I have a cat and a dog. (단어 and 단어) 나는 고양이 한 마리와 개 한 마리를 기른다.
but	그러나, 하지만 (역접, 대조)	I like tea, but I don't like coffee. (문장 but 문장) 나는 차는 좋아하지만 커피는 좋아하지 않는다.
❷ ☐	아니면, 또는 (선택)	Will you go by bus or by subway? (구 or 구) 너는 버스로 갈 거니, 아니면 지하철로 갈 거니?
so	그래서, 그러므로 (원인+so+결과)	I was sick, so I stayed at home. (문장 so 문장) 나는 아파서 집에 머물렀다.

❶ and

❷ or

2. and로 셋 이상의 단어, 구, 절을 연결할 때는 ❸ ☐ 말 앞에만 and를 쓴다.

> **e.g.** He is tall, smart, and handsome. 그는 키가 크고, 똑똑하고, 잘생겼다.

❸ 마지막

핵심 2 명사절을 이끄는 접속사 that

1. that이 이끄는 명사절은 「that+주어+동사 ~」의 형태이며, '~하는 것'이라는 의미로 문장에서 주어, ❹ ☐ , 보어 역할을 한다.

> that처럼 중심 문장의 일부가 되는 절을 이끄는 접속사를 종속접속사라고 해요.

주어 역할	That he can walk ❺ ☐ surprising. 그가 걸을 수 있다는 것은 놀랍다.
목적어 역할	I think (that) it is a good plan. 나는 그것이 좋은 계획이라고 생각한다. We know (that) the Earth is round. 우리는 지구가 둥글다는 것을 안다.
보어 역할	Your problem is that you are too lazy. 너의 문제는 너무 게으르다는 것이다.

❹ 목적어

❺ is

2. that이 이끄는 명사절은 ❻ ☐ 취급하며, 목적어 역할을 하는 명사절 접속사 ❼ ☐ 은 생략할 수 있다.

❻ 단수

❼ that

Words and Phrases

☐ by ~로(수단) ☐ subway 지하철 ☐ handsome 잘생긴 ☐ surprising 놀라운 ☐ lazy 게으른

기초 확인 문제

정답과 해설 **75쪽**

01 다음 빈칸에 알맞은 말을 〈보기〉에서 골라 쓰시오.

┌─ 보기 ─────────────────────┐
│   and   but   or   so   │
└──────────────────────────┘

(1) I like math _____ science.

(2) You can say yes _____ no.

(3) Ann likes me, _____ I don't like her.

(4) I got up late, _____ I was late for school.

02 다음 밑줄 친 That[that]의 성격이 나머지와 다른 것은?

① He will take <u>that</u> bus.

② <u>That</u> he is rich is true.

③ I think <u>that</u> he is a good boy.

④ I hope <u>that</u> she will get better soon.

⑤ My job is <u>that</u> I take care of children.

03 다음 문장에서 생략할 수 있는 것은?

┌──────────────────────────┐
│ Everybody knows that he is a liar. │
└──────────────────────────┘

① is   ② he   ③ that

④ knows   ⑤ Everybody

04 다음 우리말과 일치하도록 할 때 빈칸에 알맞은 것은?

┌──────────────────────────┐
│ 오후 8시이지만 여전히 밝다.   │
│ ➡ It is 8 p.m., _____ it is still bright. │
└──────────────────────────┘

① so   ② or   ③ but

④ and   ⑤ that

05 다음 그림의 상황과 일치하도록 접속사를 이용하여 두 문장을 한 문장으로 연결하시오.

┌──────────────────────────┐
│   I ate much. + I was too full.   │
└──────────────────────────┘

➡ _____

Words and Phrases

□ get better 나아지다, 회복하다 □ take care of ~을 돌보다 □ liar 거짓말쟁이 □ still 여전히 □ bright 밝은 □ full 배부른

4일 교과서 **핵심 문법** ❷

핵심 3 시간의 부사절을 이끄는 접속사 when/before/after

1. 접속사 when, before, after는 ❶ [　　　]을 나타내는 부사절을 이끈다.

❶ 시간

when	~(할) 때	I was weak when I was young. 나는 어렸을 때 약했다. When I study, I listen to music. 나는 공부할 때 음악을 듣는다.
❷ [　　]	~ 전에	Tony keeps a diary before he goes to bed. Tony는 잠자리에 들기 전에 일기를 쓴다.
after	~ 후에	We go jogging after we have dinner. 우리는 저녁 먹은 후에 조깅하러 간다.

❷ before

2. 시간의 부사절에서는 미래의 내용이라도 미래 시제 대신 ❸ [　　　]로 쓴다.

❸ 현재 시제

e.g. I will leave before she ┌─시간의 부사절─┐ comes. 나는 그녀가 오기 전에 떠날 것이다.
will come(×)

3. before와 after가 접속사일 때는 뒤에 「주어+동사 ~」로 이루어진 절이 오고, ❹ [　　　]일 때는 명사(구)가 온다.

❹ 전치사

e.g. (접속사일 때) He drinks coffee before(after) he has meals.
그는 식전(후)에 커피를 마신다.　　「주어+동사+목적어」인 절

(전치사일 때) He drinks coffee before(after) meals.
명사

핵심 4 이유의 부사절을 이끄는 접속사 because

1. because는 '~ 때문에'라는 뜻으로 ❺ [　　　]를 나타내는 부사절을 이끈다.

❺ 이유

e.g. He is worried because he has a math test.
그는 수학 시험이 있기 때문에 걱정한다.

2. because와 because of는 '~ 때문에'라는 같은 뜻이지만 because 뒤에는 「주어+동사 ~」로 이루어진 절이 오고, because of 뒤에는 ❻ [　　　]가 온다.

❻ 명사(구)

e.g. I felt sick because I had bad food. 나는 상한 음식을 먹었기 때문에 속이 안 좋았다.
「주어+동사+목적어」로 이루어진 절
I felt sick because of the bad food.
명사구

Words and Phrases

☐weak (힘이) 약한　☐young 젊은, 어린　☐keep a diary 일기를 쓰다　☐meal 식사

06 다음 괄호 안에서 알맞은 말을 고르시오.

(1) She wasn't there (when / that) I arrived.
(2) I cleaned the table (before / behind) I left.
(3) Wash the dishes (that / after) you eat.
(4) (Because / Because of) the cold weather, I caught a cold.

07 다음 밑줄 친 When[when]의 쓰임이 나머지와 다른 것은?

① When did you meet John?
② We don't talk when we eat.
③ Take an umbrella when you go out.
④ When Jina sings, she closes her eyes.
⑤ When it snows, you should drive carefully.

08 다음 두 문장의 의미가 같도록 빈칸에 알맞은 말을 쓰시오.

(1)
It was Sunday, so I went to church.
➡ I went to church ________ it was Sunday.

(2)
He reads a book before he goes to bed.
➡ He goes to bed ________ he reads a book.

09 다음 빈칸에 들어갈 말로 알맞은 것은?

The party will start when you ________.

① arrive ② arrived
③ to arrive ④ will arrive
⑤ are arriving

10 다음 그림의 상황에 알맞게 주어진 표현을 바르게 배열하여 문장을 완성하시오.

her son / broke / angry / the TV / because

➡ She was ________________.

Words and Phrases
□ wash the dishes 설거지를 하다 □ catch a cold 감기에 걸리다 □ carefully 주의하여 □ break 깨다, 부수다(과거형 broke)

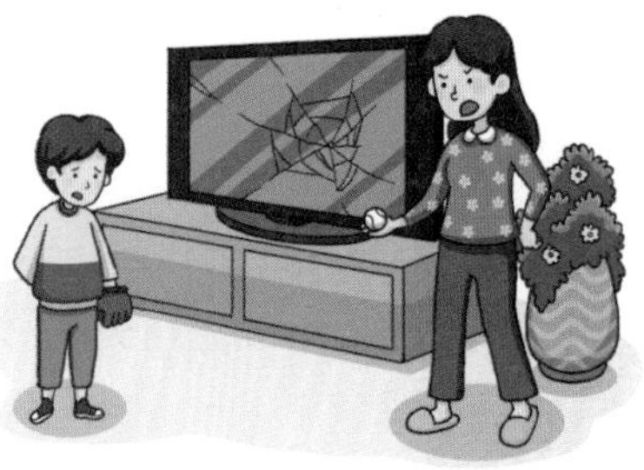

대표 예제 1 등위접속사 and와 but

다음 빈칸에 들어갈 말이 순서대로 바르게 짝지어진 것은?

- She likes apples, bananas, _____ kiwis.
- The gold looks real, _____ it isn't.

°키위

① or – and
② or – so
③ and – and
④ and – but
⑤ but – so

TIP and가 셋 이상의 단어를 연결할 때는 마지막 단어 앞에만 and를 써요.

개념 가이드

and는 '①_____'라는 뜻으로 대등한 내용을 연결하고, but은 '②_____'이라는 뜻으로 대조적인 내용을 연결한다.

답 ① ~와, 그리고 ② 그러나, 하지만

대표 예제 2 등위접속사 so

다음 카드를 배열하여 문장을 만들 때 가장 자연스러운 것은?

| I | so | had | took |
| I | medicine | a fever |

°약
°열

① I took medicine, so I had a fever.
② I had medicine, so I took a fever.
③ I had a fever, so I took medicine.
④ So I had a fever, I took medicine.
⑤ So I took medicine, I had a fever.

개념 가이드

접속사 so는 '③_____'라는 뜻이고, so 앞은 원인에 해당하고, so 뒤는 그 ④_____를 나타낸다.

답 ③ 그래서, 그러므로 ④ 결과

대표 예제 3 등위접속사 / 명사절 접속사 that

다음 중 어법상 어색한 문장은?

① He is rich but unhappy.
② She is tall, thin, and pretty.
③ You can choose °beef or fish. °쇠고기
④ The fact is he is not honest.
⑤ That I lost the money is true.

개념 가이드

⑤_____이 이끄는 명사절은 「that+주어+동사 ~」의 형태로 문장에서 주어, ⑥_____, 보어 역할을 한다.

답 ⑤ that ⑥ 목적어

대표 예제 4 명사절 접속사 that의 생략

다음 밑줄 친 That[that] 중 생략할 수 있는 것은?

① Who is that?
② Don't touch that picture.
③ That dress looks expensive.
④ I think that English is difficult.
⑤ That Matt is my boyfriend is a °secret. °비밀

개념 가이드

⑦_____ 역할을 하는 명사절 접속사 ⑧_____은 생략할 수 있다.

답 ⑦ 목적어 ⑧ that

정답과 해설 **77쪽**

대표 예제 **5** 부사절 접속사 when

다음 빈칸에 들어갈 말로 알맞은 것은?

_____ she leaves the room, she turns off the lights.

① That　　② After　　③ And
④ When　　⑤ Because

개념 가이드

접속사 when은 '⑨ [　　　]'라는 뜻이고, when으로 시작하는 문장을 먼저 쓸 때는 문장 뒤에 ⑩ [　　　]를 쓴다.

답 ⑨ ~할 때　⑩ 콤마(,)

대표 예제 **6** 부사절 접속사 because / 등위접속사 so

다음 두 문장을 조건에 맞게 각각 한 문장으로 연결하시오.

I felt sleepy. / I didn't sleep well.

(1) _____

(2) _____

┌─ 조건 ─
(1)에는 이유를 나타내는 접속사를 쓸 것
(2)에는 결과를 나타내는 접속사를 쓸 것

개념 가이드

접속사 because는 '⑪ [　　　]'라는 뜻으로 이유를 나타내는 부사절을 이끌고, so는 '⑫ [　　　]'라는 뜻으로 원인과 그 결과인 문장을 연결한다.

답 ⑪ ~ 때문에　⑫ 그래서, 그러므로

대표 예제 **7** 부사절 접속사 after

다음 문장에서 어법상 어색한 부분을 고쳐 문장을 다시 쓴 후, 우리말 뜻을 쓰시오.

I will be a doctor after I will °graduate.

°졸업하다

➡ _____

: _____

개념 가이드

⑬ [　　　]의 부사절에서는 미래의 내용이라도 ⑭ [　　　] 시제로 나타낸다.

답 ⑬ 시간　⑭ 현재

대표 예제 **8** 부사절 접속사

다음 밑줄 친 부분의 쓰임이 나머지와 다른 것은?

① Wash your hands before meals.
② I had a dog when I was a child.
③ I took a taxi because I was tired.
④ When I am sad, I listen to music.
⑤ He played soccer after he met Jack.

개념 가이드

before가 ⑮ [　　　]일 때는 뒤에 「주어+동사 ~」인 절이 오고, ⑯ [　　　]일 때는 명사(구)가 온다.

답 ⑮ 접속사　⑯ 전치사

4일 **37**

비교급과 최상급

공부할
내용
❶ 비교급
❷ 최상급

Quiz

1. 비교급은 형용사/부사에 [-er / -est] 을 붙여서 만들고, '더 ~한/하게'를 뜻합니다.

2. 최상급은 형용사/부사에 [-er / -est] 를 붙여서 만들고, '가장 ~한/하게'를 뜻합니다.

Answers

1. -er
2. -est

5일 교과서 핵심 문법 ①

핵심 1 비교급 만들기

1. 비교급은 '더 ~한/하게'라는 뜻으로 일반적으로 형용사나 부사 끝에 **❶** [   ]을 붙여서 만든다.

2. 3음절 이상인 형용사나 부사, 2음절이지만 -ful이나 -ous로 끝나는 형용사와 -ly로 끝나는 부사의 비교급은 **❷** [   ]를 써서 만든다.

대부분의 경우	+-er	faster, harder, shorter, older
-e로 끝나는 경우	+-r	larger, cuter, safer, nicer
「자음+-y」로 끝나는 경우	y를 i로 고치고 +-er	heavy → heavier, busy → **❸**[ ], pretty → prettier, early → earlier
「단모음+단자음」으로 끝나는 경우	마지막 자음을 한 번 더 쓰고 +-er	hot → **❹**[ ], big → bigger, thin → thinner, fat → fatter
3음절 이상이거나 일부 2음절 단어	more+ 형용사/부사의 원급	more beautiful, more diligent, more famous, more quickly
불규칙 변화		good/well → better, bad/ill → **❺**[ ], little → less, many/much → more

❶ -er

❷ more

❸ busier

❹ hotter

❺ worse

e.g. Today is hotter than yesterday. 오늘은 어제보다 더 덥다.

Roses are **❻**[   ] beautiful than tulips. 장미는 튤립보다 더 아름답다.

I eat more than Tom. 나는 Tom보다 더 많이 먹는다.

❻ more

핵심 2 비교급을 사용한 비교 문장

두 개의 대상을 비교하여 '…보다 더 ~한/하게'라는 뜻을 나타낼 때는 「형용사/부사의 비교급 + **❼**[   ]」을 쓰고, than 뒤에는 비교 대상이 온다.

❼ than

e.g. My bag is heavier than your bag. 내 가방은 네 가방보다 더 무겁다.

He plays baseball better than I. 그는 나보다 야구를 더 잘한다.

Words and Phrases

☐hard 열심히 ☐thin 마른 ☐diligent 부지런한 ☐famous 유명한 ☐quickly 빨리 ☐tulip 튤립

기초 확인 문제

01 다음 형용사의 비교급을 쓰시오.

(1) old   – _____

(2) busy   – _____

(3) big   – _____

(4) beautiful – _____

(5) good   – _____

02 다음 괄호 안의 단어의 올바른 형태로 알맞은 것은?

> She is (pretty) than her sister.

① pretty   ② prettyer

③ prettier   ④ prettiest

⑤ more pretty

03 다음 밑줄 친 비교급이 <u>잘못된</u> 것은?

① Emma is <u>thiner</u> than I.

② I study <u>harder</u> than you.

③ My dog runs <u>faster</u> than your dog.

④ The fox is <u>cleverer</u> than the rabbit.

⑤ Health is <u>more important</u> than money.

Words and Phrases

☐ fox 여우   ☐ clever 영리한   ☐ score 점수

04 다음 괄호 안에 주어진 단어를 바르게 고쳐 쓴 것은?

① She is (cute) than you. ➡ more cute

② Tim is (short) than Fred. ➡ shortter

③ He is (strong) than his dad. ➡ stronger

④ I have (many) friends than Ted. ➡ much

⑤ Kate gets up (early) than I. ➡ more early

05 다음 우리말과 일치하도록 괄호 안의 단어를 사용하여 비교급 문장을 완성하시오.

(1)
> 그는 나보다 더 유명하다. (famous)

➡ He is _____ I.

(2)
> 나의 점수는 Jim의 것보다 더 나쁘다. (bad)

➡ My scores are _____ Jim's.

5일 교과서 핵심 문법 ❷

핵심 3 최상급 만들기

최상급은 '가장 ~한/하게'라는 뜻으로 일반적으로 형용사나 부사 끝에 ❶ [   ]를 붙여서 만든다.

대부분의 경우	+-est	youngest, smartest, tallest, weakest
-e로 끝나는 경우	+-st	wisest, finest, rudest
「자음+-y」로 끝나는 경우	y를 i로 고치고 +-est	funny → funniest, dirty → ❷ [ ], happy → happiest, tiny → tiniest
「단모음+단자음」으로 끝나는 경우	마지막 자음을 한 번 더 쓰고 +-est	fat → fattest, sad → saddest, wet → wettest
3음절 이상이거나 -ful, -ous, -ly 등으로 끝나는 2음절 단어	❸ [ ] + 형용사/부사의 원급	most difficult, most expensive, most careful, most slowly
불규칙 변화		good/well → best, bad/ill → worst, little → ❹ [ ], many/much → most

❶ -est

❷ dirtiest

❸ most

❹ least

핵심 4 최상급을 사용한 비교 문장

'…에서 가장 ~한/하게'라는 뜻을 나타낼 때는 「the+형용사/부사의 최상급+in/of …」를 쓴다.

e.g. February is the shortest month of the year. 2월은 일 년 중에 ❺ [   ] 달이다.

This painting is the most expensive in the world. 이 그림은 세계에서 가장 비싸다.

❺ 가장 짧은

핵심 5 재귀대명사의 관용 표현

재귀대명사는 주어와 목적어가 동일할 때 쓰며, 인칭대명사의 소유격이나 목적격에 -self나 -selves를 붙여 나타낸다.

by oneself	혼자서, 혼자 힘으로	I go on a trip by myself. 나는 혼자 여행한다.
enjoy oneself	즐기다, 즐겁게 지내다	Come and enjoy yourself. 와서 즐겁게 지내.
talk to oneself	혼잣말을 하다	He talked to ❻ [ ]. 그는 혼잣말을 했다.
help oneself	마음껏 먹다	Help yourself to the cookies. 그 쿠키를 마음껏 먹어.

❻ himself

Words and Phrases

☐ wise 현명한 ☐ rude 무례한 ☐ tiny 크기가 아주 작은 ☐ go on a trip 여행을 가다

기초 확인 문제

06 다음 괄호 안에서 알맞은 말을 고르시오.

(1) I am the (best / most good) cook.

(2) This is the (sadest / saddest) story.

(3) Jim is (fastest / the fastest) in his class.

(4) Math is the (difficultest / most difficult).

07 다음 밑줄 친 최상급이 잘못된 것은?

① Jack is the <u>funniest</u> of my friends.

② The Nile is the <u>longest</u> river in the world.

③ This is the <u>most cheap</u> watch in the store.

④ She is the <u>most famous</u> writer in Korea.

⑤ Russia is the <u>largest</u> country in the world.

08 다음 괄호 안의 단어의 올바른 형태끼리 순서대로 짝지어진 것은?

> · Ruby is the (fat) of my cats.
> · My room is the (dirty) place in the house.

① fatter – dirtier

② fatest – dirtiest

③ fattest – dirtyest

④ fattest – dirtiest

⑤ most fat – most dirty

09 다음 우리말을 영어로 바르게 옮긴 것은?

> 나는 보통 저녁을 혼자 먹는다.

① I usually have dinner myself.

② I usually have dinner to myself.

③ I usually have dinner in myself.

④ I usually have dinner by myself.

⑤ I usually have dinner by myselves.

10 다음 그림을 보고 주어진 단어를 사용하여 최상급 문장을 완성하시오.

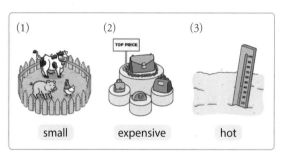

(1) small (2) expensive (3) hot

(1) The chicken is _____ _____ animal in the farm.

(2) The black bag is _____ _____ of the four.

(3) Today is _____ _____ day of the year.

5일 내신 기출 베스트

대표 예제 1 비교급과 최상급

다음 중 형용사의 비교급과 최상급이 잘못된 것은?

① little – less – least
② good – better – best
③ happy – happier – happiest
④ smart – more smart – most smart
⑤ difficult – more difficult – most difficult

🧭 **개념 가이드**

비교급은 일반적으로 형용사/부사 끝에 [①_____]을 붙여서 만들고, 최상급은 [②_____]를 붙여서 만든다.

🅐 ① -er ② -est

대표 예제 2 비교급 형태

다음 밑줄 친 비교급이 잘못된 것은?

① I am kinder than you.
② You walk slowlier than I.
③ Jane studies harder than Sue.
④ Pete can jump higher than you.
⑤ This book is more *helpful than that.

*도움이 되는

> **TIP** slowly(느리게) – more slowly
> helpful(도움이 되는) – more helpful

🧭 **개념 가이드**

[③_____] 이상이거나 -ful, -ous, -ly로 끝나는 2음절인 형용사/부사의 비교급은 [④_____]를 써서 나타낸다.

🅐 ③ 3음절 ④ more

대표 예제 3 비교급 형태

다음 그림을 보고 빈칸에 알맞은 말을 주어진 철자로 시작하여 쓰시오.

Juho   Jisu

➡ Juho is h_____ than Jisu.

🧭 **개념 가이드**

「자음+y」로 끝나는 형용사/부사의 비교급은 y를 [⑤_____]로 고치고 -er을 붙여 만든다.

🅐 ⑤ i

대표 예제 4 비교급 문장

다음 우리말과 일치하도록 할 때 빈칸에 알맞은 것은?

> 나는 너보다 나이가 더 많다.
> ➡ I am _____ than you.

① old   ② older
③ oldest   ④ the oldest
⑤ the most old

🧭 **개념 가이드**

비교급은 '…보다 [⑥_____]'라는 뜻이며, 비교급 문장은 「비교급+than」을 쓴다.

🅐 ⑥ 더 ~한/하게

대표 예제 **5** 최상급 형태

다음 우리말 뜻이 되도록 괄호 안에 주어진 단어를 빈칸에 알맞은 형태로 쓰시오.

> 독도는 한국에서 가장 중요한 섬이다. (important)

➡ Dokdo is _____ _____ _____
　°island in Korea.　　　　　　　　°섬

개념 가이드

3음절 이상인 형용사/부사의 최상급은 ⑦ [　　　] 를 써서 나타낸다.

답 ⑦ most

대표 예제 **6** 비교급과 최상급 문장

다음 빈칸에 들어갈 말이 순서대로 바르게 짝지어진 것은?

> • Mike is _____ than you.
> • He is the _____ person of the three.

① rich – rich　　　　② richest – richer
③ richer – most rich　④ richer – richest
⑤ more rich – richest

개념 가이드

비교급 문장은 「비교급+⑧ [　　　]」을 쓰고, 최상급 문장은 「⑨ [　　　]+최상급+in/of ...」를 쓴다.

답 ⑧ than　⑨ the

대표 예제 **7** 비교급과 최상급 문장

다음 표의 내용과 일치하도록 빈칸에 알맞은 말을 〈보기〉에서 골라 쓰시오.

스포츠 인기도	

보기
> most　least　more

(1) Soccer is the _____ °popular of the three.
　　　　　　　　　　　　°인기 있는
(2) Baseball is _____ popular than basketball.

개념 가이드

'…에서 가장 ~한/하게'라는 뜻을 나타낼 때는 ⑩ [　　　]을 쓰고, '…보다 더 ~한/하게'라는 뜻을 나타낼 때는 ⑪ [　　　]을 쓴다.

답 ⑩ 최상급　⑪ 비교급

대표 예제 **8** 재귀대명사의 관용 표현

다음 빈칸에 들어갈 말로 알맞은 것은?

> Help _____ to the pancakes.
> (팬케이크를 마음껏 먹으렴.)

① you　　② yourself　　③ herself
④ myself　⑤ yourselves

개념 가이드

• ⑫ [　　　] oneself: 혼자, 혼자 힘으로
• enjoy oneself: 즐기다, 즐겁게 지내다
• talk ⑬ [　　　] oneself: 혼잣말을 하다
• help oneself: 마음껏 먹다

답 ⑫ by　⑬ to

<셀 수 있는 명사와 셀 수 없는 명사>

01 다음 빈칸에 들어갈 수 <u>없는</u> 것은?

> There are three _____ in the room.

① men　　　② boxes　　　③ babies

④ woman　　⑤ children

<수량형용사>

02 다음 우리말과 일치하도록 할 때 빈칸에 알맞은 것을 <u>2개</u> 고르면?

> 냄비에 많은 양의 물이 있다.
> ➡ There is _____ water in the pot.

① little　　　② many　　　③ a few

④ much　　　⑤ a lot of

<There is/are 의문문>

03 다음 대화의 빈칸에 들어갈 말로 알맞은 것은?

> 　_____
>
> 　Yes, there is.

① Is it a chicken?

② Where is the chicken?

③ Do you want some chicken?

④ Is there chicken on the dish?

⑤ How many chickens are there?

<감각동사+형용사>

04 다음 빈칸에 들어갈 말로 알맞은 것은?

> This fruit smells _____.

① bad　　　　　② nicely

③ badly　　　　④ sweetly

⑤ like bad

<4형식 문장의 3형식 전환>

05 다음 두 문장의 의미가 같도록 할 때 빈칸에 들어갈 말로 알맞은 것은?

> I sent him a letter.
> ➡ I sent a letter _____ him.

① of　　　　② for　　　　③ so

④ to　　　　⑤ on

to부정사의 부사적 용법

06 다음 괄호 안에 주어진 단어의 올바른 형태로 알맞은 것은?

> I went to the library (borrow) books.

① borrow   ② borrowed

③ to borrow   ④ borrowing

⑤ for borrow

There is/are+명사

07 다음 그림을 묘사한 것 중 어법상 <u>어색한</u> 것은?

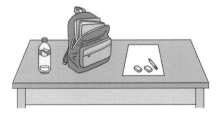

① There is a paper on the desk.

② There is a school bag on the desk.

③ There is a little water in the bottle.

④ There are two books in the school bag.

⑤ There are two erasers and a pencil on the paper.

to부정사의 명사적 용법

08 다음 빈칸에 들어갈 말이 순서대로 바르게 짝지어진 것은?

> • His hobby is _____ yoga.
> (그의 취미는 요가를 하는 것이다.)
> • He wants _____ yoga every morning.
> (그는 매일 아침 요가를 하기를 원한다.)

① do – do

② doing – do

③ doing – doing

④ to do – to do

⑤ to do – doing

to부정사의 부사적 용법

09 다음 우리말과 일치하도록 괄호 안에 주어진 단어를 배열하여 문장을 완성하시오.

> 나는 네 편지를 받아서 기뻤다.
> (get / to / happy)

➡ I was _____ your letter.

4형식 문장의 3형식 전환

10 다음 문장과 의미가 통하도록 빈칸에 알맞은 말을 쓴후, 우리말 뜻을 쓰시오.

> He bought me lunch.

➡ He bought _____ _____ _____.

: _____

01 비교급과 최상급

다음 중 형용사의 비교급과 최상급이 바르게 연결되지 <u>않은</u> 것은?

① ill – worse – worst

② big – bigger – biggest

③ easy – easier – easiest

④ useful – usefuler – usefulest °유용한

⑤ beautiful – more beautiful – most beautiful

02 명사절 접속사 that

다음 괄호 안에서 알맞은 것을 고르시오.

> I heard (that / what) he was sick in bed.

03~04 다음 빈칸에 들어갈 말로 알맞은 것을 고르시오.

03 등위접속사 and

> I am tired _____ sleepy.

① so ② or ③ when

④ but ⑤ and

04 비교급

> Today is _____ than yesterday.

① hot ② hotter ③ the hottest

④ more hot ⑤ the most hot

05 최상급

다음 그림을 묘사한 문장 중 밑줄 친 부분이 <u>어색한</u> 것은?

① Leo is the <u>biggest</u> of the three.

② Kitty is the <u>smallest</u> of the three.

③ Candy is the <u>oldest</u> of the three.

④ Leo is the <u>heaviest</u> of the three.

⑤ Kitty is the <u>most young</u> of the three.

명사절 접속사 that

06 다음 밑줄 친 that 중 접속사로 쓰인 것은?

① Is <u>that</u> your book?
② Don't ˙believe <u>that</u>.   ˙믿다
③ I think <u>that</u> he is kind.
④ Let's watch <u>that</u> movie.
⑤ I don't know <u>that</u> man.

부사절 접속사

07 다음 밑줄 친 부분의 쓰임이 어색한 것은?

① I go swimming <u>after</u> I finish school.
② She reads books <u>when</u> she has time.
③ <u>That</u> you ˙cough, cover your mouth.
                                              ˙기침하다
④ Tony was sad <u>because</u> he lost his watch.
⑤ Do your homework <u>before</u> you watch TV.

등위접속사 so

08 다음 빈칸에 들어갈 말로 알맞은 것은?

> I had a cold, _____ I took medicine.

① so   ② that   ③ because
④ but   ⑤ when

비교급

09 다음 빈칸에 들어갈 말로 그림에 알맞은 것은?

$2/kg $5/kg

> ˙Mangoes are _____ than tomatoes.

① cheaper   ② expensiver   ˙망고
③ more cheap   ④ more expensive
⑤ most expensive

부사절 접속사

10 다음 그림의 내용과 일치하도록 빈칸에 알맞은 접속사를 〈보기〉에서 골라 쓰시오.

┌─ 보기 ┐
when   before   after
└──────┘

(1)

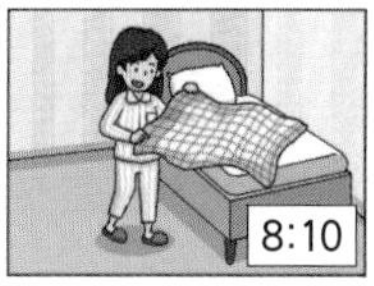

➡ I ˙make the bed _____ I brush my
  teeth.   ˙이불 정리를 하다

(2)

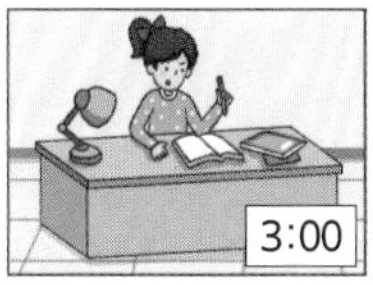

➡ I do my homework _____ I practice
  the piano.

셀 수 있는 명사와 셀 수 없는 명사

01 다음 중 어법상 <u>어색한</u> 문장을 찾아 바르게 고쳐 다시 쓰시오. (단, 한 단어만 고칠 것)

ⓐ I drink milk every morning.
ⓑ I need five dishes and two knives.
ⓒ Mrs. Green has three children.
ⓓ Can you give me some waters?

_____ , _____

감각동사와 수여동사

02 다음 그림을 보고 〈보기〉에서 알맞은 것을 골라 대화를 완성하시오.

┌ 보기 ┐
looks   give   looks like   bought
└─────┘

This bike _____ nice.
It's my brother's.
My mom _____ it for him.
I'll _____ him this helmet.
It _____ a *ladybug.

*무당벌레

to부정사의 부사적 용법

03 다음 우리말과 일치하도록 괄호 안에 주어진 단어를 배열하여 문장을 완성하시오.

Jack은 버스를 타기 위해 달렸다.
(catch / to / the bus)

➡ Jack ran _____ .

4형식 문장과 3형식 전환

04 다음 주어진 단어를 사용하여 조건에 맞는 문장을 쓰시오.

her dog / made / a house / she

(1) _____

(2) _____

┌ 조건 ┐
(1) 4형식 문장으로 쓸 것
(2) 전치사를 사용하여 3형식 문장으로 쓸 것
└─────┘

to부정사의 명사적 용법

05 다음 문장의 굵은 부분에 유의하여 우리말로 해석하시오.

To take pictures is my hobby.

➡ _____

재귀대명사의 관용 표현

06 다음 우리말을 영어로 옮길 때 괄호 안의 단어를 빈칸에 알맞은 형태로 고쳐 쓰시오.

> Carl은 그 집을 혼자 지었다.

➡ Carl built the house by _____. (him)

최상급

07 다음 표를 보고 〈보기〉에서 알맞은 단어를 골라 최상급 문장을 완성하시오.

	A	B	C
(1) 가격	$50	$70	$100
(2) 무게	200 g	130 g	150 g
(3) 편안함	★	★★	★★★

┌ 보기 ┐
cheap   light   ˚comfortable   ˚편한

(1) A is the _____ of the three.

(2) B is the _____ of the three.

(3) C is the _____ of the three.

접속사 before와 after

08 다음 문장과 같은 뜻이 되도록 접속사 after를 사용하여 문장을 고쳐 쓰시오.

> The store closed before I arrived.

➡ _____

There is/are+명사, 명사의 수량 표현

09 다음 그림을 보고 〈보기〉의 단어를 사용하여 문장을 완성하시오. (필요시 형태를 고칠 것)

┌ 보기 ┐
a little   many   much
bread   donut   juice

(1) There are _____ in the box.

(2) There _____ in the basket.

(3) There _____ in the bottle.

등위접속사

10 다음 주어진 문장 뒤에 자연스럽게 이어지도록 〈보기〉에서 알맞은 것을 골라 쓰시오.

┌ 보기 ┐
ⓐ so he likes her
ⓑ but he wasn't full
ⓒ and he did his homework
ⓓ or he will not come

(1) Yumi is kind, _____.

(2) He came home, _____.

(3) Bob'll come late _____

(4) He ate lunch, _____.

셀 수 없는 명사의 수량 표현

01 〈보기〉에서 용기나 모양을 나타내는 단어를 골라 올바른 형태로 써서 셀 수 없는 명사의 수량을 표현해 봅시다.

보기
bottle   piece   carton   cup   bag   spoon   slice   glass

	a _____ of flour 밀가루 1봉지		a _____ of milk 우유 1팩
	two _____ of juice 주스 2잔		two _____ of salt 소금 2스푼
	a _____ of sugar 설탕 1컵		a _____ of cheese 치즈 1장
	two _____ of water 물 2병		two _____ of butter 버터 2조각

셀 수 없는 명사의 수량은 「a/an+용기/모양+of」형태로 나타낼 수 있어요.
여러 개를 표현할 때는 용기나 모양을 나타내는 말을 복수형으로 써 줘요.

창의 융합 비교급

02 비교급을 사용하여 나와 가족 구성원을 비교해 봅시다.

Step 1 다양한 형용사와 비교급을 나타낸 표를 완성한다.

반대말				비교급		
tall	↔	_____		_____	↔	shorter
_____	↔	light		heavier	↔	_____
smart	↔	_____		_____	↔	stupider
_____	↔	young		older	↔	_____
strong	↔	_____		_____	↔	weaker
_____	↔	lazy		more diligent	↔	_____
handsome	↔	_____		_____	↔	uglier

정답과 해설 87~88쪽

Step 2 Step 1 의 비교급을 사용하여 나와 가족 구성원을 비교하는 문장을 완성한다.

My family & I

I am __________ than __________.
My __________ is __________ than __________.
My __________ is __________ than __________.
My __________ is __________ than __________.

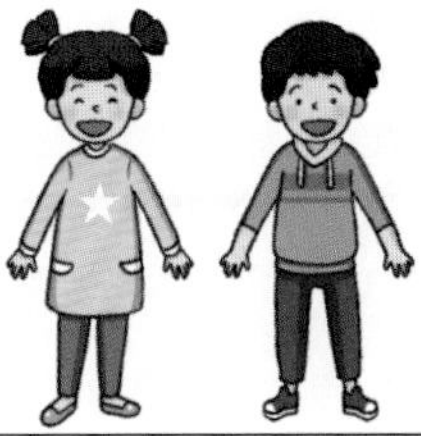

두 사람을 비교하여 '…보다 더 ~한'의 뜻을 나타낼 때는 「비교급+than」을 사용하고, than 뒤에 비교 대상을 써요.

창의 융합 최상급

03 최상급을 사용하여 세계 최고의 것을 소개해 봅시다.

Step 1 표의 빈칸에 주어진 형용사의 최상급을 쓴다.

원급	tall	long	big	expensive
최상급	______	______	______	______

Step 2 Step 1 의 최상급을 사용하여 세계 최고의 것을 소개하는 문장을 완성한다.

최상급 앞에는 the를 써 줘요.

The World Best

1 The Amazon River is __________ river in the world.

2 Burj Khalifa is __________ building in the world.

3 Salvator Mundi is __________ painting in the world.

4 The blue whale is __________ animal in the world.

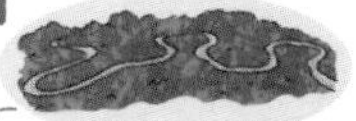
1
세계에서 가장 긴 강 '아마존 강'

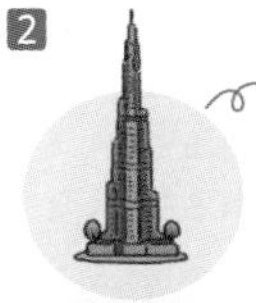
2
세계에서 가장 높은 건물 '부르즈 할리파'

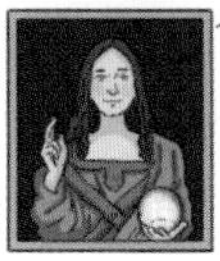
3
세계에서 가장 비싼 그림 '살바토르 문디'

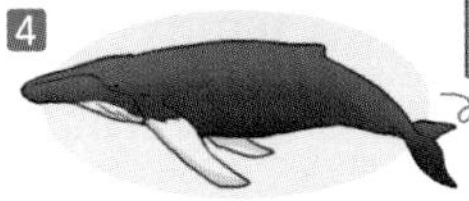
4
세계에서 가장 큰 동물 '대왕고래'

01 수량형용사

다음 빈칸에 들어갈 수 <u>없는</u> 것은?

> There are _____ people in the room.

① some   ② few   ③ a few
④ many   ⑤ a little

02 to부정사와 전치사의 to

다음 밑줄 친 <u>to</u>의 쓰임이 나머지와 <u>다른</u> 것은?

① I want <u>to</u> marry him.
② I will move <u>to</u> Busan.
③ She teaches °history <u>to</u> us.   °역사
④ We went <u>to</u> the movie theater.
⑤ The house is next <u>to</u> the bus stop.

03 감각동사＋형용사

다음 빈칸에 들어갈 수 있는 것은?

> The girl looks _____.

① sadly   ② happy
③ busily   ④ dangerously
⑤ beautifully

04 There is/are＋명사, 명사의 수량 표현

다음 중 어법상 어색한 문장은?

① There is much water in the glass.
② There are many cookies in the box.
③ There is a little butter on the pancake.
④ There are two cheeses on the dish.
⑤ There are two cups of coffee on the table.

05 There is/are 의문문

다음 대화의 밑줄 친 ① ~ ⑤ 중, 어법상 어색한 것을 찾아 바르게 고쳐 쓰시오.

> **A** ① <u>Is there</u> a bus stop ② <u>next to</u> the bookstore?
> **B** ③ <u>No,</u> ④ <u>it isn't.</u> ⑤ <u>There is</u> a museum.

_____ ➡ _____

등위접속사 but

06 다음 주어진 단어를 바르게 배열하여 우리말과 일치하는 문장을 만드시오.

but	failed	studied	I
the exam	I	hard	very

➡ _____

(나는 매우 열심히 공부했지만, 시험에 떨어졌다.)

부사절 접속사 when

07 다음 우리말을 영어로 옮길 때 빈칸에 알맞은 것은?

> Jack은 내가 그의 도움이 필요할 때 나를 돕는다.
> ➡ Jack helps me _____ I need his help.

① so   ② before   ③ when
④ after   ⑤ because

4형식 문장

08 다음 단어를 배열하여 우리말과 일치하는 문장을 만들 때 네 번째로 오는 것은?

> 그는 그의 가족에게 아침 식사를 만들어 주었다.

① he   ② his   ③ made
④ family   ⑤ breakfast

to부정사의 명사적 용법

09 다음 밑줄 친 to부정사의 용법이 〈보기〉와 같은 것은?

> 보기
> He wants to eat more.

① I like to learn new things.
② I don't have money to save.
③ I'm so sad to *miss the **chance.
　　　　　　　　　　　　　　　*놓치다 **기회
④ I turned off the TV to go to bed.
⑤ I went to the kitchen to drink water.

신경향 비교급과 최상급

10 다음은 세 학생을 비교한 표이다. 표의 내용을 문장으로 나타낼 때 어법상 올바른 것은?

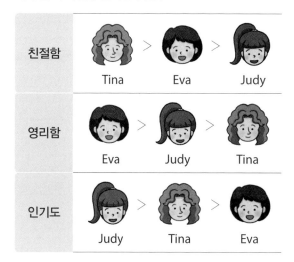

① Eva is kind than Judy.
② Tina is kindest of the three.
③ Judy is not smarter of Eva.
④ Eva is the most smart of the three.
⑤ Judy is the most popular of the three.

4형식 문장의 3형식 전환

11 다음 주어진 단어를 사용하여 의미가 같은 두 개의 문장으로 만드시오.

> a jacket / him / I / buy / will / for

(1) _____ (6단어)

(2) _____ (7단어)

12~13 다음 빈칸에 공통으로 알맞은 것을 고르시오.

to부정사의 부사적 용법

12
> • I was surprised _____ him there.
> • I went to the hospital _____ a doctor.

① see   ② saw   ③ to see

④ to saw   ⑤ seeing

명사절 접속사 that

13
> • He knows _____ I love singing.
> • The °rumor is _____ she died. °소문

① but   ② that   ③ after

④ when   ⑤ because

14~15 다음 빈칸에 들어갈 말로 그림에 알맞은 것을 고르시오.

등위접속사 and

14
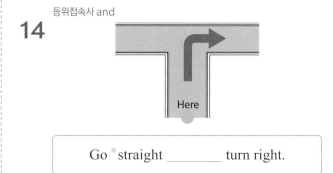

> Go °straight _____ turn right.

① or   ② so   ③ but

④ to   ⑤ and   °곧장

최상급

15

> The °zebra is _____ of the three.

① slower   ② faster

③ slowest   ④ fastest

⑤ the fastest   °얼룩말

부사절 접속사

16 다음 밑줄 친 접속사의 쓰임이 <u>어색한</u> 것은?

① I exercise <u>before</u> I go to bed.

② I can't eat <u>because</u> a °toothache.   °치통

③ I take many pictures <u>when</u> I travel.

④ <u>When</u> it snows, I don't ride a bike.

⑤ She washed the cup <u>after</u> she drank coffee.

재귀대명사의 관용 표현

17 다음 우리말과 일치하도록 할 때 빈칸에 알맞은 것은?

> 그녀는 자주 혼잣말을 한다.
> ➡ She often talks _____ .

① to her   ② herself

③ to herself   ④ for herself

⑤ to herselves

4형식 문장의 3형식 전환

18 다음 문장을 3형식으로 바꾸어 쓸 때 빈칸에 알맞은 것은?

> I asked him a favor.
> ➡ I asked a favor _____ him.

① to   ② of   ③ for

④ at   ⑤ on

19 다음 대화에서 어법상 <u>어색한</u> 부분을 찾아 바르게 고쳐 쓰시오.

> Do you want a green cap and a yellow cap?
>
> I want a green cap.

_____ ➡ _____

to부정사의 해석

20 다음 문장을 우리말로 옮긴 것 중 알맞지 <u>않은</u> 것은?

① She wants to make friends.

➡ 그녀는 친구들을 사귀기를 원한다.

② They were happy to see the singer.

➡ 그들은 그 가수를 봐서 기뻤다.

③ My °goal is to go to °°university.   °목표 °°대학교

➡ 나의 목표는 대학교에 가는 것이다.

④ To climb the mountains is not easy.

➡ 산을 오르는 것은 쉽지 않다.

⑤ He will go to Canada to study English.

➡ 그는 영어를 공부해서 캐나다에 갈 것이다.

셀 수 있는 명사

01 다음 중 빈칸에 들어갈 수 있는 것은?

> There is an _____ on the desk.

① paper ② pencil ③ ruler
④ eraser ⑤ textbook

to부정사의 명사적 용법과 부사적 용법

02 다음 빈칸에 공통으로 알맞은 것은?

> · She wants _____ a good daughter.
> · He drinks milk _____ healthy.

① is ② be ③ being
④ to being ⑤ to be

셀 수 있는 명사의 복수형

03 다음 밑줄 친 부분의 형태가 올바른 것은?

① Look at those puppies.
② The elephant has four foot.
③ I saw many wolfs at the zoo.
④ Mr. and Mrs. Brown have two childrens.
⑤ Some gooses are swimming in the lake.

부사절 접속사 because

04 다음 빈칸에 들어갈 말로 가장 알맞은 것은?

> She wants to be a *vet _____ she loves
> animals.   *수의사

① so ② or ③ but
④ because ⑤ and

신경향 There is/are+명사

05 다음 중 어법상 어색한 문장을 말한 학생의 이름을 쓰고 문장을 바르게 고쳐 쓰시오. (단, 한 단어만 고칠 것)

은지: There isn't air in *space.   *우주

은호: There are two pictures on the wall.

민정: There are many apples in the box.

수호: There are much money in my *wallet.   *지갑

_____ , _____

06~07 다음 그림을 보고 빈칸에 알맞은 접속사를 쓰시오.

등위접속사 but

06

➡ I was sick last night, _____ I'm fine now.

등위접속사 and

07

➡ I °ordered a hamburger, °°French fries, _____ juice.　°주문하다　°°감자튀김

비교급과 최상급

08 다음 중 형용사/부사의 비교급과 최상급이 바르게 연결되지 <u>않은</u> 것은?

① nice – nicer – nicest

② many – much – most

③ high – higher – highest

④ pretty – prettier – prettiest

⑤ important – more important – most important

make+목적어+형용사

09 다음 빈칸에 들어갈 수 <u>없는</u> 것은?

> The story made people _____.

① sad　　　　② happy

③ angry　　　④ °touched　　°감동한

⑤ °°pleasedly　　　　　　°°기쁘게

신경향　접속사의 쓰임

10 다음 그림의 상황에 알맞게 두 문장을 한 문장으로 바르게 연결한 것은?

① I go to bed, or I take a shower.

② I go to bed, and I take a shower.

③ I take a shower after I go to bed.

④ I take a shower when I go to bed.

⑤ I take a shower before I go to bed.

비교급

11 다음 중 빈칸에 들어갈 수 <u>없는</u> 것은?

> Junho is more _____ than Jisung.

① wise
② careful
③ famous
④ popular
⑤ handsome   *잘생긴

4형식 문장

12 다음 우리말을 영어로 바르게 옮긴 것은?

> 점원은 나에게 그 구두를 보여 주었다.

① The *clerk showed the shoes me.   *점원
② The clerk showed me the shoes.
③ The clerk showed the shoes for me.
④ The clerk showed me for the shoes.
⑤ The clerk showed me to the shoes.

최상급

13 다음 그림의 내용과 일치하도록 big과 small을 사용하여 최상급 문장을 완성하시오.

Jerry   Bill   Bob

> Jerry has _____ _____ box, and
> Bob has _____ _____ box.

명사절 접속사 that

14 다음 중 밑줄 친 That[that]의 쓰임이 〈보기〉와 같은 것은?

> ┌ 보기 ┐
> He believes that he is the best cook.

① <u>That</u> building is old.
② This is cheaper than <u>that</u>.
③ I want <u>that</u> black coat.
④ I didn't know <u>that</u> I lost my wallet.
⑤ I went to <u>that</u> restaurant yesterday.

to부정사의 명사적 용법

15 다음 괄호 안에 주어진 단어를 사용하여 질문에 대한 응답을 완성하시오.

> **Q** What do you want to do *in the future?
>   *미래에

➡ I want _____ in space. (travel)

to부정사의 부사적 용법

16 다음 중 밑줄 친 to부정사의 쓰임이 〈보기〉와 같은 것은?

┌─ 보기 ┐
He stopped to pick up trash.

① I don't have time to sleep.
② My job is to °design clothes. °디자인하다
③ He hopes to be a °honest person. °정직한
④ I went to China to learn Chinese.
⑤ Jane was pleased to see her family.

감각동사+형용사

17 다음 중 밑줄 친 부분이 어법상 어색한 것은?

① This milk smells bad.
② Your coat feels warm.
③ This juice tastes sour.
④ His voice sounds beautifully.
⑤ The soup looks very °spicy. °매운

부사절 접속사 when

18 다음 빈칸에 들어갈 말로 알맞은 것은?

Wear your sunglasses _____ it is sunny.

① or   ② so   ③ when
④ that   ⑤ before

4형식 문장의 3형식 전환

19 다음 두 문장이 같은 뜻이 되도록 빈칸에 알맞은 말을 5단어로 쓰시오.

Don't tell him your phone number.
➡ Don't tell _____.

비교급

20 다음 빈칸에 알맞은 말이 순서대로 바르게 짝지어진 것은?

Hana   Sumin   Mike   Ben

Sumin is _____ than Hana.
Ben is _____ than Mike.

① short – weak
② shorter – weaker
③ shorter – weakker
④ more short – more weak
⑤ more shorter – more weaker

RECESS TIME

Wordsearch Puzzle

빈칸에 알맞은
말이나 괄호 안에서
알맞은 것을 퍼즐에서
찾아 보세요.

C	H	I	L	D	R	E	N	X	W
Y	M	T	X	L	I	T	T	L	E
M	O	S	T	P	I	U	Q	Z	H
Z	Q	E	I	A	F	Y	W	T	E
N	B	E	C	A	U	S	E	H	H
H	E	A	V	I	E	R	H	A	E
P	S	W	E	E	T	U	L	T	A
W	H	E	N	F	Z	L	Q	A	R
W	M	U	M	Y	R	T	O	L	D
F	U	N	N	I	E	S	T	S	L

She has a daughter and a son.
She has two _____.

I don't have much money.
I have a _____ money.

The music sounds
(sweet / sweetly).

Put on your raincoat
(because / so) it is raining.

_____ it is dark, don't go out alone.

I was sad to
(hear / heard) the news.

We know _____
the Earth is round.

He (said / told) me his secret.

You are _____ than I. (heavy)

It is the _____ picture of him. (funny)

This is the (more / most) expensive painting in the world.

A.

C	H	I	L	D	R	E	N	X	W
Y	M	T	X	L	I	T	T	L	E
M	O	S	T	P	I	U	Q	Z	H
Z	Q	E	I	A	F	Y	W	T	E
N	B	E	C	A	U	S	E	H	H
H	E	A	V	I	E	R	H	A	E
P	S	W	E	E	T	U	L	T	A
W	H	E	N	F	Z	L	Q	A	R
W	M	U	M	Y	R	T	O	L	D
F	U	N	N	I	E	S	T	S	L

memo

memo

정답과 해설

정답과 해설

01 여러 개를 나타내는 말 뒤에 셀 수 있는 명사가 오면 복수형으로 쓰고, 셀 수 없는 명사는 -s를 붙여 복수형으로 쓸 수 없다. chair와 question은 셀 수 있는 명사이고, water와 advice는 셀 수 없는 명사이다.

☐ **sink** 명 싱크대

☐ **be full of** ~로 가득 찬

☐ **advice** 명 충고

해석

(1) 나는 의자가 다섯 개 필요하다. (chairs)

(2) 나는 많은 질문이 있다. (questions)

(3) 싱크대가 물로 가득 차 있다. (water)

(4) 너의 조언은 도움이 되었다. (advice)

02 money는 셀 수 없는 명사이고, a few(조금 있는)는 셀 수 있는 명사와 쓴다.
① 약간의 ② (양이) 조금 있는 ③ (양이) 많은 ④ (양/수가) 많은 ⑤ (수가) 조금 있는

해석

그는 ①, ② 약간의 ③, ④ 많은 돈을 가지고 있다.

03 ③ These가 여러 개를 가리키고 be동사 are가 쓰였으므로 box의 복수형인 boxes로 쓰는 것이 알맞다.

① be동사가 are이므로 child(아이 한 명)의 복수형인 children이 알맞다.

② teeth는 tooth(이 한 개)의 복수형이다.

④ two 뒤에는 mouse(쥐)의 복수형인 mice가 알맞다.

⑤ many(많은) 뒤에는 candy(사탕)의 복수형인 candies가 알맞다.

☐ **bad** 형 상한

☐ **heavy** 형 무거운

☐ **mouse** 명 쥐

☐ **kitchen** 명 부엌

해석

① 나의 아이들은 다 키가 크다. (→ children)

② Lisa는 한 개의 충치가 있다. (→ tooth)

기초 확인 문제

01 다음 괄호 안에서 알맞은 말을 고르시오.

(1) I need five (chair / chairs).

(2) I have many (question / questions).

(3) The sink is full of (water / waters).

(4) Your (advice / advices) was helpful.

02 다음 중 빈칸에 들어갈 수 없는 것은?

He has _____ money.

① some   ② a little   ③ much
④ a lot of   ⑤ a few

03 다음 중 밑줄 친 부분이 어법상 올바른 것은?

① My child are all tall.

② Lisa has one bad teeth.

③ These boxes are very heavy.

④ I saw two mouse in the kitchen.

⑤ How many candy do you have?

04 다음 중 어법상 어색한 문장을 2개 고르면?

① I need some sugars.

② Do you have paper?

③ We can't live without air.

④ I want peace in my house.

⑤ A love is important for him.

05 다음 문장에서 어법상 어색한 부분을 고쳐 문장을 다시 쓰시오. (단, 한 단어만 고칠 것)

(1)

Much people are on the bus.

➡ Many people are on the bus.

(2)

Put some flours in the bowl.

➡ Put some flour in the bowl.

---

③ 이 상자들은 매우 무겁다.

④ 나는 부엌에서 쥐 두 마리를 봤다. (→ mice)

⑤ 너는 몇 개의 사탕을 가지고 있니? (→ candies)

04 sugar와 love는 셀 수 없는 명사이므로 a와 함께 쓰거나 -s를 붙여 복수형으로 쓸 수 없다.

☐ **without** 전 ~ 없이

☐ **peace** 명 평화

해석

① 나는 설탕이 좀 필요하다. (sugars → sugar)

② 너는 종이를 가지고 있니?

③ 우리는 공기 없이 살 수 없다.

④ 나는 우리 집안에 평화를 원한다.

⑤ 그는 사랑은 중요하다. (A love → A 삭제)

05 (1) much는 셀 수 없는 명사와 함께 써서 '양이 많은'을 나타내므로 셀 수 있는 명사와 쓰는 many로 고치는 것이 알맞다.

06 다음 빈칸에 들어갈 수 있는 것을 2개 고르면?

> There is _____ in the house.

① an old dog   ② many people
③ some smoke   ④ a few children
⑤ two bathrooms

07 다음 빈칸에 들어갈 말이 나머지와 다른 것은?

① There _____ sheep in the farm.
② There _____ a picture on the wall.
③ There _____ an egg in the basket.
④ There _____ some coffee in the cup.
⑤ There _____ a museum in my town.

08 다음 대화의 빈칸에 들어갈 말이 순서대로 바르게 짝지어진 것을 고르시오.

(1)

> A _____ there donuts on the plate?
> B No, _____. There are cookies.

① Is – it isn't   ② Are – they aren't
③ Is – it doesn't   ④ Are – there aren't
⑤ Are – there isn't

(2)

> A _____ there milk in the fridge?
> B Yes, _____. There is a bottle of milk.

① Is – it is   ② Are – they are
③ Is – it does   ④ Are – there aren't
⑤ Is – there is

09 다음 우리말 뜻이 되도록 주어진 단어를 바르게 배열하시오.

> 의자 아래에 신발이 없었다.
> (under / were / there / shoes / the chair / not)

→ There were not shoes under the chair.

10 다음 그림에 알맞게 문장을 완성하시오.

(1) There ___is___ a plane in the sky.
(2) There ___are___ two birds on the roof.
(3) There ___are___ some animals in the yard.

11

---

(2) flour(밀가루)는 셀 수 없는 명사이므로 복수를 나타내는 -s를 붙일 수 없다.

☐ **flour** 명 밀가루
☐ **bowl** 명 (우묵한) 그릇

해석
(1) 많은 사람들이 버스에 있다. (Much → Many)
(2) 그릇에 약간의 밀가루를 넣어라. (flours → flour)

06 be동사가 is이므로 빈칸에는 단수 주어가 와야 한다. smoke(연기)는 셀 수 없는 명사이므로 단수 취급한다. ① 나이 든 개 한 마리 ② 많은 사람들 ③ 약간의 연기 ④ 몇몇 아이들 ⑤ 화장실 두 개

☐ **smoke** 명 연기
☐ **bathroom** 명 욕실

해석
집에 ① 나이 든 개 한 마리 ③ 약간의 연기가 있다.

07 ①의 sheep(양)은 a를 쓰지 않은 복수형이므로 are가 알맞다. ②, ③, ⑤는 주어가 단수이므로 is가 알맞고, ④는 주어가 셀

수 없는 명사이므로 is가 알맞다.

☐ **farm** 명 농장
☐ **egg** 명 계란

해석
① 농장에 양들이 있다. (are)
② 벽에 그림이 한 점 걸려 있다. (is)
③ 바구니에 계란이 한 개 있다. (is)
④ 컵 안에 약간의 커피가 있다. (is)
⑤ 우리 동네에 박물관이 한 개 있다. (is)

08 (1) 질문에서 주어(donuts)가 복수이므로 빈칸에는 Are가 알맞고, Are there ~?에 대한 부정의 응답은 No, there aren't.이다.
(2) 질문에서 주어(milk)가 셀 수 없는 명사이므로 빈칸에는 Is가 알맞고, Is there ~?에 대한 긍정의 응답은 Yes, there is.이다.

☐ **plate** 명 접시
☐ **fridge** 명 냉장고(= refrigerator)

해석
(1) A 접시 위에 도넛이 있니? (Are)
　　B 아니, 없어. (there aren't) 쿠키가 있어.
(2) A 냉장고에 우유가 있니? (Is)
　　B 응, 있어. (there is) 우유 한 통이 있어.

09 「There + be동사 + not + 명사 + 장소를 나타내는 부사구.」 어순으로 쓴다.

10 (1) a plane(비행기 한 대)이 단수 주어이므로 There is가 알맞다.
(2) two birds(새 두 마리)가 복수 주어이므로 There are가 알맞다.
(3) some animals(몇몇 동물들)가 복수 주어이므로 There are가 알맞다.

☐ **sky** 명 하늘
☐ **roof** 명 지붕
☐ **yard** 명 마당

해석
(1) 하늘에 비행기가 한 대 있다.
(2) 지붕 위에 새가 두 마리 있다.
(3) 마당에 몇몇 동물들이 있다.

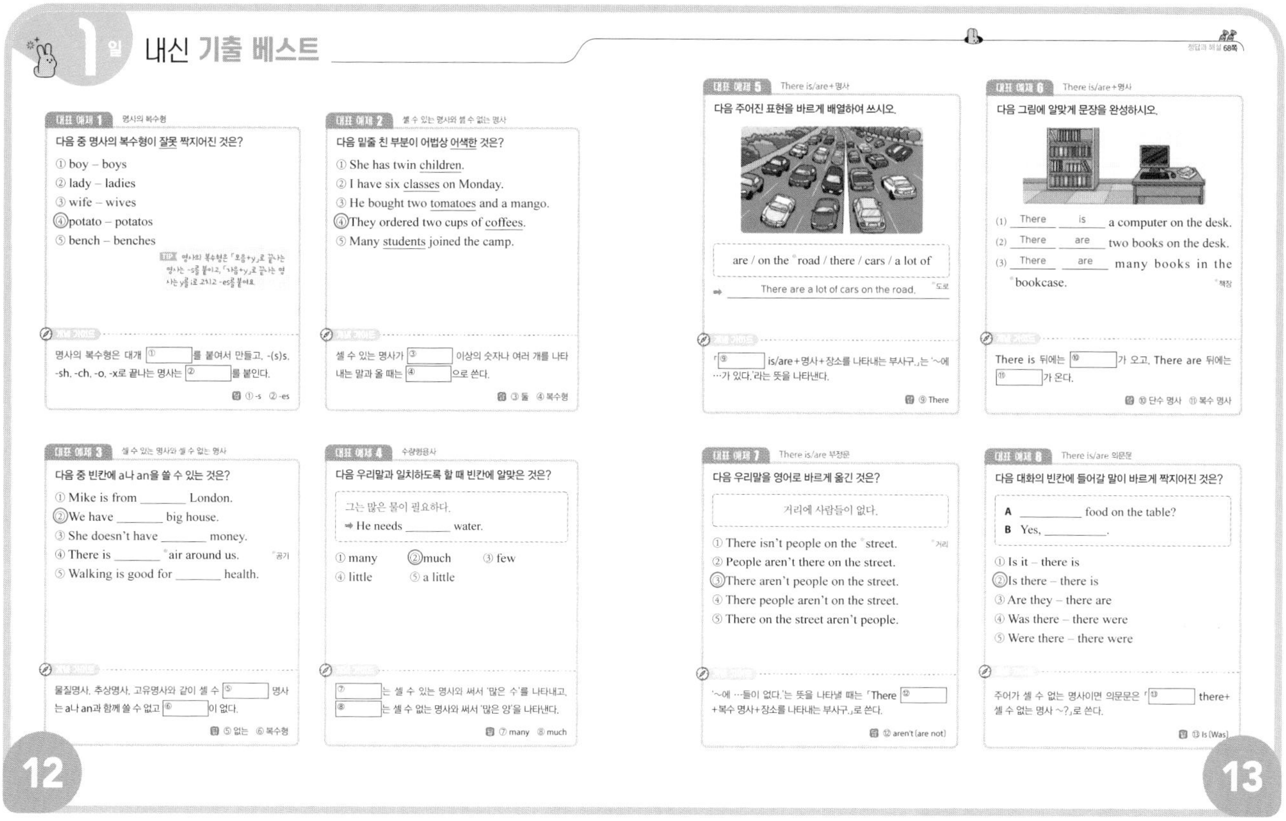

1일 내신 기출 베스트

정답과 해설 68쪽

대표 예제 1 명사의 복수형

다음 중 명사의 복수형이 잘못 짝지어진 것은?

① boy – boys
② lady – ladies
③ wife – wives
④ potato – potatos
⑤ bench – benches

참고 명사의 복수형은 「모음+y」로 끝나는 방는 -s를 붙이고, 「자음+y」로 끝나는 명사는 y를 i로 고치고 -es를 붙인다.

명사의 복수형은 대개 ①＿＿＿를 붙여서 만들고, -s,(s)s, -sh, -ch, -o, -x로 끝나는 명사는 ②＿＿＿를 붙인다.

달 ① -s ② -es

대표 예제 2 셀 수 있는 명사와 셀 수 없는 명사

다음 밑줄 친 부분이 어법상 어색한 것은?

① She has twin children.
② I have six classes on Monday.
③ He bought two tomatoes and a mango.
④ They ordered two cups of coffees.
⑤ Many students joined the camp.

셀 수 있는 명사가 ③＿＿＿ 이상의 숫자나 여러 개를 나타내는 말과 올 때는 ④＿＿＿으로 쓴다.

달 ③ 둘 ④ 복수형

대표 예제 3 셀 수 있는 명사와 셀 수 없는 명사

다음 중 빈칸에 a나 an을 쓸 수 있는 것은?

① Mike is from ＿＿＿ London.
② We have ＿＿＿ big house.
③ She doesn't have ＿＿＿ money.
④ There is ＿＿＿ *air around us. *공기
⑤ Walking is good for ＿＿＿ health.

물질명사, 추상명사, 고유명사와 같이 셀 수 ⑤＿＿＿ 명사는 a나 an과 함께 쓸 수 없고 ⑥＿＿＿이 없다.

달 ⑤ 없는 ⑥ 복수형

대표 예제 4 수량형용사

다음 우리말과 일치하도록 할 때 빈칸에 알맞은 것은?

그는 많은 물이 필요하다.
➡ He needs ＿＿＿ water.

① many ② much ③ few
④ little ⑤ a little

⑦＿＿＿는 셀 수 있는 명사와 써서 '많은 수'를 나타내고, ⑧＿＿＿는 셀 수 없는 명사와 써서 '많은 양'을 나타낸다.

달 ⑦ many ⑧ much

대표 예제 5 There is/are+명사

다음 주어진 표현을 바르게 배열하여 쓰시오.

are / on the *road / there / cars / a lot of

➡ There are a lot of cars on the road. *도로

⑨＿＿＿ is/are+명사+장소를 나타내는 부사구,는 '~에 …가 있다.'라는 뜻을 나타낸다.

달 ⑨ There

대표 예제 6 There is/are+명사

다음 그림에 알맞게 문장을 완성하시오.

(1) There ＿is＿ a computer on the desk.
(2) There ＿are＿ two books on the desk.
(3) There ＿are＿ many books in the *bookcase. *책장

There is 뒤에는 ⑩＿＿＿가 오고, There are 뒤에는 ⑪＿＿＿가 온다.

달 ⑩ 단수 명사 ⑪ 복수 명사

대표 예제 7 There is/are 부정문

다음 우리말을 영어로 바르게 옮긴 것은?

거리에 사람들이 없다. *거리

① There isn't people on the *street.
② People aren't there on the street.
③ There aren't people on the street.
④ There people aren't on the street.
⑤ There on the street aren't people.

'~에 …들이 없다.'는 뜻을 나타낼 때는 「There ⑫＿＿＿+복수 명사+장소를 나타내는 부사구」로 쓴다.

달 ⑫ aren't(are not)

대표 예제 8 There is/are 의문문

다음 대화의 빈칸에 들어갈 말이 바르게 짝지어진 것은?

A ＿＿＿＿＿＿ food on the table?
B Yes, ＿＿＿＿＿＿.

① Is it – there is
② Is there – there is
③ Are they – there are
④ Was there – there were
⑤ Were there – there were

주어가 셀 수 없는 명사이면 의문문은 「⑬＿＿＿ there+셀 수 없는 명사 ~?」로 쓴다.

달 ⑬ Is(Was)

12

13

---

1 ④ -o로 끝나는 명사의 복수형은 -es를 붙여서 만들므로 potatoes가 알맞다.
① 소년 ② 숙녀 ③ 아내 ④ 감자 ⑤ 벤치

2 ④ coffee는 셀 수 없는 명사이므로 복수형이 없고, 나머지는 복수형이 알맞다.
① 그녀는 쌍둥이 아이들이 있다.
② 나는 월요일에 수업이 여섯 개 있다.
③ 그는 토마토 두 개와 망고 한 개를 샀다.
④ 그들은 두 잔의 커피를 주문했다. (→ coffee)
⑤ 많은 학생들이 그 캠프에 참가했다.

3 ① Mike는 런던 출신이다.
② 우리는 큰 집을 가지고 있다. (a)
③ 그녀는 돈을 가지고 있지 않다.
④ 우리 주변에는 공기가 있다.
⑤ 걷기는 건강에 좋다.
☐ **be good for** ~에 좋다

4 ① (수가) 많은 ② (양이) 많은 ③ (수가) 거의 없는 ④ (양이) 거의 없는 ⑤ (양이) 조금 있는, 약간의

5 '도로에 많은 차가 있다.'라는 뜻이 된다.

6 (1) 책상 위에 컴퓨터가 한 대 있다.
(2) 책상 위에 책이 두 권 있다.
(3) 책장에 많은 책이 있다.

7 주어가 사람들(people)이므로 「There aren't + 복수 명사 ~.」 형태가 알맞고, 장소를 나타내는 부사구는 문장 뒤에 쓴다.
☐ **street** 몡 거리

8 주어인 food(음식)가 셀 수 없는 명사이므로 질문은 Is[Was] there ~?가 알맞고, 이에 대한 긍정의 응답은 Yes, there is[was].이다.
A 식탁에 음식이 있니? (Is there)
B 응, 있어. (there is)

기초 확인 문제

정답과 해설 **69쪽**

01 다음 괄호 안에서 알맞은 말을 고르시오.

(1) You (look / look like) tired today.
(2) The water feels (warm / warmly).
(3) The bread smells (chocolate / good).
(4) The song sounds (beautiful / beautifully).

02 다음 우리말과 일치하도록 할 때 빈칸에 알맞은 것은?

> 이 레모네이드는 신맛이 난다.
> ➡ This lemonade _____ sour.

① looks ② smells ③ tastes
④ feels ⑤ sounds

03 다음 빈칸에 들어갈 수 없는 것은?

> The news made him _____.

① sad ② happily
③ serious ④ pleased
⑤ nervous

04 다음 우리말을 영어로 옮긴 것 중 어색한 것은?

① 이 천은 부드러운 느낌이 든다.
  ➡ This cloth feels soft.
② 그 쓰레기는 지독한 냄새가 난다.
  ➡ The trash smells terribly.
③ 그 음악은 멋지게 들린다.
  ➡ The music sounds great.
④ 그 퍼즐은 쉬워 보인다.
  ➡ The puzzle looks easy.
⑤ 그것은 사과 같은 맛이 난다.
  ➡ It tastes like an apple.

05 다음 밑줄 친 ①~⑤ 중 어법상 어색한 것을 찾아 바르게 고쳐 쓰시오.

This pizza ① smells ② very ③ delicious.
It ④ makes me ⑤ hungrily.

⑤ hungrily ➡ hungry

17

---

01 감각동사는 보어로 형용사를 쓴다.

해석

(1) 너는 오늘 피곤해 보인다. (look)
(2) 그 물은 따뜻한 느낌이 든다. (warm)
(3) 그 빵은 좋은 냄새가 난다. (good)
(4) 그 노래는 아름답게 들린다. (beautiful)

02 2형식 문장에서 taste는 형용사를 보어로 써서 '~한 맛이 나다'라는 뜻을 나타낸다. ① ~하게 보이다 ② ~한 냄새가 나다 ③ ~한 맛이 나다 ④ ~한 기분이[느낌이] 들다 ⑤ ~하게 들리다

☐ **sour** 형 맛이 신

03 make는 「make + 목적어 + 형용사」로 써서 '~을 …하게 만들다'라는 뜻을 나타낸다. ② happily는 '행복하게'라는 뜻의 부사이므로 빈칸에 들어갈 수 없다. ① 슬픈 ② 행복하게 ③ 심각한 ④ 기쁜 ⑤ 초조한

☐ **happily** 부 행복하게

☐ **serious** 형 심각한

☐ **nervous** 형 초조한

해석

그 소식은 그를 ① 슬프게 ③ 심각하게 ④ 기쁘게 ⑤ 초조하게 만들었다.

04 2형식 문장에서 감각동사의 보어는 형용사를 쓴다. ② terribly는 부사이므로 terrible로 써야 한다.

☐ **cloth** 명 천

☐ **terribly** 부 지독하게

☐ **puzzle** 명 퍼즐

☐ **easy** 형 쉬운

05 make는 「make + 목적어 + 형용사」로 써서 '~을 …하게 만들다'라는 뜻을 나타낸다. ⑤ hungrily는 '배고 픈 듯이, 게걸스럽게'라는 뜻의 부사이다.

해석

이 피자는 아주 맛있는 냄새가 난다. 그것은 나를 배고 프게 만든다. (⑤ → hungry)

정답과 해설 **69**

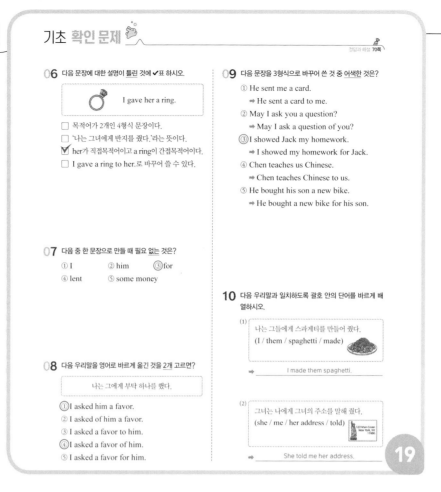

06 다음 문장에 대한 설명이 **틀린** 것에 ✔표 하시오.

I gave her a ring.

- ☐ 목적어가 2개인 4형식 문장이다.
- ☐ '나는 그녀에게 반지를 줬다.'라는 뜻이다.
- ✔ her가 직접목적어이고 a ring이 간접목적어이다.
- ☐ I gave a ring to her.로 바꾸어 쓸 수 있다.

07 다음 중 한 문장으로 만들 때 필요 **없는** 것은?

① I ② him ③ for
④ lent ⑤ some money

08 다음 우리말을 영어로 바르게 옮긴 것을 **2개** 고르면?

나는 그에게 부탁 하나를 했다.

① I asked him a favor.
② I asked of him a favor.
③ I asked a favor to him.
④ I asked a favor of him.
⑤ I asked a favor for him.

09 다음 문장을 3형식으로 바꾸어 쓴 것 중 **어색한** 것은?

① He sent me a card.
  ➡ He sent a card to me.
② May I ask you a question?
  ➡ May I ask a question of you?
③ I showed Jack my homework.
  ➡ I showed my homework for Jack.
④ Chen teaches us Chinese.
  ➡ Chen teaches Chinese to us.
⑤ He bought his son a new bike.
  ➡ He bought a new bike for his son.

10 다음 우리말과 일치하도록 괄호 안의 단어를 바르게 배열하시오.

(1)
나는 그들에게 스파게티를 만들어 줬다.
(I / them / spaghetti / made)

➡ I made them spaghetti.

(2)
그녀는 나에게 그녀의 주소를 말해 줬다.
(she / me / her address / told)

➡ She told me her address.

19

06 주어진 문장은 「주어＋수여동사＋간접목적어＋직접 목적어」로 이루어진 4형식 문장으로 '나는 그녀에게 반지를 줬다.'라는 뜻이다. her가 간접목적어이고 a ring이 직접목적어이며, 3형식 문장으로 바꿀 때는 전 치사 to를 사용한다.

☐ **ring** 몡 반지

해석
나는 그녀에게 반지를 줬다.

07 lent(lend)가 쓰인 4형식 문장인 I lent him some money.(나는 그에게 약간의 돈을 빌려 주었다.)로 만 드는 것이 알맞다. 3형식 문장으로 만들 때는 전치사 to를 사용하여 I lent some money to him.으로 만 들 수 있다.

08 ask는 4형식 문장인 「주어＋ask＋간접목적어＋직접 목적어」로 쓰거나 3형식 문장인 「주어＋ask＋목적어 ＋of＋목적격[명사]」으로 쓸 수 있다.

☐ **favor** 몡 부탁

09 수여동사 send, show, teach가 있는 4형식 문장을 3 형식으로 전환할 때는 전치사 to를 쓰고, buy가 있는 문장은 for를, ask가 있는 문장은 of를 쓴다.

☐ **question** 몡 질문

해석
① 그는 나에게 카드를 보냈다.
② 너에게 질문 하나 해도 되니?
③ 나는 Jack에게 내 숙제를 보여 줬다. (for → to)
④ Chen은 우리에게 중국어를 가르쳐 준다.
⑤ 그는 그의 아들에게 새 자전거를 사 줬다.

10 (1) 「주어＋made＋간접목적어＋직접목적어」로 이루 어진 4형식 문장으로 만든다.
(2) 「주어＋told＋간접목적어＋직접목적어」로 이루어 진 4형식 문장으로 만든다.

☐ **spaghetti** 몡 스파게티
☐ **address** 몡 주소

2일 내신 기출 베스트

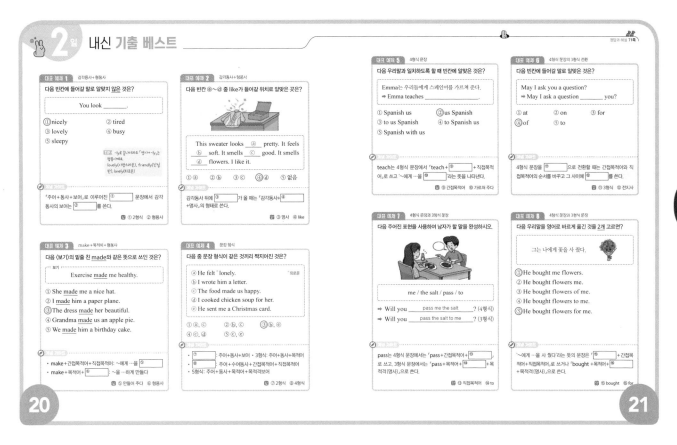

대표 예제 1 감각동사 + 형용사

다음 빈칸에 들어갈 말로 알맞지 않은 것은?

> You look _____.

① nicely ② tired ③ lovely ④ busy ⑤ sleepy

대표 예제 2 감각동사 + 형용사

다음 빈칸 ⓐ~ⓓ 중 like가 들어갈 위치로 알맞은 곳은?

> This sweater looks ⓐ pretty. It feels ⓑ soft. It smells ⓒ good. It smells ⓓ flowers. I like it.

① ⓐ ② ⓑ ③ ⓒ ④ ⓓ ⑤ 없음

대표 예제 3 make + 목적어 + 형용사

다음 〈보기〉의 밑줄 친 made와 같은 뜻으로 쓰인 것은?

> 〈보기〉 Exercise made me healthy.

① She made me a nice hat.
② I made him a paper plane.
③ The dress made her beautiful.
④ Grandma made us an apple pie.
⑤ We made him a birthday cake.

대표 예제 4 문장 형식

다음 중 문장 형식이 같은 것끼리 짝지어진 것은?

> ⓐ He felt lonely.
> ⓑ I wrote him a letter.
> ⓒ The food made me happy.
> ⓓ I cooked chicken soup for her.
> ⓔ He sent me a Christmas card.

① ⓐ, ⓒ ② ⓑ, ⓒ ③ ⓑ, ⓔ ④ ⓒ, ⓓ ⑤ ⓒ, ⓔ

대표 예제 5 4형식 문장

다음 우리말과 일치하도록 할 때 빈칸에 알맞은 것은?

> Emma는 우리들에게 스페인어를 가르쳐 준다.
> ⇒ Emma teaches _____.

① Spanish us ② us Spanish ③ to us Spanish ④ to Spanish us ⑤ Spanish with us

대표 예제 6 4형식 문장의 3형식 전환

다음 빈칸에 들어갈 말로 알맞은 것은?

> May I ask you a question?
> ⇒ May I ask a question _____ you?

① at ② on ③ for ④ of ⑤ to

대표 예제 7 4형식 문장의 3형식 문장

다음 주어진 표현을 사용하여 남자가 할 말을 완성하시오.

> me / the salt / pass / to

⇒ Will you ___pass me the salt___ ? (4형식)
⇒ Will you ___pass the salt to me___ ? (3형식)

대표 예제 8 4형식 문장의 3형식 문장

다음 우리말을 영어로 바르게 옮긴 것을 2개 고르면?

> 그는 나에게 꽃을 사 줬다.

① He bought me flowers.
② He bought flowers me.
③ He bought flowers of me.
④ He bought flowers to me.
⑤ He bought flowers for me.

---

1 ① 멋지게 ② 피곤한 ③ 사랑스러운 ④ 바쁜 ⑤ 졸린
너는 ② 피곤하게 ③ 사랑스럽게 ④ 바쁘게 ⑤ 졸리게 보인다.

2 이 스웨터는 예쁘게 보인다. 그것은 부드러운 느낌이 난다. 그것은 냄새가 좋다. 그것은 꽃 냄새가 난다.(→ It smells like flowers.) 나는 그것이 마음에 든다.
□ **sweater** 명 스웨터

3 〈보기〉와 ③의 made는 '(~을 …하게) 만들었다'라는 뜻이고, 나머지는 '(~을 …에게) 만들어 줬다'라는 뜻이다.
〈보기〉 운동은 나를 건강하게 만들었다.
① 그녀는 나에게 멋진 모자를 만들어 줬다.
② 나는 그에게 종이비행기를 만들어 줬다.
③ 그 드레스는 그녀를 아름답게 만들었다.
④ 할머니는 우리에게 애플파이를 만들어 주셨다.
⑤ 우리는 그에게 생일 케이크를 만들어 줬다.

4 ⓐ 그는 외로웠다. (2형식)
ⓑ 나는 그에게 편지를 썼다. (4형식)
ⓒ 그 음식은 우리를 행복하게 만들었다. (5형식)
ⓓ 나는 그녀에게 닭고기 수프를 요리해 줬다. (3형식)
ⓔ 그는 나에게 크리스마스 카드를 보내 줬다. (4형식)

5 teach가 쓰인 4형식 문장은 「teach + 간접목적어 + 직접목적어」로 쓴다.

6 ask가 쓰인 4형식 문장을 3형식으로 전환할 때는 전치사 of를 쓴다.
너에게 질문 하나 해도 되니?

7 4형식과 3형식 문장 모두 '나에게 소금을 건네줄래?'라는 뜻이 된다.

8 '~에게 …을 사 줬다'라는 뜻의 문장은 4형식인 「bought + 간접목적어 + 직접목적어」로 쓰거나 3형식인 「bought + 목적어 + for + 목적격[명사]」으로 쓴다.

정답과 해설

01 to부정사는 「to + 동사원형」 형태로 주어, 목적어, 보어 자리에 와서 명사처럼 쓰이거나, 명사나 대명사를 형용사처럼 꾸며 주거나, 부사처럼 동사나 형용사, 다른 부사를 꾸며 주는 역할을 한다.

(1) 형용사적 용법

(2) 명사적 용법(주어 역할)

(3) 명사적 용법(목적어 역할)

(4) 부사적 용법

☐ **fun** 형 재미있는

☐ **weekend** 명 주말

해석

(1) 나는 읽을 책이 있다.

　(to read)

(2) 피아노를 치는 것은 재미있다.

　(To play)

(3) 나는 주말에 공부하고 싶지 않다.

　(to study)

(4) 나는 저녁을 먹기 위해 집에 갈 것이다.

　(to have)

02 ①의 to me는 「to + 목적격」 형태이고 여기서 to는 전치사이다. 나머지는 「to + 동사원형」 형태의 to부정사이다.

☐ **say goodbye** 작별 인사를 하다

☐ **do one's best** 최선을 다하다

☐ **important** 형 중요한

☐ **build** 동 짓다, 건설하다

☐ **building** 명 건물

해석

① 그녀는 나에게 편지를 보냈다.

② 그는 작별 인사를 하기 위해 왔다.

③ 나는 여기서 일하지 않기로 결정했다.

④ 최선을 다하는 것이 중요하다.

⑤ 나의 직업은 건물을 짓는 것이다.

---

01 다음 괄호 안에서 알맞은 말을 고르시오.

(1) I have books (**to read** / reading).

(2) (Play / **To play**) the piano is fun.

(3) I don't want (study / **to study**) on weekend.

(4) I will go home (have / **to have**) dinner.

02 다음 밑줄 친 부분의 성격이 나머지와 다른 것은?

① She sent a letter <u>to me</u>.

② He came <u>to say</u> goodbye.

③ I decided not <u>to work</u> here.

④ <u>To do</u> our best is important.

⑤ My job is <u>to build</u> buildings.

03 다음 밑줄 친 to부정사의 쓰임이 같은 것끼리 짝지어진 것은?

ⓐ She doesn't like <u>to exercise</u>.

ⓑ <u>To make</u> new friends is difficult.

ⓒ What do you want <u>to do</u> tomorrow?

ⓓ His plan is <u>to have</u> a surprise party.

① ⓐ, ⓑ　　② ⓐ, ⓒ　　③ ⓐ, ⓓ

④ ⓑ, ⓒ　　⑤ ⓑ, ⓓ

25

04 다음 우리말과 일치하도록 괄호 안의 동사를 사용하여 문장을 완성하시오.

(1)
> 나의 취미는 빵을 굽는 것이다. (bake)

➡ My hobby is <u>to</u> <u>bake</u> bread.

(2)
> 그는 비행기 조종사가 되기를 바란다. (become)

➡ He hopes <u>to</u> <u>become</u> a pilot.

05 다음 우리말을 영어로 바르게 옮긴 것은?

> 만화를 그리는 것은 재미있다.

① Draw cartoons is interesting.

② To draw cartoons is interesting.

③ To draw cartoons are interesting.

④ To interesting is to draw cartoons.

⑤ To be interesting is drawing cartoons.

---

03 to부정사의 명사적 용법 중에서 ⓐ와 ⓒ는 목적어 역할, ⓑ는 주어 역할, ⓓ는 보어 역할을 한다.

☐ **difficult** 형 어려운

☐ **surprise party** 명 깜짝 파티

해석

ⓐ 그녀는 운동하는 것을 좋아하지 않는다.

ⓑ 새 친구들을 사귀는 것은 어렵다.

ⓒ 너는 내일 무엇을 하고 싶니?

ⓓ 그의 계획은 깜짝 파티를 하는 것이다.

04 (1) 동사가 문장에서 보어 자리에 올 때는 to부정사로 쓰므로 to bake가 알맞다. 동명사인 baking으로 쓸 수도 있다.

(2) 동사가 hope의 목적어로 올 때는 to부정사로 쓰므로 to become이 알맞다.

☐ **bake** 동 굽다

☐ **pilot** 명 비행기 조종사

정답과 해설 73쪽

06 다음 문장의 알맞은 곳에 to를 써 넣어 문장을 다시 쓰시오.

(1) Nice meet you.

➡ _____ Nice to meet you.

(2) I don't have money spend.

➡ _____ I don't have money to spend.

07 다음 괄호 안에 주어진 단어의 형태로 알맞은 것은?

He was surprised (hear) the story.

① hear ② hears ③ heard
④ hearing ⑤ to hear

08 다음 빈칸에 들어갈 말이 순서대로 바르게 짝지어진 것은?

· He came to Seoul _____.
· I'll go out _____ a movie.

① travel – watch ② travel – to watch
③ to travel – watch ④ to travel – watching
⑤ to travel – to watch

09 다음 우리말과 일치하도록 괄호 안의 단어를 바르게 배열하시오.

(1)
나는 학교에 가기 위해 버스를 탔다. (school / to / go / to)

➡ I rode the bus _____ to go to school _____.

(2)
Luna는 선물을 받아서 기뻤다. (get / was / to / pleased)

➡ Luna _____ was pleased to get _____ the present.

10 다음 영어를 우리말로 옮긴 것 중 어색한 것은?

① I was sad to lose the game.
➡ 나는 그 게임에서 져서 슬펐다.
② A car stopped to help him.
➡ 차 한 대가 그를 돕기 위해 멈췄다.
③ He exercises to lose weight.
➡ 그는 운동을 해서 체중을 줄인다.
④ She took an exam to be a nurse.
➡ 그녀는 간호사가 되기 위해 시험을 치렀다.
⑤ They save money to buy a house.
➡ 그들은 집을 사기 위해 돈을 모은다.

27

07 hear를 to hear로 써서 감정 형용사 surprised의 원인을 나타내게 한다.

해석

그는 그 이야기를 듣고 놀랐다. (to hear)

08 travel과 watch를 to부정사로 써서 각각 '여행하기 위해서', '보기 위해서'라는 목적의 의미를 나타내게 한다.

☐ **go out** 외출하다, 밖에 나가다

해석

· 그는 여행하기 위해 서울에 왔다. (to travel)
· 나는 영화를 보기 위해 외출할 것이다.
  (to watch)

3일

05 '그리는 것은'의 뜻이 되도록 문장의 주어 자리에 To draw를 쓴다. 주어로 쓰인 to부정사는 단수 취급하므로 동사는 단수 동사 is를 사용한다.

☐ **draw** 통 그리다
☐ **cartoon** 명 만화
☐ **interesting** 형 재미있는

06 (1) 감정을 나타내는 형용사 nice 뒤의 meet을 to meet으로 써서 감정의 원인을 나타내게 한다.
(2) 명사 money 뒤의 spend를 to spend로 써서 money를 꾸며 주는 형용사 역할을 하게 한다.

☐ **spend** 통 (돈을) 쓰다

해석

(1) 너를 만나서 반갑다.
(2) 나는 쓸 돈이 없다.

09 (1) to go to school로 써서 to부정사인 to go가 목적의 의미를 나타내게 한다.
(2) pleased to get으로 써서 to부정사인 to get이 감정 형용사 pleased의 원인을 나타내게 한다.

☐ **present** 명 선물

10 ③ to lose weight는 '체중을 줄이기 위해서'라는 뜻의 목적으로 해석하는 것이 자연스럽다. ①의 to부정사는 sad 뒤에서 감정의 원인을 나타내고, 나머지는 모두 목적을 나타낸다.

☐ **exercise** 통 운동하다
☐ **lose weight** 체중을 줄이다
☐ **nurse** 명 간호사

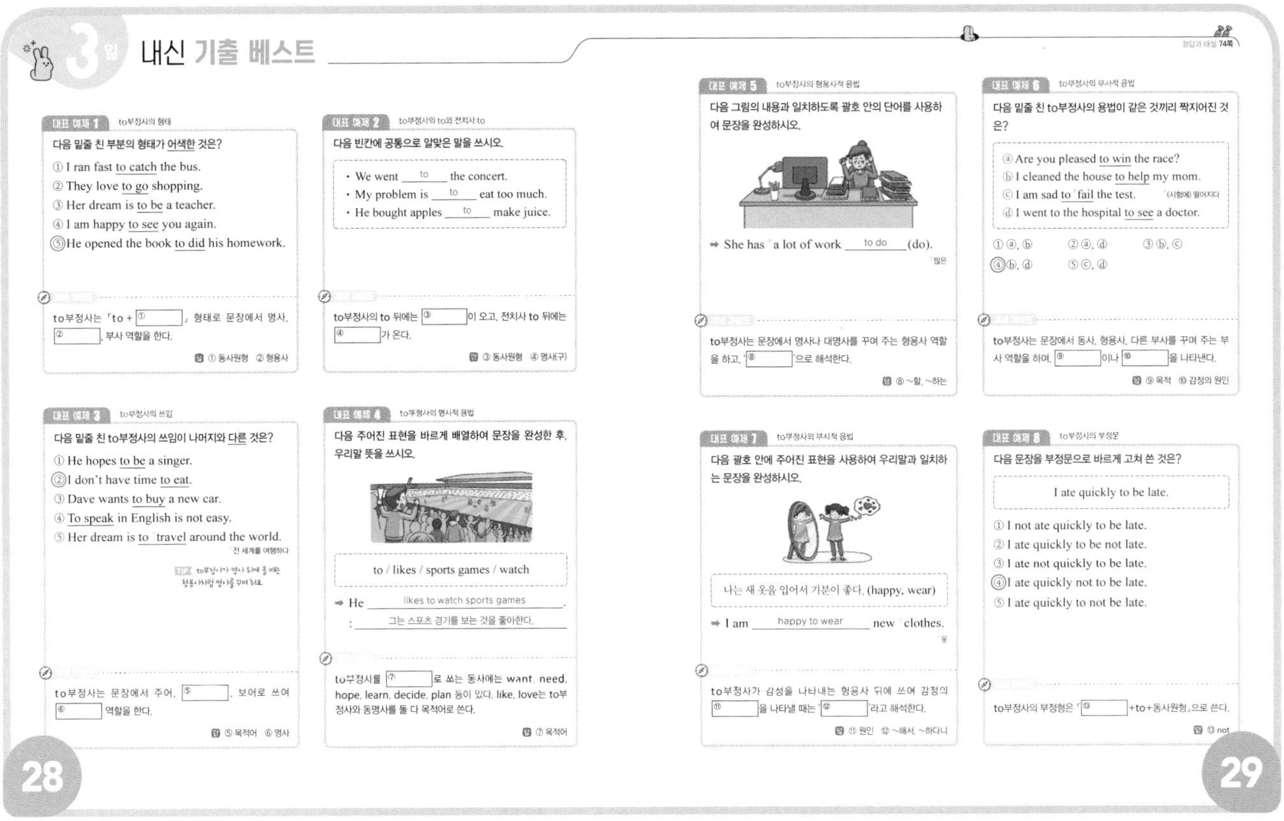

3일 내신 기출 베스트

대표 예제 1 to부정사의 형태

다음 밑줄 친 부분의 형태가 <u>어색한</u> 것은?

① I ran fast <u>to catch</u> the bus.
② They love <u>to go</u> shopping.
③ Her dream is <u>to be</u> a teacher.
④ I am happy <u>to see</u> you again.
⑤ He opened the book <u>to did</u> his homework.

to부정사는 「to + ① _____」 형태로 문장에서 명사,
② _____, 부사 역할을 한다.
📝 ① 동사원형 ② 형용사

대표 예제 2 to부정사의 to와 전치사 to

다음 빈칸에 공통으로 알맞은 말을 쓰시오.

· We went ____to____ the concert.
· My problem is ____to____ eat too much.
· He bought apples ____to____ make juice.

to부정사의 to 뒤에는 ③ _____ 이 오고, 전치사 to 뒤에는
④ _____ 가 온다.
📝 ③ 동사원형 ④ 명사(구)

대표 예제 3 to부정사의 쓰임

다음 밑줄 친 to부정사의 쓰임이 나머지와 <u>다른</u> 것은?

① He hopes <u>to be</u> a singer.
② I don't have time <u>to eat</u>.
③ Dave wants <u>to buy</u> a new car.
④ <u>To speak</u> in English is not easy.
⑤ Her dream is to <u>travel</u> around the world.
전 세계를 여행하다

[어휘] to부정사가 명사 자리에 올 때 형용사처럼 꾸며 주면 틀림!

to부정사는 문장에서 주어, ⑤ _____, 보어로 쓰여
⑥ _____ 역할을 한다.
📝 ⑤ 목적어 ⑥ 명사

대표 예제 4 to부정사의 명사적 용법

다음 주어진 표현을 바르게 배열하여 문장을 완성한 후,
우리말 뜻을 쓰시오.

to / likes / sports games / watch

➡ He ____likes to watch sports games____
: ____그는 스포츠 경기를 보는 것을 좋아한다.____

to부정사를 ⑦ _____ 로 쓰는 동사에는 want, need,
hope, learn, decide, plan 등이 있다. like, love는 to부
정사와 동명사를 둘 다 목적어로 쓴다.
📝 ⑦ 목적어

대표 예제 5 to부정사의 형용사적 용법

다음 그림의 내용과 일치하도록 괄호 안의 단어를 사용하
여 문장을 완성하시오.

➡ She has ˹a lot of work ____to do____ (do).
없은

to부정사는 문장에서 명사나 대명사를 꾸며 주는 형용사 역할
을 하고, ⑧ _____ 으로 해석한다.
📝 ⑧ ~할, ~하는

대표 예제 6 to부정사의 부사적 용법

다음 밑줄 친 to부정사의 용법이 같은 것끼리 짝지어진 것
은?

ⓐ Are you pleased <u>to win</u> the race?
ⓑ I cleaned the house <u>to help</u> my mom.
ⓒ I am sad <u>to fail</u> the test. (시험에) 떨어지다
ⓓ I went to the hospital <u>to see</u> a doctor.

① ⓐ, ⓑ　　② ⓐ, ⓓ　　③ ⓑ, ⓒ
④ ⓑ, ⓓ　　⑤ ⓒ, ⓓ

to부정사는 문장에서 동사, 형용사, 다른 부사를 꾸며 주는 부
사 역할을 하며, ⑨ _____ 이나 ⑩ _____ 을 나타낸다.
📝 ⑨ 목적 ⑩ 감정의 원인

대표 예제 7 to부정사의 부사적 용법

다음 괄호 안에 주어진 표현을 사용하여 우리말과 일치하
는 문장을 완성하시오.

나는 새 옷을 입어서 기분이 좋다. (happy, wear)

➡ I am ____happy to wear____ new clothes.

to부정사가 감성을 나타내는 형용사 뒤에 쓰여 감정의
⑪ _____ 을 나타낼 때는 ⑫ _____ 라고 해석한다.
📝 ⑪ 원인 ⑫ ~해서, ~하다니

대표 예제 8 to부정사의 부정문

다음 문장을 부정문으로 바르게 고쳐 쓴 것은?

I ate quickly to be late.

① I not ate quickly to be late.
② I ate quickly to be not late.
③ I ate not quickly to be late.
④ I ate quickly not to be late.
⑤ I ate quickly to not be late.

to부정사의 부정형은 「⑬ _____ +to+동사원형」으로 쓴다.
📝 ⑬ not

28　　29

---

1 ① 나는 버스를 타기 위해 빨리 달렸다.
② 그들은 쇼핑하러 가는 것을 아주 좋아한다.
③ 그녀의 꿈은 선생님이 되는 것이다.
④ 나는 널 다시 봐서 기쁘다.
⑤ 그는 숙제를 하기 위해 책을 폈다. (→ to do)

2 · 우리는 콘서트에 갔다. (전치사 to)
· 나의 문제는 너무 많이 먹는 것이다. (to부정사의 to)
· 그는 주스를 만들기 위해 사과를 샀다. (to부정사의 to)

3 ① 그는 가수가 되기를 바란다. (명사적 용법: 목적어)
② 나는 먹을 시간이 없다. (형용사적 용법)
③ Dave는 새 차를 사기를 원한다. (명사적 용법: 목적어)
④ 영어로 말하는 것은 쉽지 않다. (명사적 용법: 주어)
⑤ 그녀의 꿈은 전 세계를 여행하는 것이다.
(명사적 용법: 보어)
☐ **travel around the world** 전 세계를 여행하다

4 주어가 He이므로 동사는 likes가 알맞고, to부정사가

like의 목적어가 되도록 to watch로 쓴다.

5 do를 명사 work(일)를 꾸며 주는 to부정사로 써서 '할
일'이라는 뜻이 되게 한다.
그녀는 할 일이 많다.

6 ⓐ 너는 경주에서 이겨서 기쁘니? (감정의 원인)
ⓑ 나는 엄마를 돕기 위해 집 청소를 했다. (목적)
ⓒ 나는 시험에 떨어져서 슬프다. (감정의 원인)
ⓓ 나는 진찰을 받기 위해 병원에 갔다. (목적)
☐ **fail** 图 (시험에) 떨어지다
☐ **see a doctor** 의사의 진찰을 받다

7 happy to wear로 써서 to부정사가 감정을 나타내는 형
용사 뒤에서 감정의 원인을 나타내게 한다.
☐ **clothes** 명 옷

8 to부정사로 '~하지 않기 위해서'라는 부정의 뜻을 나타
낼 때는 「not to + 동사원형」으로 쓴다.

기초 확인 문제

01 다음 빈칸에 알맞은 말을 〈보기〉에서 골라 쓰시오.

> ┌ 보기 ┐
> and   but   or   so

(1) I like math ___and___ science.

(2) You can say yes ___or___ no.

(3) Ann likes me, ___but___ I don't like her.

(4) I got up late, ___so___ I was late for school.

02 다음 밑줄 친 That[that]의 성격이 나머지와 다른 것은?

① He will take that bus.
② That he is rich is true.
③ I think that he is a good boy.
④ I hope that she will get better soon.
⑤ My job is that I take care of children.

03 다음 문장에서 생략할 수 있는 것은?

> Everybody knows that he is a liar.

① is   ② he   ③ that
④ knows   ⑤ Everybody

04 다음 우리말과 일치하도록 할 때 빈칸에 알맞은 것은?

> 오후 8시이지만 여전히 밝다.
> ➡ It is 8 p.m., _____ it is still bright.

① so   ② or   ③ but
④ and   ⑤ that

05 다음 그림의 상황과 일치하도록 접속사를 이용하여 두 문장을 한 문장으로 연결하시오.

> I ate much. + I was too full.

➡ _____ I ate much, so I was too full. _____

33

---

01 접속사 and는 '~와, 그리고', but은 '그러나, 하지만', or는 '아니면, 또는', so는 '그래서, 그러므로'라는 뜻을 나타낸다. 이들 등위접속사는 문법적으로 성격이 같은 것끼리 연결한다.

> 해석
>
> (1) 나는 수학과 과학을 좋아한다. (and)
> (2) 너는 예 아니면 아니요로 말할 수 있다. (or)
> (3) Ann은 나를 좋아하지만 나는 그녀를 좋아하지 않는다. (but)
> (4) 나는 늦게 일어나서 학교에 늦었다. (so)

02 ①의 that은 '저 ~'라는 뜻의 지시형용사이고, 나머지는 명사절을 이끄는 접속사이다.

> ☐ **take care of** ~을 돌보다
>
> 해석
>
> ① 그는 저 버스를 탈 것이다.
> ② 그가 부자라는 것은 사실이다.
> ③ 나는 그가 착한 아이라고 생각한다.

④ 나는 그녀가 곧 나아지기를 희망한다.
⑤ 내 직업은 아이들을 돌보는 것이다.

03 목적어 역할을 하는 명사절 접속사 that은 생략할 수 있다.

> ☐ **liar** 명 거짓말쟁이
>
> 해석
>
> 모두가 그가 거짓말쟁이라는 것을 안다.

04 역접의 내용을 연결할 때는 '그러나, 하지만'이라는 뜻의 접속사 but을 쓴다.

> ☐ **still** 부 여전히
> ☐ **bright** 형 밝은

05 많이 먹은 것과 배가 너무 부른 것은 원인과 결과이므로 접속사 so로 연결하는 것이 알맞다.

> 해석
>
> 나는 많이 먹었다. 나는 배가 너무 불렀다.
> ➡ 나는 많이 먹어서 배가 너무 불렀다.

기초 확인 문제

정답과 해설 76쪽

06 다음 괄호 안에서 알맞은 말을 고르시오.

(1) She wasn't there (when / that) I arrived.

(2) I cleaned the table (before / behind) I left.

(3) Wash the dishes (that / after) you eat.

(4) (Because / Because of) the cold weather, I caught a cold.

---

(2)

> He reads a book before he goes to bed.
> ➡ He goes to bed ___after___ he reads a book.

---

07 다음 밑줄 친 When[when]의 쓰임이 나머지와 다른 것은?

① When did you meet John?

② We don't talk when we eat.

③ Take an umbrella when you go out.

④ When Jina sings, she closes her eyes.

⑤ When it snows, you should drive carefully.

---

09 다음 빈칸에 들어갈 말로 알맞은 것은?

> The party will start when you ___.

① arrive   ② arrived

③ to arrive   ④ will arrive

⑤ are arriving

---

10 다음 그림의 상황에 알맞게 주어진 표현을 바르게 배열하여 문장을 완성하시오.

---

08 다음 두 문장의 의미가 같도록 빈칸에 알맞은 말을 쓰시오.

(1)

> It was Sunday, so I went to church.
> ➡ I went to church ___because___ it was Sunday.

| her son / broke / angry / the TV / because |

➡ She was ___angry because her son broke the TV___.

35

---

06 부사절을 이끄는 접속사에는 when(~할 때), before(~ 전에), after(~ 후에), because(~ 때문에)가 있다. because 뒤에는 절이 오고, because of 뒤에는 명사(구)가 온다.

☐ **catch a cold** 감기에 걸리다

해석

(1) 내가 도착했을 때 그녀는 거기 없었다. (when)

(2) 나는 떠나기 전에 탁자를 치웠다. (before)

(3) 먹은 후에 설거지를 해라. (after)

(4) 추운 날씨 때문에 나는 감기에 걸렸다. (because of)

07 ① 의문사, ②~⑤ 시간의 부사절을 이끄는 접속사

해석

① 너는 John을 언제 만났니?

② 우리는 먹을 때 말하지 않는다.

③ 외출할 때 우산을 가져 가라.

④ 지나는 노래를 부를 때 눈을 감는다.

⑤ 눈이 내릴 때 너는 조심히 운전해야 한다.

08 (1) so는 「원인＋so＋결과」 순서로 쓰고, because는 「결과＋because＋이유」 순서로 쓴다.

(2) 접속사 before는 '~ 전에'를 뜻하고 접속사 after는 '~ 후에'를 뜻한다.

해석

(1) 일요일이어서 나는 교회에 갔다.

➡ 일요일이었기 때문에 나는 교회에 갔다.

(2) 그는 잠자리에 들기 전에 책을 읽는다.

➡ 그는 책을 읽은 후에 잠자리에 든다.

09 시간의 부사절에서는 미래의 내용이라도 현재 시제로 쓴다.

해석 네가 도착할 때 파티는 시작할 것이다. (arrive)

10 이유를 나타내는 접속사 because 앞에는 결과가 오고, 뒤에는 원인이 온다.

해석 그녀는 그녀의 아들이 텔레비전을 망가뜨렸기 때문에 화가 났다.

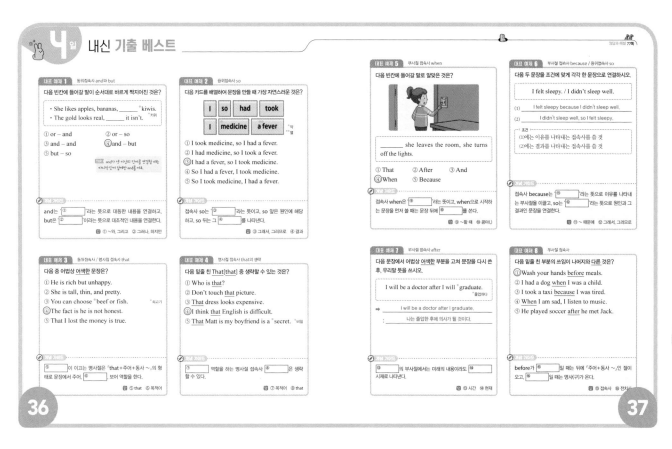

1
• 그녀는 사과, 바나나, 그리고 키위를 좋아한다. (and)
• 그 금은 진짜처럼 보이지만 그렇지 않다. (but)

2 '나는 열이 있어서 약을 먹었다.'라는 뜻의 ③이 자연스럽다. so는 결과를 나타내며 「원인+so+결과」 순서로 쓴다.
☐ **take medicine** 약을 먹다

3 ④ he 앞에 보어 역할의 명사절을 이끄는 접속사 that이 있어야 한다.
① 그는 부자이지만 행복하지 않다.
② 그녀는 키가 크고, 날씬하고, 예쁘다.
③ 너는 쇠고기 또는 생선을 고를 수 있다.
⑤ 내가 돈을 잃어버린 것은 사실이다.

4 ① 저 사람은 누구니? (지시대명사)
② 저 그림[사진]을 만지지 마라. (지시형용사)
③ 저 원피스는 비싸 보인다. (지시형용사)

④ 나는 영어가 어렵다고 생각한다. (목적어 역할의 명사절 접속사)
⑤ Matt이 내 남자 친구라는 것은 비밀이다. (주어 역할의 명사절 접속사)

5 그녀는 방을 떠날 때 전등을 끈다. (When)

6 「결과+because+원인」, 「원인+so+결과」로 쓴다.
나는 졸렸다. / 나는 잠을 제대로 못 잤다.
(1) 나는 잠을 제대로 못 잤기 때문에 졸렸다.
(2) 나는 잠을 제대로 못 자서 졸렸다.

7 시간의 부사절에서는 미래의 내용이라도 현재 시제로 쓴다.

8 ① 식전에 손을 씻어라.
② 나는 어렸을 때 개를 길렀다.
③ 나는 피곤했기 때문에 택시를 탔다.
④ 나는 슬플 때 음악을 듣는다.
⑤ 그는 Jack을 만난 후에 축구를 했다.

01 (1) 비교급은 일반적으로 형용사/부사 뒤에 -er을 붙여서 만든다.

(2) 「자음+y」로 끝나는 형용사/부사의 비교급은 y를 i로 고치고 -er을 붙인다.

(3) 「단모음+단자음」으로 끝나는 형용사/부사의 비교급은 마지막 자음을 한 번 더 쓰고 -er을 붙인다.

(4) 3음절 이상인 형용사/부사의 비교급은 more를 쓴다.

(5) good의 비교급은 better이다.

해석

(1) 나이 든 (2) 바쁜 (3) 크기가 큰 (4) 아름다운 (5) 좋은, 잘하는

02 than이 있으므로 pretty의 비교급인 prettier가 알맞다. 「자음+y」로 끝나는 형용사/부사의 비교급은 y를 i로 고치고 -er을 붙인다.

해석

그녀는 그녀의 여동생보다 더 예쁘다. (prettier)

03 ① 「단모음+단자음」으로 끝나는 형용사/부사의 비교급은 마지막 자음을 한 번 더 쓰고 -er을 붙이므로 thinner가 알맞다.

☐ **fox** 몡 여우

☐ **clever** 혱 영리한

☐ **important** 혱 중요한

해석

① Emma는 나보다 더 말랐다. (→ thinner)

② 나는 너보다 더 열심히 공부한다.

③ 나의 개는 너의 개보다 더 빨리 달린다.

④ 여우가 토끼보다 더 영리하다.

⑤ 건강이 돈보다 더 중요하다.

04 than 앞에 오는 형용사나 부사는 비교급으로 쓰고, ③ strong(힘이 센)의 비교급은 stronger가

기초 확인 문제

정답과 해설 78쪽

01 다음 형용사의 비교급을 쓰시오.

(1) old — <u>older</u>

(2) busy — <u>busier</u>

(3) big — <u>bigger</u>

(4) beautiful — <u>more beautiful</u>

(5) good — <u>better</u>

02 다음 괄호 안의 단어의 올바른 형태로 알맞은 것은?

| She is (pretty) than her sister. |

① pretty   ② prettyer

③prettier   ④ prettiest

⑤ more pretty

03 다음 밑줄 친 비교급이 잘못된 것은?

①Emma is <u>thiner</u> than I.

② I study <u>harder</u> than you.

③ My dog runs <u>faster</u> than your dog.

④ The fox is <u>cleverer</u> than the rabbit.

⑤ Health is <u>more important</u> than money.

41

04 다음 괄호 안에 주어진 단어를 바르게 고쳐 쓴 것은?

① She is (cute) than you. ➡ more cute

② Tim is (short) than Fred. ➡ shortter

③He is (strong) than his dad. ➡ stronger

④ I have (many) friends than Ted. ➡ much

⑤ Kate gets up (early) than I. ➡ more early

05 다음 우리말과 일치하도록 괄호 안의 단어를 사용하여 비교급 문장을 완성하시오.

(1)
| 그는 나보다 더 유명하다. (famous) |

➡ He is <u>more</u> <u>famous</u> <u>than</u> I.

(2)
| 나의 점수는 Jim의 것보다 더 나쁘다. (bad) |

➡ My scores are <u>worse</u> <u>than</u> Jim's.

맞다. ① cute(귀여운)의 비교급은 cuter이다. ② short(키가 작은)의 비교급은 shorter이다. ④ many(많은, 많이)의 비교급은 more이다. ⑤ early(이른, 일찍)의 비교급은 earlier이다.

해석

① 그녀는 너보다 더 귀엽다. (→ cuter)

② Tim은 Fred보다 키가 더 작다. (→ shorter)

③ 그는 그의 아빠보다 힘이 더 세다.

④ 나는 Ted보다 더 많은 친구가 있다. (→ more)

⑤ Kate는 나보다 더 일찍 일어난다. (→ earlier)

05 (1) famous(유명한)의 비교급은 more famous이고, '…보다 더 ~한'은 「비교급+than」으로 나타낸다. than 뒤에는 비교 대상이 온다.

(2) bad(나쁜)는 불규칙 변화하며 비교급은 worse이다. worse than을 써서 '…보다 더 나쁜'의 뜻을 나타낸다.

☐ **score** 몡 점수

정답과 해설 79쪽

06 다음 괄호 안에서 알맞은 말을 고르시오.

(1) I am the (best / most good) cook.

(2) This is the (sadest / saddest) story.

(3) Jim is (fastest / the fastest) in his class.

(4) Math is the (difficultest / most difficult).

07 다음 밑줄 친 최상급이 잘못된 것은?

① Jack is the funniest of my friends.

② The Nile is the longest river in the world.

③ This is the most cheap watch in the store.

④ She is the most famous writer in Korea.

⑤ Russia is the largest country in the world.

08 다음 괄호 안의 단어의 올바른 형태끼리 순서대로 짝지어진 것은?

> · Ruby is the (fat) of my cats.
> · My room is the (dirty) place in the house.

① fatter – dirtier

② fatest – dirtiest

③ fattest – dirtyest

④ fattest – dirtiest

⑤ most fat – most dirty

09 다음 우리말을 영어로 바르게 옮긴 것은?

> 나는 보통 저녁을 혼자 먹는다.

① I usually have dinner myself.

② I usually have dinner to myself.

③ I usually have dinner in myself.

④ I usually have dinner by myself.

⑤ I usually have dinner by myselves.

10 다음 그림을 보고 주어진 단어를 사용하여 최상급 문장을 완성하시오.

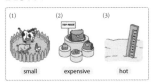

small　　expensive　　hot

(1) The chicken is ___the___ ___smallest___ animal in the farm.

(2) The black bag is ___the___ ___most___ ___expensive___ of the four.

(3) Today is ___the___ ___hottest___ day of the year.

43

---

06 (1) good의 최상급은 best이다.

(2) 「단모음＋단자음」으로 끝나는 형용사/부사의 최상급은 마지막 자음을 한 번 더 쓰고 -est를 붙인다.

(3) 최상급 앞에는 the를 쓴다.

(4) 3음절 이상인 형용사/부사의 최상급은 most를 쓴다.

☐ **math** 뗑 수학

☐ **difficult** 톙 어려운

해석

(1) 나는 최고의 요리사이다. (best)

(2) 이것은 가장 슬픈 이야기이다. (saddest)

(3) Jim은 그의 반에서 가장 빠르다. (the fastest)

(4) 수학이 가장 어렵다. (most difficult)

07 ③ cheap(값싼)의 최상급은 cheapest이다.

☐ **Nile** 뗑 나일 강(the ~)

☐ **writer** 뗑 작가

☐ **large** 톙 넓은

☐ **country** 뗑 국가

해석

① Jack은 나의 친구들 중에서 가장 웃기다.

② 나일 강은 세계에서 가장 긴 강이다.

③ 이것은 그 가게에서 가장 값싼 시계이다.
(→ cheapest)

④ 그녀는 한국에서 가장 유명한 작가이다.

⑤ 러시아는 세계에서 가장 넓은 나라이다.

08 '가장 ~한/하게'를 뜻하는 최상급으로 쓰는 것이 알맞다. fat의 최상급은 마지막 자음을 한 번 더 쓰고 -est를 붙여 만들고, dirty는 y를 i로 고치고 -est를 붙여 만든다.

해석

· Ruby는 나의 고양이 중에서 가장 뚱뚱하다.
(fattest)

· 내 방은 집에서 가장 지저분한 장소이다.
(dirtiest)

09 '(다른 사람 없이) 혼자서'를 뜻하는 재귀대명사 표현은 by oneself이다. 주어가 1인칭 단수인 I이므로 재귀대명사는 소유격 my에 -self를 붙인 myself로 쓴다.

10 (1) small(작은)의 최상급은 smallest이다.

(2) expensive(비싼)의 최상급은 most expensive이다. 3음절 이상인 형용사/부사는 most를 써서 최상급을 나타낸다.

(3) hot(더운)의 최상급은 hottest이다. 「단모음＋단자음」으로 끝나는 형용사/부사는 마지막 자음을 한 번 더 쓰고 -est를 붙여 최상급을 만든다.

해석

(1) 닭이 농장에서 가장 작은 동물이다.
(the smallest)

(2) 검은색 가방이 넷 중에서 가장 비싸다.
(the most expensive)

(3) 오늘이 일 년 중에 가장 더운 날이다.
(the hottest)

5일

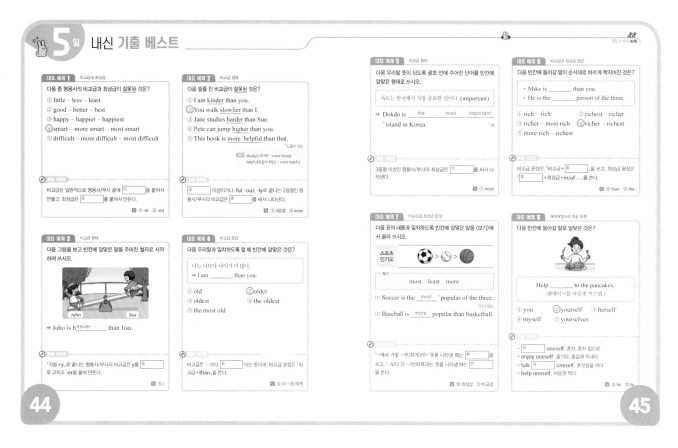

44

45

---

1 ④ smart(똑똑한)의 비교급은 smarter이고, 최상급은 smartest이다.

2 ① 나는 너보다 더 친절하다.
② 너는 나보다 더 느리게 걷는다. (→ more slowly)
③ Jane은 Sue보다 더 열심히 공부한다.
④ Pete는 너보다 더 높이 뛰어오를 수 있다.
⑤ 이 책은 저것보다 더 도움이 된다.

3 '무거운'을 뜻하는 heavy의 비교급은 heavier이고, 「비교급＋than」은 '…보다 더 ~한/하게'의 뜻을 나타낸다. 주호가 지수보다 더 무겁다. (heavier)

4 old(나이 든)의 비교급은 older이다.

5 important(중요한)의 최상급은 most important이고, 최상급 앞에는 the를 써야 한다. 「the＋최상급＋in …」은 '…에서 가장 ~한'이라는 뜻을 나타낸다.

6 첫 번째 빈칸에는 rich의 비교급인 richer가 알맞고, 두 번째 빈칸에는 최상급인 richest가 알맞다.
· Mike는 너보다 더 부유하다. (richer)
· 그는 셋 중에서 가장 부유한 사람이다. (richest)

7 (1) '가장 인기 있는'의 뜻이 되도록 most를 써서 최상급을 만든다.
(2) '더 인기 있는'의 뜻이 되도록 more를 써서 비교급을 만든다.
(1) 축구는 셋 중에서 가장 인기가 있다. (most)
(2) 야구는 농구보다 더 인기가 있다. (more)
☐ **soccer** 몡 축구
☐ **baseball** 몡 야구
☐ **basketball** 몡 농구

8 help oneself (to)는 '~을 마음껏 먹다'라는 뜻의 표현으로 빈칸에는 you의 재귀대명사인 yourself가 알맞다.

셀 수 있는 명사와 셀 수 없는 명사
01 다음 빈칸에 들어갈 수 없는 것은?

There are three _____ in the room.

① men ② boxes ③ babies
④ woman ⑤ children

수량형용사
02 다음 우리말과 일치하도록 할 때 빈칸에 알맞은 것을 2개 고르면?

냄비에 많은 양의 물이 있다.
➡ There is _____ water in the pot.

① little ② many ③ a few
④ much ⑤ a lot of

There is/are 의문문
03 다음 대화의 빈칸에 들어갈 말로 알맞은 것은?

Yes, there is.

① Is it a chicken?
② Where is the chicken?
③ Do you want some chicken?
④ Is there chicken on the dish?
⑤ How many chickens are there?

감각동사+형용사
04 다음 빈칸에 들어갈 말로 알맞은 것은?

This fruit smells _____.

① bad ② nicely
③ badly ④ sweetly
⑤ like bad

4형식 문장의 3형식 전환
05 다음 두 문장의 의미가 같도록 할 때 빈칸에 들어갈 말로 알맞은 것은?

I sent him a letter.
➡ I sent a letter _____ him.

① of ② for ③ so
④ to ⑤ on

46

③ (수가) 조금 있는, 약간의
④ (양이) 많은
⑤ (수/양이) 많은
☐ **pot** 명 냄비

03 응답이 Yes, there is.이므로 Is there ~?로 묻는 말인 ④가 빈칸에 알맞다. chicken이 닭고기를 뜻할 때는 셀 수 없으므로 be동사는 is를 쓴다.

해석

 ④ 접시 위에 닭고기가 있니?

응, 있어.

① 그것은 닭고기니?
② 닭고기는 어디에 있니?
③ 너는 닭고기를 좀 먹을래?
⑤ 몇 마리의 닭이 있니?

6일

01 three가 있으므로 빈칸에는 복수 명사가 와야 한다. ④ woman은 여자 한 명을 뜻하고 복수형은 women이다.
① man(남자)의 복수형
② box(상자)의 복수형
③ baby(아기)의 복수형
④ 여자 (한 명)
⑤ child(아이)의 복수형
해석 방에는 _____이/가 세 명[개] 있다.

02 셀 수 없는 명사의 많은 양을 나타낼 때는 much나 a lot of[lots of]를 사용한다.
① (양이) 거의 없는
② (수가) 많은

04 smell은 '~한 냄새가 난다'라는 뜻의 감각동사이고, 감각동사의 보어는 형용사를 쓴다.
☐ **nicely** 부 멋지게
☐ **badly** 부 나쁘게, 심하게
☐ **sweetly** 부 향기롭게
해석
이 과일은 안 좋은 냄새가 난다. (bad)

05 sent가 쓰인 4형식 문장은 전치사 to를 써서 3형식으로 바꿀 수 있다.
해석
나는 그에게 편지를 보냈다.

정답과 해설

06 borrow를 to부정사인 to borrow로 써서 문장 뒤에서 목적을 나타내게 한다.

[해석]
나는 책을 빌리기 위해 도서관에 갔다.
(to borrow)

07 ① paper(종이)는 셀 수 없는 명사이므로 a와 쓸 수 없다. 종이 한 장은 a piece [sheet] of paper로 나타낼 수 있다.
② school bag(책가방)은 셀 수 있는 명사이고 한 개이므로 There is와 쓴다.
③ water(물)는 셀 수 없는 명사이므로 a little(약간의)과 쓸 수 있고, There is와 쓴다.
④ 주어가 two books이므로 There are와 쓴다.
⑤ 주어가 two erasers and a pencil이므로 There are와 쓴다.

[해석]
① 책상 위에 종이가 있다.
　(a paper → a 삭제)
② 책상 위에 책가방이 하나 있다.
③ 병 안에 약간의 물이 있다.
④ 책가방 안에 책이 두 권 있다.
⑤ 종이 위에 지우개 두 개와 연필 한 자루가 있다.

08 첫 번째 빈칸은 보어 자리이고, 보어 자리에 동사가 올 때는 동명사나 to부정사로 쓸 수 있다. 두 번째 빈칸은 목적어 자리이고, want는 to부정사를 목적어로 쓴다.

09 감정의 원인을 나타내는 to부정사가 되도록 happy 뒤에 to get을 쓴다.

10 bought(buy)가 쓰인 4형식 문장을 3형식으로 바꾸어 쓸 때는 전치사 for를 쓴다.

---

to부정사의 부사적 용법
06 다음 괄호 안에 주어진 단어의 올바른 형태로 알맞은 것은?

> I went to the library (borrow) books.

① borrow　　　② borrowed
③ to borrow　　④ borrowing
⑤ for borrow

There is/are + 명사
07 다음 그림을 묘사한 것 중 어법상 어색한 것은?

① There is a paper on the desk.
② There is a school bag on the desk.
③ There is a little water in the bottle.
④ There are two books in the school bag.
⑤ There are two erasers and a pencil on the paper.

to부정사의 명사적 용법
08 다음 빈칸에 들어갈 말이 순서대로 바르게 짝지어진 것은?

> • His hobby is _____ yoga.
> (그의 취미는 요가를 하는 것이다.)
> • He wants _____ yoga every morning.
> (그는 매일 아침 요가를 하기를 원한다.)

① do – do
② doing – do
③ doing – doing
④ to do – to do
⑤ to do – doing

to부정사의 부사적 용법
09 다음 우리말과 일치하도록 괄호 안에 주어진 단어를 배열하여 문장을 완성하시오.

> 나는 네 편지를 받아서 기뻤다.
> (get / to / happy)

➡ I was ___happy to get___ your letter.

4형식 문장의 3형식 전환
10 다음 문장과 의미가 통하도록 빈칸에 알맞은 말을 쓴후, 우리말 뜻을 쓰시오.

> He bought me lunch.

➡ He bought ___lunch___ ___for___ ___me___.
: _____ 그는 나에게 점심을 사 주었다. _____

47

6일 누구나 100점 테스트 2회

비교급과 최상급
01 다음 중 형용사의 비교급과 최상급이 바르게 연결되지 않은 것은?

① ill – worse – worst
② big – bigger – biggest
③ easy – easier – easiest
④ useful – usefuler – usefulest　^유용한
⑤ beautiful – more beautiful – most beautiful

명사절 접속사 that
02 다음 괄호 안에서 알맞은 것을 고르시오.

I heard (that / what) he was sick in bed.

03~04 다음 빈칸에 들어갈 말로 알맞은 것을 고르시오.

등위접속사 and
03

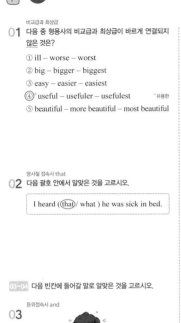

I am tired _____ sleepy.

① so 　② or 　③ when
④ but 　⑤ and

비교급
04

Today is _____ than yesterday.

① hot 　② hotter 　③ the hottest
④ more hot 　⑤ the most hot

최상급
05 다음 그림을 묘사한 문장 중 밑줄 친 부분이 어색한 것은?

Candy 10살 | 5 kg
Kitty 2살 | 3 kg
Leo 5살 | 10 kg

① Leo is the biggest of the three.
② Kitty is the smallest of the three.
③ Candy is the oldest of the three.
④ Leo is the heaviest of the three.
⑤ Kitty is the most young of the three.

48

---

01 ④ useful의 비교급은 more useful이고, 최상급은 most useful이다. 3음절 이상이거나 -ful, -ous, -ly로 끝나는 2음절인 형용사/부사는 more와 most를 써서 비교급과 최상급을 나타낸다.
① 아픈, 나쁜
② 크기가 큰
③ 쉬운
④ 유용한
⑤ 아름다운

02 목적어 역할을 하는 명사절을 이끄는 접속사 that이 오는 것이 알맞다.
☐ **heard** 통 hear(듣다)의 과거형
☐ **sick in bed** 아파 누워 있다
해석
나는 그가 아파 누워 있었다고 들었다.

03 and로 연결하여 '나는 피곤하고 졸리다.'라는 뜻이 되게 한다.
① 그래서, 그러므로
② 아니면, 또는
③ ~할 때
④ 그러나, 하지만
⑤ 그리고, ~와
☐ **tired** 형 피곤한
☐ **sleepy** 형 졸린
해석
나는 피곤하고 졸리다. (and)

04 than이 있으므로 빈칸에는 hot의 비교급인 hotter가 오는 것이 알맞다. hot처럼 「단모음＋단자음」으로 끝나는 단어의 비교급은 마지막 자음을 한 번 더 쓰고 -er을 붙인다.
☐ **today** 명 부 오늘
☐ **yesterday** 명 부 어제
해석
오늘은 어제보다 더 덥다. (hotter)

05 ⑤ '나이 어린'을 뜻하는 young의 최상급은 youngest이다. 3음절 이상이거나 2음절이지만 -ful, -ous, -ly로 끝나는 형용사/부사는 most를 써서 최상급으로 만든다.
해석
① Leo는 셋 중에서 가장 크기가 크다.
② Kitty는 셋 중에서 가장 크기가 작다.
③ Candy는 셋 중에서 가장 나이가 많다.
④ Leo는 셋 중에서 가장 무겁다.
⑤ Kitty는 셋 중에서 가장 어리다.
　(→ youngest)

6일

정답과 해설

06 ③ 접속사 that 뒤에는 「주어＋동사 ～」가 이어진다.
①, ②의 that은 지시대명사이고, ④, ⑤의 that은 지시형용사이다.
☐ **believe** 图 믿다

해석
① 저것은 네 책이니?
② 저것을 믿지 마라.
③ 나는 그가 친절하다고 생각한다.
④ 저 영화를 보자.
⑤ 나는 저 남자를 모른다.

07 ③ 주어진 문장은 '기침을 할 때 입을 가려라.'라는 뜻이 되는 것이 알맞으므로 명사절을 이끄는 접속사 that이 아니라 '～할 때'라는 뜻으로 시간의 부사절을 이끄는 접속사 when을 쓰는 것이 알맞다.
① after(～ 후에), ② when(～할 때), ⑤ before(～ 전에)는 시간의 부사절을 이끄는 접속사이고, ④ because(～ 때문에)는 이유의 부사절을 이끈다.
☐ **cough** 图 기침하다
☐ **cover** 图 덮다

해석
① 나는 학교를 마친 후에 수영하러 간다.
② 그녀는 시간이 있을 때 책을 읽는다.
③ 기침을 할 때 입을 가려라. (→ When)
④ Tony는 그의 손목시계를 잃어버려서 슬펐다.
⑤ 텔레비전을 보기 전에 숙제를 해라.

08 두 문장이 원인과 결과로 이어지도록 '그래서, 그러므로'라는 뜻의 so를 쓰는 것이 알맞다. so는 「원인＋so＋결과」로 문장을 연결하고, because는 「결과＋because＋원인」으로 문장을 연결한다.

해석
나는 감기에 걸려서 약을 먹었다. (so)

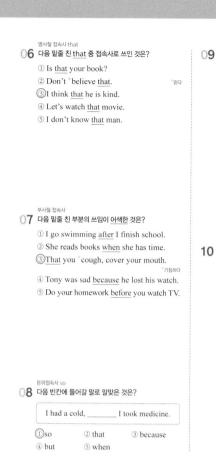

명사절 접속사 that
06 다음 밑줄 친 that 중 접속사로 쓰인 것은?
① Is that your book?
② Don't *believe that. *믿다
③ I think that he is kind.
④ Let's watch that movie.
⑤ I don't know that man.

부사절 접속사
07 다음 밑줄 친 부분의 쓰임이 어색한 것은?
① I go swimming after I finish school.
② She reads books when she has time.
③ That you *cough, cover your mouth. *기침하다
④ Tony was sad because he lost his watch.
⑤ Do your homework before you watch TV.

등위접속사 so
08 다음 빈칸에 들어갈 말로 알맞은 것은?
I had a cold, _____ I took medicine.
① so   ② that   ③ because
④ but   ⑤ when

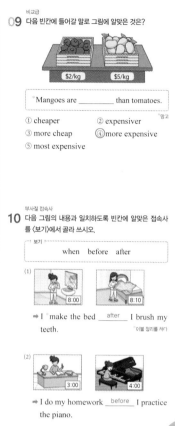

비교급
09 다음 빈칸에 들어갈 말로 그림에 알맞은 것은?
$2/kg $5/kg
*Mangoes are _____ than tomatoes. *망고
① cheaper   ② expensiver
③ more cheap   ④ more expensive
⑤ most expensive

부사절 접속사
10 다음 그림의 내용과 일치하도록 빈칸에 알맞은 접속사를 〈보기〉에서 골라 쓰시오.
〈보기〉 when   before   after
(1) 8:00 8:10
➡ I make the bed ___after___ I brush my teeth. *이불 정리를 하다
(2) 3:00 4:00
➡ I do my homework ___before___ I practice the piano.

49

09 망고가 토마토보다 더 비싸므로 빈칸에는 expensive(비싼)의 비교급인 more expensive가 알맞다.
☐ **mango** 图 망고

해석
망고가 토마토보다 더 비싸다. (more expensive)

10 (1) 이를 닦은 후에 이불 정리를 하므로 빈칸에는 '～ 후에'를 뜻하는 접속사 after가 알맞다.
(2) 피아노를 연습하기 전에 숙제를 하므로 빈칸에는 '～ 전에'를 뜻하는 접속사 before가 알맞다.
☐ **make the bed** 이불 정리를 하다

해석
(1) 나는 이를 닦은 후에 이불 정리를 한다. (after)
(2) 나는 피아노를 연습하기 전에 숙제를 한다. (before)

6일 창의·융합·서술·코딩 테스트 ①

셀 수 있는 명사와 셀 수 없는 명사

01 다음 중 어법상 어색한 문장을 찾아 바르게 고쳐 다시 쓰시오. (단, 한 단어만 고칠 것)

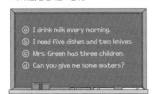

ⓐ I drink milk every morning.
ⓑ I need five dishes and two knives.
ⓒ Mrs. Green has three children.
ⓓ Can you give me some waters?

___ⓓ___, _____ Can you give me some water?

감각동사와 수여동사

02 다음 그림을 보고 〈보기〉에서 알맞은 것을 골라 대화를 완성하시오.

┌ 보기 ────────────────────┐
│ looks give looks like bought │
└──────────────────────────┘

 This bike ___looks___ nice.
It's my brother's.
My mom ___bought___ it for him.
I'll ___give___ him this helmet.
It ___looks like___ a *ladybug.
ᵃ무당벌레

to부정사의 부사적 용법

03 다음 우리말과 일치하도록 괄호 안에 주어진 단어를 배열하여 문장을 완성하시오.

┌──────────────────────┐
│ Jack은 버스를 타기 위해 달렸다. │
│ (catch / to / the bus) │
└──────────────────────┘

➡ Jack ran _____ to catch the bus _____.

4형식 문장과 3형식 전환

04 다음 주어진 단어를 사용하여 조건에 맞는 문장을 쓰시오.

her dog / made / a house / she

(1) _____ She made her dog a house.
(2) _____ She made a house for her dog.

┌ 조건 ──────────────────┐
│ (1) 4형식 문장으로 쓸 것 │
│ (2) 전치사를 사용하여 3형식 문장으로 쓸 것 │
└──────────────────────┘

to부정사의 명사적 용법

05 다음 문장의 굵은 부분에 유의하여 우리말로 해석하시오.

┌──────────────────────┐
│ **To take** pictures is my hobby. │
└──────────────────────┘

➡ _____ 사진을 찍는 것은 나의 취미이다. _____

50

- give는 4형식 문장에서 「give + 간접목적어 + 직접목적어」 어순으로 써서 '~에게 …을 주다'라는 뜻을 나타낸다.
- 감각동사 뒤에 명사가 올 때는 동사 뒤에 like를 쓰며 「look like + 명사」는 '~처럼 보이다'라는 뜻을 나타낸다.

☐ **helmet** 명 헬멧
☐ **ladybug** 명 무당벌레

[해석]

 이 자전거는 좋아 <u>보여</u>. (looks)

 그건 내 남동생 거야.
엄마가 그에게 <u>사 주셨어</u>.
(bought)
나는 그에게 이 헬멧을 줄 거야.
(give)

 그것은 무당벌레<u>처럼 보여</u>.
(looks like)

03 Jack이 달린 이유가 버스를 타려는 목적이었으므로 '~하기 위해서'라는 목적을 나타내는 to부정사를 사용하여 나타낸다.

☐ **catch** 동 (버스나 기차를 시간 맞춰) 타다

6일

04 made는 4형식 문장에서는 「made + 간접목적어 + 직접목적어」 어순으로 쓰고, 전치사 for를 사용하여 3형식으로 바꾸어 쓸 수 있다.
(1), (2) 두 문장 모두 '그녀는 그녀의 개에게 집을 만들어 주었다.'라는 뜻이다.

---

01 ⓓ water는 셀 수 없는 명사로 -s를 붙여서 복수형으로 쓸 수 없다.

☐ **dish** 명 접시, 음식
☐ **knife** 명 칼(pl. knives)

[해석]
ⓐ 나는 매일 아침 우유를 마신다.
ⓑ 나는 접시 5개와 칼 2개가 필요하다.
ⓒ Green 부인은 세 명의 아이들이 있다.
ⓓ 나에게 물을 좀 줄 수 있니?
(waters → water)

02 · 감각동사 look 뒤에는 형용사가 보어로 오고 「look + 형용사」는 '~하게 보이다'라는 뜻을 나타낸다.
· bought(buy)는 3형식 문장에서 「bought + 목적어 + for + 목적격〔명사〕」 어순으로 써서 '~에게 …을 사 줬다'라는 뜻을 나타낸다.

05 to부정사가 문장에서 주어, 목적어, 보어 자리에 와서 명사처럼 쓰일 때는 '~하는 것'이라는 뜻을 나타낸다.

☐ **take pictures** 사진을 찍다
☐ **hobby** 명 취미

06 by oneself가 '혼자, 혼자 힘으로'라는 뜻이므로 him을 재귀대명사인 himself로 쓴다.

07 (1) A의 가격이 셋 중에서 가장 싸고, cheap의 최상급은 cheapest이다.
(2) B의 무게가 셋 중에서 가장 가볍고, light의 최상급은 lightest이다.
(3) C의 편안함이 셋 중에서 가장 좋고, comfortable의 최상급은 most comfortable이다.

□ **cheap** 형 값싼
□ **light** 형 가벼운
□ **comfortable** 형 편한

해석

(1) A는 셋 중에서 가장 값이 싸다.
　(cheapest)
(2) B는 셋 중에서 가장 가볍다.
　(lightest)
(3) C는 셋 중에서 가장 편하다.
　(most comfortable)

08 '~ 전에'를 뜻하는 접속사 before가 쓰인 문장을 '~ 후에'를 뜻하는 접속사 after가 쓰인 문장으로 바꿀 때는 before 앞과 뒤의 문장의 순서를 바꾼 후 after로 연결하면 된다.

해석

내가 도착하기 전에 그 상점은 문을 닫았다.
➡ 그 상점이 문을 닫은 후에 내가 도착했다.

09 (1) 많은 수의 도넛은 many donuts로 쓴다.
(2) 많은 양의 빵은 much bread로 쓰고, 셀 수 없는 주어에는 be동사는 is를 쓴다.
(3) 약간의 주스는 a little juice로 쓰고, 셀 수 없는 주어에는 be동사는 is를 쓴다.

해석

(1) 상자 안에는 많은 도넛이 있다.

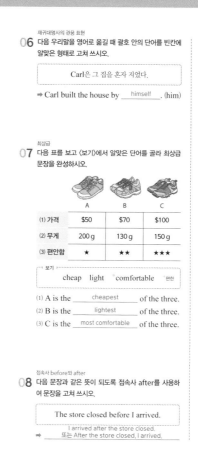

재귀대명사의 관용 표현

06 다음 우리말을 영어로 옮길 때 괄호 안의 단어를 빈칸에 알맞은 형태로 고쳐 쓰시오.

> Carl은 그 집을 혼자 지었다.

➡ Carl built the house by ___himself___ . (him)

최상급

07 다음 표를 보고 〈보기〉에서 알맞은 단어를 골라 최상급 문장을 완성하시오.

	A	B	C
(1) 가격	$50	$70	$100
(2) 무게	200 g	130 g	150 g
(3) 편안함	★	★★	★★★

보기
cheap　light　comfortable　형

(1) A is the ___cheapest___ of the three.
(2) B is the ___lightest___ of the three.
(3) C is the ___most comfortable___ of the three.

접속사 before와 after

08 다음 문장과 같은 뜻이 되도록 접속사 after를 사용하여 문장을 고쳐 쓰시오.

> The store closed before I arrived.

➡ I arrived after the store closed.
또는 After the store closed, I arrived.

There is/are + 명사, 명사의 수량 표현

09 다음 그림을 보고 〈보기〉의 단어를 사용하여 문장을 완성하시오. (필요시 형태를 고칠 것)

보기
a little　many　much
bread　donut　juice

(1) There are ___many donuts___ in the box.
(2) There ___is much bread___ in the basket.
(3) There ___is a little juice___ in the bottle.

등위접속사

10 다음 주어진 문장 뒤에 자연스럽게 이어지도록 〈보기〉에서 알맞은 것을 골라 쓰시오.

보기
ⓐ so he likes her
ⓑ but he wasn't full
ⓒ and he did his homework
ⓓ or he will not come

(1) Yumi is kind, ___ⓐ so he likes her___
(2) He came home, ___ⓒ and he did his homework___
(3) Bob'll come late ___ⓓ or he will not come___
(4) He ate lunch, ___ⓑ but he wasn't full___

51

(many donuts)
(2) 바구니 안에는 많은 빵이 있다.
　(is much bread)
(3) 병 안에는 약간의 주스가 있다.
　(is a little juice)

10 접속사 so(그래서, 그러므로)는 결과를 나타내고, but(그러나, 하지만)은 대조적인 내용을 연결한다. and(그리고, ~와)는 대응되는 내용을 연결하고, or(아니면, 또는)는 선택을 나타낸다.

□ **full** 형 배부른

해석

(1) 유미는 친절하다. ⓐ 그래서 그는 그녀를 좋아한다.
(2) 그는 집에 왔다. ⓒ 그리고 그는 숙제를 했다.
(3) Bob은 늦게 올 것이다. ⓓ 아니면 그는 오지 않을 것이다.
(4) 그는 점심을 먹었다. ⓑ 그러나 그는 배가 부르지 않았다.

6일 창의·융합·서술·코딩 테스트 ❷

셀 수 없는 명사의 수량 표현

01 〈보기〉에서 용기나 모양을 나타내는 단어를 골라 올바른 형태로 써서 셀 수 없는 명사의 수량을 표현해 봅시다.

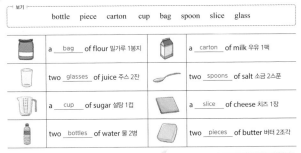

┌─ 보기 ─────────────────────────────────────┐
bottle   piece   carton   cup   bag   spoon   slice   glass
└──┘

a __bag__ of flour 밀가루 1봉지   a __carton__ of milk 우유 1팩

two __glasses__ of juice 주스 2잔   two __spoons__ of salt 소금 2스푼

a __cup__ of sugar 설탕 1컵   a __slice__ of cheese 치즈 1장

two __bottles__ of water 물 2병   two __pieces__ of butter 버터 2조각

셀 수 없는 명사의 수량은 「a/an+용기/모양+of」 형태로 나타낼 수 있어요. 여러 개를 표현할 때는 용기나 모양을 나타내는 말을 복수형으로 써 줘요.

창의·융합 비교급

02 비교급을 사용하여 나와 가족 구성원을 비교해 봅시다.

Step 1 다양한 형용사와 비교급을 나타낸 표를 완성한다.

반대말		
tall	↔	short
heavy	↔	light
smart	↔	stupid
old	↔	young
strong	↔	weak
diligent	↔	lazy
handsome	↔	ugly

비교급	
taller	shorter
heavier	lighter
smarter	stupider
older	younger
stronger	weaker
more diligent	lazier
more handsome	uglier

52

을 붙여 만들고, 「자음+y」로 끝나는 형용사/부사는 y를 i로 고치고 -er을 붙이고, 3음절 이상인 형용사/부사는 more를 써서 만든다.

해석

반대말	
키가 큰	키가 작은
무거운	가벼운
똑똑한	어리석은
나이 든	어린
힘이 센	약한
부지런한	게으른
잘생긴	못생긴

↓

비교급	
키가 더 큰	키가 더 작은
더 무거운	더 가벼운
더 똑똑한	더 어리석은
더 나이 든	더 어린
힘이 더 센	더 약한
더 부지런한	더 게으른
더 잘생긴	더 못생긴

Step 2 두 사람을 비교하여 '…보다 더 ~한'의 뜻을 나타낼 때는 「비교급+than」을 사용하고, than 뒤에 비교 대상을 쓴다.

해석

[예시 답안]
나는 나의 <u>남동생</u>보다 <u>키가 더 크</u>다.
나의 <u>여동생</u>은 나보다 <u>키가 더 작</u>다.
우리 <u>엄마</u>는 우리 아빠보다 <u>더 부지런하</u>시다.
우리 <u>아빠</u>는 나의 삼촌보다 <u>힘이 더 세</u>시다.

---

01 빈칸에 그림에 알맞은 용기나 모양을 나타내는 말을 찾아 a 뒤에는 단수형으로, two 뒤에는 복수형으로 쓴다.

셀 수 없는 명사의 수량은 little, a little, some, much와 같은 수량 형용사를 사용하거나, 용기나 모양을 나타내는 말을 「a/an+용기/모양+of」 형태로 써서 나타낼 수 있다. 둘 이상을 나타내는 단어를 써서 여러 개를 표현할 때는 용기나 모양을 나타내는 말을 복수형으로 써 준다.

단수	복수	단수	복수
bottle (유리/플라스틱) 병	bottles	piece 조각	pieces
carton 종이 용기(갑)	cartons	cup 컵	cups
bag 봉지/자루	bags	spoon 스푼	spoons
slice 얇은 조각(장)	slices	glass 유리잔	glasses

02 **Step 1** 형용사/부사의 비교급은 일반적으로 원급(원래 형태)에 **-er**

정답과 해설

03 **Step 1** 형용사/부사의 최상급은 일반적으로 원급(원래 형태)에 -est를 붙여서 만들고, big처럼 「단모음+단자음」으로 끝나는 형용사/부사는 마지막 자음을 한 번 더 쓰고 -est를 붙여 준다. 3음절 이상인 형용사/부사의 최상급은 most를 붙여 만든다.

해석

원급	키가 큰	긴
최상급	키가 가장 큰	가장 긴

원급	크기가 큰	비싼
최상급	크기가 가장 큰	가장 비싼

Step 2 여럿 중에서 '가장 ~한/하게'를 표현할 때는 최상급을 사용하고, 「the+최상급+in/of ...」 형태로 써서 '…에서 가장 ~한/하게'라는 뜻을 나타낼 수 있다.

해석

■ 아마존 강은 세계에서 가장 긴 강이다.
(the longest)

② 부르즈 할리파는 세계에서 가장 높은 건물이다.
(the tallest)

③ 살바토르 문디는 세계에서 가장 비싼 그림이다.
(the most expensive)

④ 대왕고래는 세계에서 가장 큰 동물이다.
(the biggest)

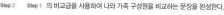

정답과 해설 47~86쪽

Step 2 **Step 1** 의 비교급을 사용하여 나와 가족 구성원을 비교하는 문장을 완성한다.

[예시 답안]

My family & I

I am ___taller___ than ___my brother___.
My ___sister___ is ___shorter___ than ___I(me)___.
My ___mom___ is ___more diligent___ than ___my dad___.
My ___dad___ is ___stronger___ than ___my uncle___.

두 사람을 비교하여 '…보다 더 ~한'의 뜻을 나타낼 때는 「비교급+than」을 사용하고, than 뒤에 비교 대상을 써요.

형의 융합 최상급

03 최상급을 사용하여 세계 최고의 것을 소개해 봅시다.

Step 1 표의 빈칸에 주어진 형용사의 최상급을 쓴다.

원급	tall	long	big	expensive
최상급	tallest	longest	biggest	most expensive

Step 2 **Step 1** 의 최상급을 사용하여 세계 최고의 것을 소개하는 문장을 완성한다.

최상급 앞에는 the를 써요.

The World Best

■ The Amazon River is ___the longest___ river in the world.

② Burj Khalifa is ___the tallest___ building in the world.

③ Salvator Mundi is ___the most expensive___ painting in the world.

④ The blue whale is ___the biggest___ animal in the world.

① 세계에서 가장 긴 강 '아마존 강'
② 세계에서 가장 높은 건물 '부르즈 할리파'
③ 세계에서 가장 비싼 그림 '살바토르 문디'
④ 세계에서 가장 큰 동물 '대왕고래'

53

TIP 세계 최고의 것

- 아마존 강(The Amazon River):
남아메리카 대륙을 가로지르는 세계 최대 길이의 강으로 2019년 기준 약 7062킬로미터로 세계에서 가장 긴 강이다. 뒤를 이어 2위가 나일 강, 3위가 미시시피 강이다.

- 부르즈 할리파(Burj Khalifa):
아랍에미리트의 두바이에 2009년 완공된 세계 최고 높이의 건축물로 공식 높이는 828미터이다.

- 살바토르 문디(Salvator Mundi: 구세주):
레오나르도 다 빈치가 1500년도 경에 그린 예수의 초상화로 2017년 경매에서 사상 최고액인 한화 약 5천억 원에 낙찰되었다.

- 대왕고래(blue whale):
흰긴수염고래라고도 불리며 몸길이는 암컷이 수컷보다 조금 크며 대개 전체 길이 23~27미터, 갓 태어난 새끼 고래는 약 7미터, 성체의 몸무게는 160톤에 이른다. 〈출처: 네이버 지식백과〉

7일 중간·기말고사 기본 테스트 1회

수량형용사

01 다음 빈칸에 들어갈 수 <u>없는</u> 것은?

There are _____ people in the room.

① some   ② few   ③ a few
④ many   ⑤ a little

to부정사와 전치사의 to

02 다음 밑줄 친 to의 쓰임이 나머지와 <u>다른</u> 것은?

① I want to marry him.
② I will move to Busan.
③ She teaches *history to us.   *역사
④ We went to the movie theater.
⑤ The house is next to the bus stop.

감각동사 + 형용사

03 다음 빈칸에 들어갈 수 있는 것은?

The girl looks _____.

① sadly   ② happy
③ busily   ④ dangerously
⑤ beautifully

There is/are + 명사, 명사의 수량 표현

04 다음 중 어법상 어색한 문장은?

① There is much water in the glass.
② There are many cookies in the box.
③ There is a little butter on the pancake.
④ There are two cheeses on the dish.
⑤ There are two cups of coffee on the table.

There is/are 의문문

05 다음 대화의 밑줄 친 ① ~ ⑤ 중, 어법상 어색한 것을 찾아 바르게 고쳐 쓰시오.

A ① Is there a bus stop ② next to the bookstore?
B ③ No, ④ it isn't. ⑤ There is a museum.

④ it isn't ➡ there isn't

54

---

01 빈칸에는 셀 수 있는 명사와 쓸 수 있는 수량형용사가 올 수 있다. ① some은 셀 수 있는 명사와 셀 수 없는 명사 둘 다와 쓸 수 있고, ② few, ③ a few, ④ many는 셀 수 있는 명사와 쓰고, ⑤ a little은 셀 수 없는 명사와 쓴다. ① 약간의 ② (수가) 거의 없는 ③ (수가) 조금 있는, 약간의 ④ (수가) 많은 ⑤ (양이) 조금 있는, 약간의

해석
방에 ①, ③ 약간의 ④ 많은 사람들이 있다.
방에 사람들이 ② 거의 없다.

02 ①은 동사의 목적어로 쓰인 to부정사의 to이고 나머지는 전치사 to이다. to부정사 to 뒤에는 동사원형이 오고 전치사 to 뒤에는 명사(구)가 온다.

□ **history** 명 역사

해석
① 나는 그와 결혼하기를 원한다.

② 나는 부산으로 이사를 갈 거다.
③ 그녀는 우리에게 역사를 가르친다.
④ 우리는 영화관에 갔다.
⑤ 그 집은 버스 정류장 옆에 있다.

03 감각동사는 형용사를 보어로 쓰므로 happy가 알맞다. 나머지는 형용사 뒤에 -ly가 붙은 부사이다.
① 슬프게 ② 행복한 ③ 바쁘게 ④ 위험하게 ⑤ 아름답게

해석
그 소녀는 행복해 보인다. (happy)

04 ④ cheese는 셀 수 없는 명사이므로 복수형이 없고, two pieces of cheese(치즈 두 조각)로 나타낼 수 있다.
① water(물)는 셀 수 없는 명사이고 많은 양을 나타낼 때는 much를 쓴다.
② cookie(쿠키)는 셀 수 있는 명사이고 많은 수를 나타낼 때는 many를 쓴다.
③ butter(버터)는 셀 수 없는 명사이고 약간의 양을 나타낼 때는 a little이나 some을 쓴다.
⑤ coffee(커피)는 셀 수 없는 명사이고 cup(컵)을 사용하여 수량을 나타낼 수 있다. 두 잔은 two cups로 쓴다.

해석
① 유리잔에 많은 물이 있다.
② 상자 안에 많은 쿠키가 있다.
③ 팬케이크 위에 약간의 버터가 있다.
④ 접시에 치즈 두 조각이 있다.
   (two cheeses → two pieces of cheese)
⑤ 식탁 위에 두 잔의 커피가 있다.

05 Is there ~?로 묻는 말에 대한 응답은 Yes, there is.나 No, there isn't.로 하므로 ④는 there isn't가 알맞다.

정답과 해설

해석

A 서점 옆에 버스 정류장이 있나요?

B 아니요, 없어요. (④ → there isn't)
박물관이 있어요.

06 I studied very hard.(나는 매우 열심히 공부했다.)와 I failed the exam.(나는 시험에 떨어졌다.)을 but으로 연결하는 것이 자연스럽다. but은 '그러나, 하지만'이라는 뜻으로 대조되는 문장을 연결할 때 쓴다.

□ **fail the exam** 시험에 떨어지다

07 '~할 때'라는 뜻의 시간을 나타내는 접속사 when이 알맞다. ① 그래서, 그러므로 ② ~ 전에 ③ ~할 때 ④ ~ 후에 ⑤ ~ 때문에

□ **help** 통 돕다

□ **need** 통 필요로 하다

08 4형식 문장 He made his family breakfast.로 만드는 것이 알맞다. made를 사용한 4형식 문장은 「made + 간접목적어 + 직접목적어」로 쓴다.

□ **breakfast** 명 아침 식사

09 〈보기〉와 ①은 목적어 역할을 하는 to부정사로 명사적 용법이다. ② 형용사적 용법 ③ 부사적 용법(감정의 원인) ④, ⑤ 부사적 용법(목적)

□ **miss** 통 놓치다

□ **chance** 명 기회

해석

〈보기〉 그는 더 먹기를 원한다.

① 나는 새로운 것을 배우기를 좋아한다.

② 나는 저축할 돈이 없다.

③ 나는 그 기회를 놓쳐서 너무 슬프다.

④ 나는 잠자리에 들기 위해 텔레비전을 껐다.

⑤ 나는 물을 마시기 위해 부엌에 갔다.

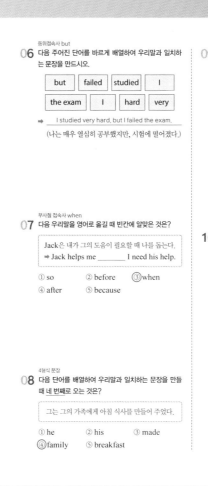

동위접속사 but

06 다음 주어진 단어를 바르게 배열하여 우리말과 일치하는 문장을 만드시오.

| but | failed | studied | I |
| the exam | I | hard | very |

➡ I studied very hard, but I failed the exam.

(나는 매우 열심히 공부했지만, 시험에 떨어졌다.)

부사절 접속사 when

07 다음 우리말을 영어로 옮길 때 빈칸에 알맞은 것은?

Jack은 내가 그의 도움이 필요할 때 나를 돕는다.

➡ Jack helps me _____ I need his help.

① so   ② before   ③ when
④ after   ⑤ because

4형식 문장

08 다음 단어를 배열하여 우리말과 일치하는 문장을 만들 때 네 번째로 오는 것은?

그는 그의 가족에게 아침 식사를 만들어 주었다.

① he   ② his   ③ made
④ family   ⑤ breakfast

to부정사의 명사적 용법

09 다음 밑줄 친 to부정사의 용법이 〈보기〉와 같은 것은?

보기

He wants to eat more.

① I like to learn new things.
② I don't have money to save.
③ I'm so sad to *miss the **chance.
④ I turned off the TV to go to bed.
⑤ I went to the kitchen to drink water.

*놓치다 **기회

비교급과 최상급

10 다음은 세 학생을 비교한 표이다. 표의 내용을 문장으로 나타낼 때 어법상 올바른 것은?

① Eva is kind than Judy.
② Tina is kindest of the three.
③ Judy is not smarter of Eva.
④ Eva is the most smart of the three.
⑤ Judy is the most popular of the three.

10 ⑤ popular(인기 있는)는 most를 써서 최상급을 만들므로 올바른 문장이다.

① than 앞에 오는 형용사는 비교급으로 쓰므로 kind는 kinder로 써야 한다.

② 최상급 앞에는 the를 써야 한다.

③ 비교급 문장에서 비교 대상을 나타낼 때는 than을 쓴다.

④ smart(똑똑한)의 최상급은 smartest이다. 3음절 이상의 형용사/부사일 때 most를 써서 최상급을 만든다.

□ **popular** 형 인기 있는

해석

① Eva는 Judy보다 더 친절하다. (kind → kinder)

② Tina는 셋 중에서 가장 친절하다. (kindest 앞에 the 삽입)

③ Judy는 Eva보다 더 똑똑하지 않다. (of → than)

④ Eva가 셋 중에서 가장 똑똑하다. (most smart → smartest)

⑤ Judy가 셋 중에서 가장 인기가 있다.

4형식 문장의 3형식 전환

11 다음 주어진 단어를 사용하여 의미가 같은 두 개의 문장으로 만드시오.

> a jacket / him / I / buy / will / for

(1) _____ I will buy him a jacket. _____ (6단어)

(2) _____ I will buy a jacket for him. _____ (7단어)

14~15 다음 빈칸에 들어갈 말로 그림에 알맞은 것을 고르시오.

등위접속사 and

14

Go °straight _____ turn right.
°곧장

① or   ② so   ③ but
④ to   ⑤and

12~13 다음 빈칸에 공통으로 알맞은 것을 고르시오.

to부정사의 부사적 용법

12
· I was surprised _____ him there.
· I went to the hospital _____ a doctor.

① see   ② saw   ③to see
④ to saw   ⑤ seeing

최상급

15

The °zebra is _____ of the three.
°얼룩말

① slower   ② faster
③ slowest   ④ fastest
⑤the fastest

명사절 접속사 that

13
· He knows _____ I love singing.
· The °rumor is _____ she died. °소문

① but   ②that   ③ after
④ when   ⑤ because

56

---

11 4형식인 「buy + 간접목적어 + 직접목적어」로 만들거나 3형식인 「buy + 목적어 + for + 목적격[명사]」으로 만든다. 두 문장 모두 '나는 그에게 재킷을 사 줄 것이다.'라는 뜻이다.

☐ **jacket** 몡 재킷

12 두 빈칸 모두 see를 to부정사인 to see로 써서 부사처럼 쓰이게 하는 것이 알맞다.
첫 번째 빈칸의 to see는 감정을 나타내는 형용사 뒤에서 감정의 원인을 나타낸다.
두 번째 빈칸의 to see는 문장 뒤에서 목적을 나타낸다.

해석
· 나는 거기서 그를 봐서 놀랐다. (to see)
· 나는 진찰을 받기 위해 병원에 갔다. (to see)

13 두 빈칸 모두 명사절을 이끄는 접속사 that이 오는 것이 알맞다.
첫 번째 문장에서는 that이 목적어 역할을 하는 명사절을 이끈다.
두 번째 문장에서는 that이 보어 역할을 하는 명사절을 이끈다.

☐ **rumor** 몡 소문
☐ **die** 동 죽다

해석
· 그는 내가 노래하는 것을 아주 좋아한다는 걸 알고 있다. (that)
· 그 소문은 그녀가 죽었다는 것이다. (that)

14 '곧장 가서 오른쪽으로 돌아라.'라는 뜻이 되도록 Go straight.와 Turn right.를 and로 연결하는 것이 알맞다. 접속사 and는 '그리고'라는 뜻으로 대응되는 내용을 연결할 때 쓴다.

☐ **straight** 부 곧장
☐ **turn** 동 돌다

해석
곧장 가서 오른쪽으로 돌아라. (and)

15 fast의 최상급을 써서 '얼룩말이 셋 중에서 가장 빠르다.'라는 뜻이 되는 것이 알맞다. fast의 최상급은 fastest이고 최상급 앞에는 the를 쓴다.

☐ **zebra** 몡 얼룩말

해석
얼룩말이 셋 중에서 가장 빠르다.
(the fastest)

7일

정답과 해설

16 ② because of를 쓰는 것이 알맞다. because 뒤에는 「주어＋동사 ～」로 이루어진 절이 오고, because of 뒤에는 명사(구)가 온다.

☐ **toothache** 명 치통

해석
① 나는 잠자리에 들기 전에 운동한다.
② 나는 이가 아파서 먹을 수 없다.
 (→ because of)
③ 나는 여행할 때 사진을 많이 찍는다.
④ 눈이 올 때 나는 자전거를 타지 않는다.
⑤ 그녀는 커피를 마신 후에 컵을 씻었다.

17 talk to oneself는 '혼잣말을 하다'라는 뜻을 나타낸다. 재귀대명사는 소유격이나 목적격에 -self/-selves를 붙인 형태이고, -selves는 복수인 대명사일 때 쓴다. 3인칭 단수 she의 재귀대명사는 herself이다.

TIP 재귀대명사의 관용 표현

by oneself	혼자, 혼자 힘으로
enjoy oneself	즐기다, 즐겁게 지내다
talk to oneself	혼잣말을 하다
help oneself	마음껏 먹다

18 ask가 쓰인 4형식 문장을 3형식으로 바꾸어 쓸 때는 전치사 of를 쓴다. 문장 형식은 달라져도 같은 의미를 나타낸다.

해석
나는 그에게 부탁 하나를 했다.

19 '아니면, 또는'이라는 뜻으로 선택을 나타낼 때는 접속사 or를 쓴다.

해석
 녹색 모자를 원하세요, 아니면 노란색 모자를 원하세요? (and → or)

 녹색 모자를 원해요.

부사절 접속사
16 다음 밑줄 친 접속사의 쓰임이 어색한 것은?

① I exercise before I go to bed.
② I can't eat because a toothache. 치통
③ I take many pictures when I travel.
④ When it snows, I don't ride a bike.
⑤ She washed the cup after she drank coffee.

재귀대명사의 관용 표현
17 다음 우리말과 일치하도록 할 때 빈칸에 알맞은 것은?

> 그녀는 자주 혼잣말을 한다.
> ➡ She often talks _____.

① to her
② herself
③ to herself
④ for herself
⑤ to herselves

4형식 문장의 3형식 전환
18 다음 문장을 3형식으로 바꾸어 쓸 때 빈칸에 알맞은 것은?

> I asked him a favor.
> ➡ I asked a favor _____ him.

① to
② of
③ for
④ at
⑤ on

신유형 등위접속사 or
19 다음 대화에서 어법상 어색한 부분을 찾아 바르게 고쳐 쓰시오

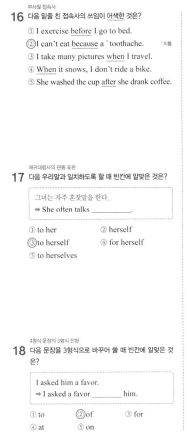

Do you want a green cap and a yellow cap?

I want a green cap.

___and___ ➡ ___or___

to부정사의 해석
20 다음 문장을 우리말로 옮긴 것 중 알맞지 않은 것은?

① She wants to make friends.
 ➡ 그녀는 친구들을 사귀기를 원한다.
② They were happy to see the singer.
 ➡ 그들은 그 가수를 봐서 기뻤다.
③ My goal is to go to university. 목표 대학교
 ➡ 나의 목표는 대학교에 가는 것이다.
④ To climb the mountains is not easy.
 ➡ 산을 오르는 것은 쉽지 않다.
⑤ He will go to Canada to study English.
 ➡ 그는 영어를 공부해서 캐나다에 갈 것이다.

57

---

20 ⑤ to부정사인 to study는 문장에서 부사처럼 쓰였고, 목적으로 해석하여 '그는 영어를 공부하기 위해 캐나다에 갈 것이다.'라고 해석하는 것이 자연스럽다.

① 목적어 자리에 쓰인 to부정사는 '~하는 것을, ~하기를'이라고 해석하는 것이 자연스럽다.

② 감정을 나타내는 형용사 뒤에 쓰인 to부정사는 '~해서'라고 해석하는 것이 자연스럽다.

③ 보어 자리에 쓰인 to부정사는 '~하는 것이다'라고 해석하는 것이 자연스럽다.

④ 주어 자리에 쓰인 to부정사는 '~하는 것은'이라고 해석하는 것이 자연스럽다.

☐ **goal** 명 목표

☐ **university** 명 대학교

셀 수 있는 명사

01 다음 중 빈칸에 들어갈 수 있는 것은?

There is an _____ on the desk.

① paper ② pencil ③ ruler
④ eraser ⑤ textbook

to부정사의 명사적 용법과 부사적 용법

02 다음 빈칸에 공통으로 알맞은 것은?

· She wants _____ a good daughter.
· He drinks milk _____ healthy.

① is ② be ③ being
④ to being ⑤ to be

셀 수 있는 명사의 복수형

03 다음 밑줄 친 부분의 형태가 올바른 것은?

① Look at those <u>puppies</u>.
② The elephant has four <u>foot</u>.
③ I saw many <u>wolfs</u> at the zoo.
④ Mr. and Mrs. Brown have two <u>childrens</u>.
⑤ Some <u>gooses</u> are swimming in the lake.

부사절 접속사 because

04 다음 빈칸에 들어갈 말로 가장 알맞은 것은?

She wants to be a *vet _____ she loves
animals.   *수의사

① so ② or ③ but
④ because ⑤ and

신유형 There is/are + 명사

05 다음 중 어법상 어색한 문장을 말한 학생의 이름을 쓰고
문장을 바르게 고쳐 쓰시오. (단, 한 단어만 고칠 것)

은지: There isn't air in *space. *우주

은호: There are two pictures on the wall.

민정: There are many apples in the box.

수호: There are much money in my *wallet. *지갑

수호 , There is much money in my wallet.

58

---

③ wolf(늑대)의 복수형은 wolves이다.
④ children(아이들)이 복수형이고 -s를
붙이지 않는다.
⑤ goose(거위)의 복수형은 geese이다.

해석

① 저 강아지들을 봐라.
② 코끼리는 발이 네 개가 있다. (→ feet)
③ 나는 동물원에서 많은 늑대들을 봤다.
  (→ wolves)
④ Brown 씨 부부는 아이들이 두 명 있다.
  (→ s 삭제)
⑤ 몇몇 거위들이 호수에서 헤엄치고 있다.
  (→ geese)

04 이유를 나타내는 접속사 because가 알맞
다.
① so(그래서)는 결과를 나타낼 때 쓴다.
② or(아니면, 또는)는 선택을 나타낼 때
쓴다.
③ but(그러나, 하지만)은 대조되는 내용
을 연결할 때 쓴다.
④ because(~ 때문에)는 이유를 나타낼
때 쓴다.
⑤ and(그리고, ~와)는 대응되는 내용을
연결할 때 쓴다.

☐ **vet** 명 수의사

해석

그녀는 동물들을 아주 좋아하기 때문에
수의사가 되기를 원한다. (because)

05 money(돈)는 셀 수 없는 명사이고 셀 수
없는 명사가 주어일 때 be동사는 is를 쓴
다.

☐ **space** 명 우주

☐ **wallet** 명 지갑

해석

은지 우주에는 공기가 없다.

---

01 There is 뒤에는 단수 명사나 셀 수 없는 명사가 오는데 an이 쓰였
<u>으므로</u> 모음으로 시작하는 셀 수 있는 명사인 eraser가 오는 것이 알
맞다. ① 종이 ② 연필 ③ 자 ④ 지우개 ⑤ 교과서

해석 책상 위에 지우개 한 개가 있다. (eraser)

02 두 빈칸 모두 to부정사인 to be가 오는 것이 알맞다. 첫 번째 빈칸의
to be는 목적어 역할을 하고, 두 번째 빈칸의 to be는 부사처럼 쓰여
목적을 나타낸다.

해석

· 그녀는 착한 딸이 되기를 원한다. (to be)
· 그는 건강해지기 위해 우유를 마신다. (to be)

03 밑줄 친 부분은 모두 명사의 복수형으로 쓰는 것이 알맞다.
① puppy의 복수형은 puppies이므로 올바르다.
② foot(발 한 쪽)의 복수형은 feet이다.

7일

은호   벽에 그림이 두 개 걸려 있다.
민정   상자 안에 많은 사과가 있다.
수호   내 지갑 안에 많은 돈이 있다.
       (are → is)

06 but은 '그러나, 하지만'이라는 뜻으로 대조적인 내용을 연결할 때 쓴다.

　해석
나는 어젯밤에 아팠지만 지금은 괜찮다.
(but)

07 and는 '그리고, ~와'라는 뜻으로 대응되는 것을 나열할 때 쓴다.
□ **order** 图 주문하다
□ **French fries** 图 감자튀김, 프렌치프라이

　해석
나는 햄버거, 감자튀김, 그리고 주스를 주문했다. (and)

08 ② many(수가 많은)의 비교급은 more이고, 최상급은 most이다.

09 made는 「made + 목적어 + 형용사」 형태로 '~을 …하게 만들었다'라는 뜻을 나타낸다. ⑤ pleasedly는 '기쁘게'라는 뜻의 부사이고 '기쁜'이라는 뜻의 형용사는 pleased이다.
□ **touched** 图 감동한
□ **pleasedly** 囝 기쁘게

　해석
그 이야기는 사람들을 ① 슬프게 ② 행복하게 ③ 화가 나게 ④ 감동하게 만들었다.

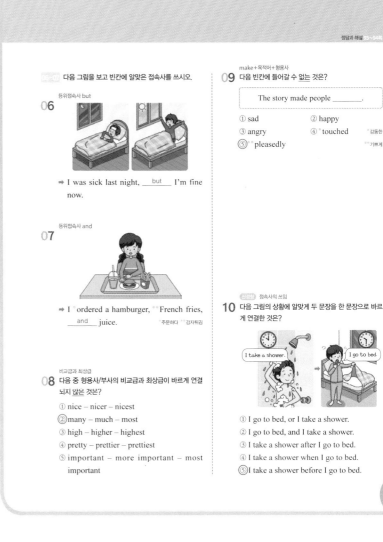

1-07 다음 그림을 보고 빈칸에 알맞은 접속사를 쓰시오.

06 등위접속사 but

➡ I was sick last night, _____but_____ I'm fine now.

07 등위접속사 and

➡ I ˚ ordered a hamburger, ˚ ˚ French fries, _____and_____ juice. ˚주문하다 ˚ ˚감자튀김

08 비교급과 최상급
다음 중 형용사/부사의 비교급과 최상급이 바르게 연결되지 <u>않은</u> 것은?
① nice – nicer – nicest
② many – much – most
③ high – higher – highest
④ pretty – prettier – prettiest
⑤ important – more important – most important

make + 목적어 + 형용사
09 다음 빈칸에 들어갈 수 없는 것은?

The story made people _____.

① sad
② happy
③ angry
④ ˚ touched ˚감동한
⑤ ˚ pleasedly ˚ ˚기쁘게

1-08 접속사의 쓰임
10 다음 그림의 상황에 알맞게 두 문장을 한 문장으로 바르게 연결한 것은?

I take a shower.   I go to bed.

① I go to bed, or I take a shower.
② I go to bed, and I take a shower.
③ I take a shower after I go to bed.
④ I take a shower when I go to bed.
⑤ I take a shower before I go to bed.

59

10 접속사 before(~ 전에)를 사용하여 '잠자리에 들기 전에 샤워를 한다'라는 뜻이 되게 연결하거나 접속사 after(~ 후에)를 사용하여 '샤워를 한 후에 잠자리에 든다'라는 뜻이 되게 연결한다.

　해석
나는 샤워를 한다.
나는 잠자리에 든다.
➡ ⑤ 나는 잠자리에 들기 전에 샤워를 한다.

　TIP 접속사의 쓰임

and	대응, 나열	그리고, ~와	when	시간	~할 때
but	역접, 대조	그러나, 하지만	after	시간	~ 후에
or	선택	아니면, 또는	before	시간	~ 전에
so	결과	그래서, 그러므로	because	이유	~ 때문에

비교급
11 다음 중 빈칸에 들어갈 수 <u>없는</u> 것은?

Junho is more _____ than Jisung.

① wise
② careful
③ famous
④ popular
⑤ *handsome
*잘생긴

4형식 문장
12 다음 우리말을 영어로 바르게 옮긴 것은?

점원은 나에게 그 구두를 보여 주었다.

① The *clerk showed the shoes me.
*점원
② The clerk showed me the shoes.
③ The clerk showed the shoes for me.
④ The clerk showed me for the shoes.
⑤ The clerk showed me to the shoes.

최상급
13 다음 그림의 내용과 일치하도록 big과 small을 사용하여 최상급 문장을 완성하시오.

Jerry   Bill   Bob

Jerry has ___the___ ___biggest___ box, and Bob has ___the___ ___smallest___ box.

명사절 접속사 that
14 다음 중 밑줄 친 That[that]의 쓰임이 〈보기〉와 같은 것은?

보기
He believes that he is the best cook.

① That building is old.
② This is cheaper than that.
③ I want that black coat.
④ I didn't know that I lost my wallet.
⑤ I went to that restaurant yesterday.

to부정사의 명사적 용법
15 다음 괄호 안에 주어진 단어를 사용하여 질문에 대한 응답을 완성하시오.

Q What do you want to do *in the future?
*미래에

➡ I want ___to travel___ in space. (travel)

60

---

11 than 앞에는 비교급이 오며, -ous, -ful, -ly로 끝나는 2음절인 형용사/부사나 3음절 이상인 형용사/부사의 비교급은 more를 써서 만든다. wise는 -r을 붙여서 비교급을 만든다.

☐ **wise** 형 현명한
☐ **careful** 형 주의 깊은
☐ **famous** 형 유명한
☐ **handsome** 형 잘생긴

해석
준호는 지성이보다 더 ② 주의 깊다 ③ 유명하다 ④ 인기 있다 ⑤ 잘생겼다.

12 '~에게 …을 보여 주었다.'라는 뜻의 문장은 4형식인 「showed + 간접목적어 + 직접목적어」로 쓰거나 전치사 to를 사용하여 3형식인 「showed + 목적어 + to + 목적격[명사]」으로 쓴다.

☐ **clerk** 명 점원

13 big은 마지막 자음을 한 번 더 쓰고 -est를 붙여 최상급을 만들고, small은 단어 뒤에 -est를 붙여 최상급을 만든다. 최상급 앞에는 the를 써 준다.

해석
Jerry는 가장 큰 상자를 가지고 있고 (the biggest), Bob은 가장 작은 상자를 가지고 있다. (the smallest)

14 〈보기〉와 ④의 that은 목적어 역할을 하는 명사절을 이끄는 접속사이다. 접속사 뒤에는 「주어 + 동사 ~」로 이루어진 절이 온다.
①, ③, ⑤ 지시형용사(저 ~)
② 지시대명사(저것)
☐ **old** 형 낡은, 오래된

해석
〈보기〉 그는 그가 최고의 요리사라고 믿는다.
① 저 건물은 낡았다.
② 이것은 저것보다 더 싸다.
③ 나는 저 검은색 코트를 원한다.
④ 나는 내가 지갑을 잃어버렸다는 걸 몰랐다.
⑤ 나는 어제 저 음식점에 다녀왔다.

15 want는 to부정사를 목적어로 취하는 동사이므로 to travel이 알맞다.

☐ **in the future** 미래에
☐ **travel** 동 여행하다

해석
Q 너는 미래에 무엇을 하기를 원하니?
➡ 나는 우주를 여행하길 원해.
(to travel)

정답과 해설

16 〈보기〉와 ④의 to부정사는 부사적 용법
중에서 '~하기 위해서'라는 뜻의 목적을
나타낸다.
① 형용사적 용법
② 명사적 용법(보어 역할)
③ 명사적 용법(목적어 역할)
⑤ 부사적 용법(감정의 원인)
☐ **pick up** 줍다
☐ **design** 동 디자인하다
☐ **honest** 형 정직한
〔해석〕
〈보기〉 그는 쓰레기를 줍기 위해 멈췄다.
① 나는 잘 시간이 없다.
② 나의 직업은 옷을 디자인하는 것이다.
③ 그는 정직한 사람이 되기를 바란다.
④ 나는 중국어를 배우기 위해 중국에 갔다.
⑤ Jane은 그녀의 가족을 만나서 기뻤다.

17 감각동사는 보어로 형용사를 쓰므로 ④는
sounds beautiful이 되어야 한다.
☐ **spicy** 형 매운
〔해석〕
① 이 우유는 상한 냄새가 난다.
② 네 코트는 따뜻한 느낌이 든다.
③ 이 주스는 신맛이 난다.
④ 그의 목소리는 아름답게 들린다.
　(→ sounds beautiful)
⑤ 그 수프는 아주 매워 보인다.

18 '~할 때'라는 뜻의 when을 써서 '화창할
때 선글라스를 써라.'라는 뜻이 되는 것이
알맞다.
☐ **wear** 동 (안경을) 쓰다
☐ **sunglasses** 명 선글라스

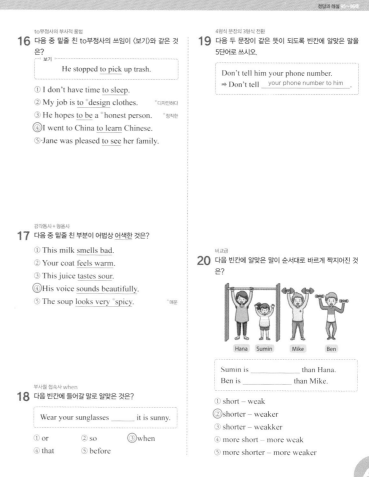

to부정사의 부사적 용법
16 다음 중 밑줄 친 to부정사의 쓰임이 〈보기〉와 같은 것은?

〔보기〕
He stopped to pick up trash.

① I don't have time to sleep.
② My job is to *design clothes.　*디자인하다
③ He hopes to be a *honest person.　*정직한
④ I went to China to learn Chinese.
⑤ Jane was pleased to see her family.

감각동사 + 형용사
17 다음 중 밑줄 친 부분이 어법상 어색한 것은?
① This milk smells bad.
② Your coat feels warm.
③ This juice tastes sour.
④ His voice sounds beautifully.
⑤ The soup looks very *spicy.　*매운

부사절 접속사 when
18 다음 빈칸에 들어갈 말로 알맞은 것은?

Wear your sunglasses _____ it is sunny.

① or　　② so　　③ when
④ that　　⑤ before

4형식 문장의 3형식 전환
19 다음 두 문장이 같은 뜻이 되도록 빈칸에 알맞은 말을
5단어로 쓰시오.

Don't tell him your phone number.
⇒ Don't tell _your phone number to him_

비교급
20 다음 빈칸에 알맞은 말이 순서대로 바르게 짝지어진 것은?

Sumin is _____ than Hana.
Ben is _____ than Mike.

① short – weak
② shorter – weaker
③ shorter – weakker
④ more short – more weak
⑤ more shorter – more weaker

61

〔해석〕
화창할 때 선글라스를 써라. (when)

19 tell이 쓰인 4형식 문장은 간접목적어와 직접목적어의 순서를 바꾸고
전치사 to를 써서 같은 의미의 3형식 문장으로 나타낼 수 있다.
☐ **phone number** 명 전화번호
〔해석〕
그에게 네 전화번호를 말해 주지 마라.

20 '키가 작은'을 뜻하는 형용사 short의 비교급은 shorter이고, '(힘이)
약한'을 뜻하는 형용사 weak의 비교급은 weaker이다.
〔해석〕
수민이는 하나보다 키가 더 작다. (shorter)
Ben은 Mike보다 더 약하다. (weaker)

핵심 정리 01 | 셀 수 있는 명사의 복수형 만들기

셀 수 있는 명사는 한 개일 때는 단어 앞에 ❶[   ]을 쓰고, 두 개 이상일 때는 복수형으로 쓴다.

대부분의 명사+-s	girl**s**, boy**s**, pencil**s**, table**s**
-(s)s, -sh, -ch, -o, -x로 끝나는 명사+-es	class**es**, dish**es**, box**es**
「자음+-y」로 끝나는 명사: y → i로 고치고+-es	lady → lad**ies**, candy → ❷[ ]
-f, -fe로 끝나는 명사: -f, -fe를 -ves로	leaf → lea**ves**, knife → kni**ves**
별도의 복수형을 갖는 명사	man → **men**, goose → **geese**, child → ❸[ ], mouse → **mice**
단수형과 복수형이 같은 명사	fish → **fish**, sheep → **sheep**

답 ❶a/an ❷candies ❸children

핵심 정리 02 | 셀 수 없는 명사와 수량형용사

1. 셀 수 없는 명사

a/an과 함께 쓰지 않고, ❶[   ]이 없다.

❷[ ]	water, air, money, flour, sugar
추상명사	love, advice, friendship, health
고유명사	Seoul, Korea, Tom, Mr. Brown

2. 명사의 수량 표현(수량형용사)

	셀 수 있는 명사	셀 수 없는 명사
거의 없는	few	little
몇몇의, 약간의	a few	a little
	some	
많은	❸[ ]	much
	a lot of, lots of	

답 ❶복수형 ❷물질명사 ❸many

핵심 정리 03 | There is/are

1. There is/are는 '(~에) …가 있다'라는 뜻이며, there는 별도로 해석하지 않는다.

2. There is 뒤에는 ❶[   ] 또는 셀 수 없는 명사가 오고, There are 뒤에는 ❷[   ]가 온다.

- **There is** juice ~.
  _{셀 수 없는 명사}
- **There is** a girl ~.
  _{단수 명사}
- **There are** two pencils ~.
  _{복수 명사}

3. be동사 뒤에 있는 명사가 ❸[   ]이고, be동사의 수는 명사의 수에 일치시킨다.

There is a cat on the sofa.
└→ 주어인 a cat이 단수이므로 동사 is를 쓴다.

답 ❶단수 명사 ❷복수 명사 ❸주어

핵심 정리 04 | There is/are의 문장 형태

1. **긍정문**: (~에) …가 있(었)다
- There ❶[   ]/was+단수 명사/셀 수 없는 명사
  └→ There's로 줄여 쓸 수 있다.
- There are/were+복수 명사

2. **부정문**: (~에) …가 없(었)다
- There ❷[   ]/wasn't+단수 명사/셀 수 없는 명사
- There aren't/weren't+복수 명사

3. **의문문**: (~에) …가 있(었)니?
- Is/Was there+단수 명사/셀 수 없는 명사 ~?
  - Yes, there is/was.
    No, there ❸[   ]/wasn't.
- Are/Were there+복수 명사 ~?
  - Yes, there are/were.
    No, there ❹[   ]/weren't.

답 ❶is ❷isn't ❸isn't ❹aren't

핵심 예문 02

- I need your ❶ [_____].
  나는 너의 충고가 필요하다.

- Do you have sugar?
  너는 설탕을 가지고 있니?

- He has ❷ [_____] money.
  그는 약간의 돈을 가지고 있다.

- I have a lot of homework today.
  나는 오늘 숙제가 많이 있다.

- He needs ❸ [_____] water.
  그는 많은 물이 필요하다.

- ❹ [_____] people are on the bus.
  많은 사람들이 버스에 있다.

답 ❶ advice ❷ some(a little) ❸ much ❹ Many

핵심 예문 01

- I have two pencils.
  <u>pencil의 복수형</u>
  나는 연필 두 자루를 가지고 있다.

- These ❶ [_____] are very heavy.
  <u>box 의 복수형</u>
  이 상자들은 매우 무겁다.

- Many <u>leaves</u> are on the street.
  <u>leaf의 복수형</u>
  거리에 많은 나뭇잎들이 있다.

- How many ❷ [_____] do you have?
  <u>candy 의 복수형</u>
  너는 얼마나 많은 사탕을 가지고 있니?

- My ❸ [_____] are tall.
  <u>child의 복수형</u>
  나의 아이들은 키가 크다.

- I saw some ❹ [_____] in the kitchen.
  <u>mouse의 복수형</u>
  나는 부엌에서 쥐 몇 마리를 봤다.

답 ❶ boxes ❷ candies ❸ children ❹ mice

핵심 예문 04

⟨There is/are 긍정문⟩

- There ❶ [_____] milk in the bottle.
  병 안에 우유가 있다.

- There ❷ [_____] cookies on the dish.
  접시 위에 쿠키가 있다.

⟨There is/are 부정문⟩

- There isn't money in the wallet.
  지갑 안에 돈이 없다.

- There ❸ [_____] people in the room.
  방 안에는 사람들이 없었다.

⟨There is/are 의문문⟩

- ❹ [_____] there food on the table?
  탁자 위에 음식이 있니?

- Are there donuts on the plate?
  접시 위에 도넛이 있니?

답 ❶ is ❷ are ❸ weren't ❹ Is

핵심 예문 03

- There ❶ [_____] a book in the bag.
  가방 안에 책 한 권이 있다.

- There is a cat on the bench.
  벤치 위에 고양이 한 마리가 있다.

- There ❷ [_____] juice in the glass.
  유리잔에 주스가 있다.

- There ❸ [_____] an egg in the basket.
  바구니 안에 계란 한 개가 있다.

- There ❹ [_____] two cups on the table.
  탁자 위에 컵 두 개가 있다.

- There are a lot of cars on the road.
  도로에 많은 차가 있다.

답 ❶ is ❷ is ❸ is ❹ are

핵심 정리 05 감각동사＋형용사

1. 2형식 문장은 「주어＋동사＋보어」로 이루어지고, 감각동사의 보어는 ❶[   ]를 쓴다.

2. 감각동사의 보어는 '~하게'라고 해석되어도 형용사만 올 수 있다.

   You look <u>sad</u>. (너는 슬프게 보인다.)
   sadly (×)

3. 감각동사의 종류

look	~하게 보이다	You **look** happy.
sound	❷[ ]	The story **sounds** sad.
smell	~한 냄새가 나다	This apple **smells** sweet.
feel	❸[ ]	I **feel** sorry for him.
taste	~한 맛이 나다	The noodles **taste** salty.

답 ❶ 형용사 ❷ ~하게 들리다 ❸ ~한 기분이(느낌이) 들다

핵심 정리 06 목적어를 취하는 문장 형식

1. **동사＋목적어(3형식)**

   3형식 문장은 「주어＋동사＋❶[   ]」로 나타낸다.
   I made spaghetti. (나는 스파게티를 만들었다.)

2. **수여동사＋간접목적어＋직접목적어(4형식)**

   4형식 문장은 「주어＋❷[   ]＋간접목적어＋직접목적어」로 나타낸다.

   Mom made me spaghetti.
   (엄마는 나에게 스파게티를 만들어 주셨다.)

3. **make＋목적어＋형용사(5형식)**

   5형식 문장에서 make는 '~을 …하게 만들다'라는 뜻으로 「make＋목적어＋❸[   ]」의 형태로 쓴다.

   My dog makes me happy.
   (내 개는 나를 행복하게 만든다.)

답 ❶ 목적어 ❷ 수여동사 ❸ 형용사

핵심 정리 07 수여동사＋간접목적어＋직접목적어

1. 4형식 문장은 「주어＋❶[   ]＋간접목적어＋직접목적어」로 나타낸다.

   I gave Kate flowers. (나는 Kate에게 꽃을 주었다.)

2. 수여동사는 두 개의 ❷[   ]를 취하며 '~(해) 주다'라는 의미를 나타낸다.

3. 수여동사의 종류

give 주다	lend 빌려 주다
send 보내 주다	buy 사 주다
tell 말해 주다	make 만들어 주다
show 보여 주다	get(bring) 가져다주다
teach 가르쳐 주다	cook 요리해 주다
write 써 주다	find 찾아 주다
pass 건네주다	ask 물어보다, 요청하다

답 ❶ 수여동사 ❷ 목적어

핵심 정리 08 4형식 문장의 3형식 전환

1. 4형식 문장에서 간접목적어와 직접목적어의 위치를 바꾸고 그 사이에 ❶[   ] to, for, of를 넣으면 3형식 문장이 된다.

   He   sent   me   a letter.
   주어 수여동사 간접목적어 직접목적어

   He sent a letter to ❷[   ].
   주어 동사   목적어   부사구(전치사＋목적격(명사))

2. 전치사에 따른 동사의 종류

to를 쓰는 동사	give, send, tell, pass, show, teach, write, lend, bring
for를 쓰는 동사	buy, make, get, cook, find
of를 쓰는 동사	❸[ ]

답 ❶ 전치사 ❷ me ❸ ask

핵심 예문 06

 〈3형식 문장〉

· I ❶[   ] a nice cap.

나는 멋진 모자를 가지고 있다.

· I made a birthday cake.

나는 생일 케이크를 만들었다.

〈4형식 문장〉

· He ❷[   ] me some flowers.

그는 나에게 꽃을 좀 사 주었다.

· Grandma ❸[   ] us an apple pie.

할머니는 우리에게 애플파이를 만들어 주셨다.

〈5형식 문장〉

· The movie made me sad.

그 영화는 나를 슬프게 만들었다.

· He ❹[   ] his teacher very angry.

그는 그의 선생님을 매우 화나게 만들었다.

답 ❶have ❷bought ❸made ❹made

핵심 예문 05

 · You ❶[   ] tired today.

너는 오늘 피곤해 보인다.

· The lemonade ❷[   ] sour.

레모네이드는 신맛이 난다.

· I feel hungry.

나는 배가 고프다.

· The bread ❸[   ] good.

그 빵은 좋은 냄새가 난다.

· This blanket feels warm.

이 담요는 따뜻한 느낌이 든다.

· The music ❹[   ] beautiful.

그 음악은 아름답게 들린다.

답 ❶look ❷tastes ❸smells ❹sounds

핵심 예문 08

 · I gave her a ring.

나는 그녀에게 반지를 줬다.

➡ I gave a ring ❶[   ] her.

· She told me her address.

그녀는 나에게 그녀의 주소를 말해 주었다.

➡ She told her address ❷[   ] me.

· I bought my mom flowers.

나는 엄마께 꽃을 사 드렸다.

➡ I bought flowers ❸[   ] my mom.

· May I ask you a question?

너에게 질문 하나 해도 되니?

➡ May I ask a question ❹[   ] you?

답 ❶to ❷to ❸for ❹of

핵심 예문 07

 · I ❶[   ] him an email.

나는 그에게 이메일을 보냈다.

· James teaches us English.

James는 우리에게 영어를 가르쳐 준다.

· He ❷[   ] me a favor.

그는 나에게 부탁 하나를 했다.

· She ❸[   ] me the secret.

그녀는 나에게 그 비밀을 말해 주었다.

· He ❹[   ] his son a new bike.

그는 그의 아들에게 새 자전거를 사 주었다.

답 ❶sent ❷asked ❸told ❹bought

핵심 정리 09 to부정사의 명사적 용법

1. **to부정사**: 「to+❶[동사원형]」 형태로 문장에서 명사, 형용사, 부사 역할을 한다. 부정형은 「not to+동사원형」으로 쓴다.

2. **to부정사의 명사적 용법**: 문장에서 주어, 목적어, 보어 역할을 한다.

→ 주어로 쓰인 to부정사는 단수 취급한다.

주어 역할	**To swim** in the river <u>is</u> dangerous.
목적어 역할	I like **to watch** movies.
보어 역할	My job is ❷[to] **teach** English.

3. **to부정사를 ❸[목적어]로 취하는 동사**

want 원하다	need 필요하다	hope 바라다
learn 배우다	decide 결정하다	plan 계획하다

답 ❶ 동사원형 ❷ to ❸ 목적어

핵심 정리 10 to부정사의 형용사적 용법/부사적 용법

1. **to부정사의 형용사적 용법**: 문장에서 명사나 대명사를 꾸며 주는 ❶[형용사] 역할을 하고, '~할, ~하는'으로 해석한다.

I have homework **to do.**
(나는 해야 할 숙제가 있다.)

2. **to부정사의 부사적 용법**: 문장에서 부사처럼 쓰이고, 목적이나 감정의 원인 등을 나타낸다.

❷[목적]	~하기 위해서	I went to Canada **to study** English.
감정의 원인	~해서, ~하다니	I'm glad **to see** you.

* happy, glad, sad 같이 감정을 나타내는 형용사 뒤에 쓰인 to부정사는 일반적으로 감정의 ❸[원인]을 나타낸다.

답 ❶ 형용사 ❷ 목적 ❸ 원인

핵심 정리 11 등위접속사

1. ❶[접속사]: 문장에서 단어와 단어, 구와 구, 절과 절을 연결시켜주는 역할을 한다.

2. **등위접속사**: 문법적으로 성격이 같은 것끼리 연결한다.

and	~와, 그리고	I have a cat **and** a dog.
but	그러나, 하지만 (역접, 대조)	I like tea, ❷[but] I don't like coffee.
or	아니면, 또는 (선택)	Will you go by bus **or** by subway?
so	그래서, 그러므로 (원인+so+결과)	I was sick, ❸[so] I stayed at home.

* and로 셋 이상의 단어, 구, 절을 연결할 때는 마지막 말 앞에만 and를 쓴다.

답 ❶ 접속사 ❷ but ❸ so

핵심 정리 12 명사절을 이끄는 접속사 that

1. that이 이끄는 ❶[명사절]은 '~하는 것'이라는 의미로 「that+주어+동사 ~」의 형태이며, 문장에서 주어, 목적어, 보어 역할을 한다.

주어 역할	**That** he can walk is surprising.
❷[목적어 역할]	I think (**that**) it is a good plan.
보어 역할	Your problem is **that** you are too lazy.

2. that이 이끄는 명사절은 ❸[단수] 취급하며, 목적어 역할을 하는 명사절 접속사 that은 생략할 수 있다.

답 ❶ 명사절 ❷ 목적어 역할 ❸ 단수

핵심 예문 10

 e.g. 〈형용사적 용법〉

- I don't have money to ① [____].
  나는 쓸 돈이 없다.

- I have something to eat.
  나는 먹을 것이 있다.

〈부사적 용법〉

- He came to Seoul ② [____] travel.
  그는 여행하기 위해 서울에 왔다. (목적)

- They save money to buy a house.
  그들은 집을 ③ [____] 돈을 모은다. (목적)

- Luna was pleased to get the present.
  Luna는 그 선물을 ④ [____] 기뻤다. (감정의 원인)

답 ① spend ② to ③ 사기 위해 ④ 받아서

핵심 예문 09

 e.g.
- To play the piano is my hobby.
  피아노를 ① [____]은 나의 취미이다. (주어 역할)

- My job is to build buildings.
  나의 직업은 건물을 짓는 것이다. (보어 역할)

- He likes ② [____] watch sports games.
  그는 스포츠 경기를 보는 것을 좋아한다. (목적어 역할)

- I don't want to ③ [____] on weekend.
  나는 주말엔 공부하고 싶지 않다. (목적어 역할)

- Linda ④ [____] to be a famous writer.
  Linda는 유명한 작가가 되기를 바란다. (목적어 역할)

답 ① 치는 것 ② to ③ study ④ hopes

핵심 예문 12

 e.g.
- ① [____] he is rich is true.
  그가 부자라는 것은 사실이다. (주어 역할)

- That he is my boyfriend is a secret.
  그가 내 남자 친구라는 것은 비밀이다. (주어 역할)

- We know ② [____] the Earth is round.
  우리는 지구가 둥글다는 것을 안다. (목적어 역할)

- I hope ③ [____] she will get better soon.
  나는 그녀가 곧 나아지기를 바란다. (목적어 역할)

- My job is ④ [____] I take care of children.
  나의 직업은 아이들을 돌보는 것이다. (보어 역할)

답 ① That ② that ③ that ④ that

핵심 예문 11

 e.g.
- He is tall, smart, ① [____] handsome.
  그는 키가 크고, 똑똑하고, 잘생겼다.

- I like math and science.
  나는 수학과 과학을 좋아한다.

- I ate much, ② [____] I was too full.
  나는 많이 먹어서 배가 너무 불렀다.

- Ann likes me, ③ [____] I don't like her.
  Ann은 나를 좋아하지만 나는 그녀를 좋아하지 않는다.

- You can say yes ④ [____] no.
  너는 예 아니면 아니요로 말할 수 있다.

답 ① and ② so ③ but ④ or

핵심 정리 13 시간의 부사절을 이끄는 접속사

1. 접속사 when, before, after는 시간의 부사절을 이끈다.

❶ [ ]	~(할) 때	I was weak **when** I was young.
before	~ 전에	Tony keeps a diary **before** he goes to bed.
after	~ 후에	We go jogging **after** we have dinner.

2. 시간의 부사절에서는 미래 상황을 ❷[ ]로 나타낸다.

3. before나 after가 ❸[ ]일 때는 뒤에 「주어+동사 ~」로 이루어진 절이 오고, 전치사일 때는 명사(구)가 온다.

답 ❶ when ❷ 현재 시제 ❸ 접속사

핵심 정리 14 이유의 부사절을 이끄는 접속사

1. because는 '❶[ ]'라는 뜻으로 이유를 나타내는 부사절을 이끈다.

2. because 뒤에는 「주어+동사 ~」로 이루어진 절이 오고, ❷[ ] of 뒤에는 명사(구)가 온다.

3. 원인과 결과를 연결하는 because와 so

❸[ ]는 이유를 나타내는 접속사이고, ❹[ ]는 결과를 나타내는 접속사이다.

┌─ 결과 ─┐   ┌─ 원인 ─┐
I took medicine **because** I had a cold.
(나는 약을 먹었다. 왜냐하면 감기에 걸렸기 때문이다.)

┌─ 원인 ─┐   ┌─ 결과 ─┐
I had a cold, **so** I took medicine.
(나는 감기에 걸렸다. 그래서 약을 먹었다.)

답 ❶ ~ 때문에 ❷ because ❸ because ❹ so

핵심 정리 15 비교급

1. 형용사/부사의 비교급 만들기

대부분의 경우	+-er	fast**er**, short**er**, tall**er**
-e로 끝나는 경우	+-r	larg**er**, cut**er**, saf**er**
「자음+-y」로 끝나는 경우	y를 i로 고치고 +-er	heavy → ❶[ ], busy → bus**ier**
「단모음+단자음」으로 끝나는 경우	마지막 자음을 한 번 더 쓰고 +-er	hot → hot**ter**, big → ❷[ ]
3음절 이상이거나 일부 2음절 단어	❸[ ] +형용사/부사 의 원급	**more** beautiful, **more** diligent
불규칙 변화	good/well → **better**, little → **less**	

2. 비교급 문장

형용사/부사의 비교급+❹[ ] : …보다 더 ~한/하게

답 ❶ heavier ❷ bigger ❸ more ❹ than

핵심 정리 16 최상급

1. 형용사/부사의 최상급 만들기

대부분의 경우	+❶[ ]	young**est**, smart**est**
-e로 끝나는 경우	+-st	wis**est**, fin**est**
「자음+-y」로 끝나는 경우	y를 ❷[ ]로 고치고 +-est	funny → funn**iest**, dirty → dirt**iest**
「단모음+단자음」으로 끝나는 경우	마지막 자음을 한 번 더 쓰고 +-est	fat → fat**test**, sad → sad**dest**
3음절 이상이거나 일부 2음절 단어	❸[ ] +형용사/부사 의 원급	**most** difficult, **most** expensive
불규칙 변화	good/well → **best**, little → **least**	

2. 최상급 문장

the+형용사/부사의 최상급+in(of) … : …에서 가장 ~한/하게

답 ❶ -est ❷ i ❸ most

핵심 예문 14

e.g.
- I was happy ❶ [_____] I met you.
  나는 너를 만났기 때문에 행복했다.

- ❷ [_____] of the cold weather, I caught a cold.
  추운 날씨 때문에 나는 감기에 걸렸다.

- He is nervous because he has a test.
  그는 시험이 있기 때문에 초조하다.

- Mom was angry because I broke the TV.
  내가 텔레비전을 ❸ [_____] 엄마는 화가 나셨다.

- I got up late because it was Sunday.
  나는 일요일이었기 때문에 늦게 일어났다.

답 ❶ because ❷ Because ❸ 망가뜨렸기 때문에

핵심 예문 13

e.g.
- She wasn't there ❶ [_____] I arrived.
  내가 도착했을 때 그녀는 거기에 없었다.

- When it snows, drive carefully.
  눈이 ❷ [_____] 조심해서 운전해라.

- He drinks coffee ❸ [_____] he has meals.
  그는 식후에 커피를 마신다.

- Wash the dishes after you eat.
  먹은 후에 설거지를 해라.

- I do my homework ❹ [_____] I practice the piano.
  나는 피아노를 연습하기 전에 숙제를 한다.

답 ❶ when ❷ 올 때 ❸ after ❹ before

핵심 예문 16

e.g.
- I am the ❶ [_____] cook.
  나는 최고의 요리사이다.

- The zebra is the ❷ [_____] of the three.
  얼룩말이 셋 중에서 가장 빠르다.

- Jack is the ❸ [_____] of my friends.
  Jack은 나의 친구들 중에서 가장 웃기다.

- The Nile is the longest river in the world.
  나일 강은 세계에서 가장 긴 강이다.

- She is the ❹ [_____] famous writer in Korea.
  그녀는 한국에서 가장 유명한 작가이다.

답 ❶ best ❷ fastest ❸ funniest ❹ most

핵심 예문 15

e.g.
- Emma is ❶ [_____] than you.
  Emma는 너보다 더 말랐다.

- I eat ❷ [_____] than Tom.
  나는 Tom보다 더 많이 먹는다.

- Today is hotter than yesterday.
  오늘은 어제보다 더 덥다.

- He plays baseball ❸ [_____] than I.
  그는 나보다 야구를 더 잘한다.

- Health is more ❹ [_____] than money.
  건강이 돈보다 더 중요하다.

답 ❶ thinner ❷ more ❸ better ❹ important